Estranhos a nós mesmos

Rachel Aviv

Estranhos a nós mesmos

Histórias de mentes instáveis

Tradução:
Laura Teixeira Motta

4ª reimpressão

Grafia atualizada segundo o Acordo Ortográfico da Língua Portuguesa de 1990, que entrou em vigor no Brasil em 2009.

Título original
Strangers to Ourselves: Unsettled Minds and the Stories That Make Us

Capa
Alles Blau

Imagem de capa
Homenagem ao palhaço (para Albers), 2020, de Rodrigo Andrade.
Óleo sobre tela sobre MDF, 159 × 225 cm. Foto de Ding Musa.

Preparação
Gabriele Fernandes

Revisão
Luís Eduardo Gonçalves
Aminah Haman

Dados Internacionais de Catalogação na Publicação (CIP)
(Câmara Brasileira do Livro, SP, Brasil)

Aviv, Rachel
Estranhos a nós mesmos : Histórias de mentes instáveis / Rachel Aviv ; tradução Laura Teixeira Motta. — 1ª ed. — Rio de Janeiro : Zahar, 2023.

Título original : Strangers to Ourselves : Unsettled Minds and the Stories That Make Us.
ISBN 978-65-5979-131-6

1. Anorexia 2. Distúrbios alimentares 3. Escritoras norte-americanas – Autobiografia 4. Experiência – Relatos 5. Histórias de vida 6. Saúde mental I. Título.

23-159343 CDD-818.509

Índice para catálogo sistemático:
1. Escritoras norte-americanas : Autobiografia 818.509

Tábata Alves da Silva — Bibliotecária — CRB-8/9253

EDITORA SCHWARCZ S.A.
Praça Floriano, 19, sala 3001 — Cinelândia
20031-050 — Rio de Janeiro — RJ
Telefone: (21) 3993-7510
www.companhiadasletras.com.br
www.blogdacompanhia.com.br
facebook.com/editorazahar
instagram.com/editorazahar
twitter.com/editorazahar

Aos meus pais

Sumário

Prólogo
Rachel: "Alguém melhor do que eu"

Logo no começo da primeira série fiz amizade com Elizabeth. Ela era a mais velha da nossa turma, porém miúda, com braços e pernas finos e ossudos. Nossa ligação começou jogando mancala, um jogo no qual bolas de gude devem ser distribuídas num tabuleiro de madeira com catorze cavidades. Eu evitava outras colegas só para estar disponível quando Elizabeth me chamasse para jogar. E ela sempre chamava. Eu tinha a impressão de que nossa amizade surgira pela minha simples vontade.

Perguntei para minha mãe por que a casa de Elizabeth, em Bloomfield Hills, um subúrbio rico de Detroit, tinha um cheiro tão diferente da nossa. E fiquei decepcionada porque a resposta — sabão em pó — era sem graça demais. A casa de Elizabeth era tão grande que eu tinha certeza de que ela se perdia lá dentro. Ela dormia numa cama com dossel amarelo, tinha um closet e uma piscina. Me mostrava como seu cabelo louro ficava ainda mais claro quando o escovava. Sua família tinha uma geladeira no porão só para refrigerantes, e um dia Elizabeth sugeriu que tomássemos Coca pelos joelhos. Tentamos o experimento no carro de sua babá e caímos na gargalhada quando o líquido escorreu pelo banco. Era inacreditável existir um único modo de beber.

Em casa às vezes eu fingia ser Elizabeth. Entrava nos cômodos e fantasiava não saber aonde dariam. Parecia mero acaso, certo azar, eu ter nascido eu em vez de Elizabeth. Lembro-me de, uma vez, ficar arrasada depois de um sonho: tinham me dado a chance de virar Elizabeth se eu escolhesse o lugar certo no ônibus escolar. Passei por treze bancos, emocionadíssima com aquela oportunidade, e escolhi o errado.

Eu acabara de fazer seis anos e achava que as fronteiras entre as pessoas eram difusas. Nas aulas de música, mandaram que me sentasse entre dois meninos. De um lado, Sloan, o mais alto da turma, que vivia com o nariz escorrendo catarro esverdeado. Do outro, Brent, um gordinho que respirava tão alto que às vezes eu dava uma olhada para conferir se não tinha dormido. Os atributos físicos dos dois pareciam contagiosos. Para me proteger, tentava me sentar bem no meio da cadeira, o mais longe possível de um e do outro. Quando me movimentava e me aproximava de Sloan, sentia que ficava mais alta. Se chegasse só um pouquinho perto de Brent, engordava. Minha irmã mais velha, Sari, e eu tínhamos assistido a uma reportagem sobre um homem obeso que sofrera um ataque cardíaco na cama e precisara ser removido do apartamento por um guindaste. Tentamos imaginar a logística: tiveram que derrubar as paredes? Como será que puseram o homem na máquina? Decidi ficar mais para o lado de Sloan.

Durante o almoço, todos da sala eram obrigados a comer pelo menos um bocadinho de cada alimento — um fio de macarrão, uma ervilha. Muitos anos depois, minha professora da primeira série, a sra. Calfin, me contou: "Você ficava lá sentada olhando pensativa para os bocadinhos, e eu só pensava: 'Ande logo! Só temos vinte minutos! Não fique aí parada!'. Mas você enrolava". Passadas duas semanas do início do ano letivo, pedi permissão para ir ao banheiro após o almoço. "Está apertada?", perguntou a sra. Calfin. Segundo ela, respondi que só queria me olhar no espelho.

Dias mais tarde, nem toquei nos bocadinhos que a sra. Calfin pôs no meu prato. Ela perguntou se eu preferia ir até o buffet de saladas, onde às vezes eu pegava alguns croutons. Tentei esconder uma risada ao responder que não. Ela me fitou atentamente, com uma expressão que eu não soube classificar — parecia uma cara séria e um sorriso ao mesmo tempo. Eu podia sentir que ela refletia sobre quem eu era, e toda aquela atenção me deliciou. Gostava dela, mas receava que não fosse recíproco. Achava que ela preferia as crianças apáticas cujas mães trabalhavam como voluntárias na escola.

Nos dois dias seguintes me recusei quase totalmente a comer e beber. Não tenho lembrança do que planejava com isso, apenas da reação dos adultos e de um vago sentimento de orgulho. Tive a ideia graças ao Yom Kippur, o Dia do Perdão, que tínhamos celebrado uma semana antes. Foi a primeira vez que percebi que era possível dizer não à comida. A decisão trazia a energia religiosa do dia sagrado e adquiria uma aura de martírio.

Eu ia ao curso de hebraico três vezes por semana e gostava de acalentar a ideia de que tinha canais invisíveis de comunicação com Deus. Várias vezes ao dia rezava para que minha família vivesse com saúde até termos "87 anos ou mais", repetindo "eu e mamãe" exaustivamente, pois nossa sobrevivência me parecia a mais importante. Lembro de andar sobre as pedrinhas no quintal da casa da namorada do meu pai e perceber que cada passo fora preordenado por Deus. Mas a epifania era eclipsada pela autoconsciência; sentia que talvez estivesse tendo meu momento de sarça ardente. O conteúdo da revelação era menos importante do que o desejo de me distinguir como alguém capaz de ter uma.

Em 30 de setembro de 1988 falei para minha mãe que estava com muita tontura e achava que me chocaria contra a parede. Não tinha comido quase nada por três dias. Ela me levou ao pediatra e tempos mais tarde me contou ter pensado na hora: "Tudo bem, vão dar soro para ela e depois voltamos para casa". Minha mãe me descreve como uma menina de seis anos muito viva e meio boba. Mas a namorada do meu pai, Linda, que se tornou minha madrasta, recorda que eu era a criança mais triste que já vira. Quando me propunha atividades que ela achava que fossem me animar, eu respondia com a mesma frase: "Que graça tem nisso?". Linda contou que eu tinha a capacidade incomum de me sentar completamente imóvel enquanto chorava em silêncio, com frequência à mesa da cozinha. Meu pai dizia para eu comer e eu me recusava, às vezes durante mais de uma hora, até ele desistir e me levar de carro para a escola.

O pediatra falou que eu havia perdido quase dois quilos naquele último mês. Até pouco tempo eu tinha uma dieta normal, ele escreveu, "composta sobretudo de pizza, frango e cereal". Descreveu minhas "habilidades atuais" como "corre, pula e anda de bicicleta sem rodinhas". Em "pessoal/social", registrou que eu estava entediada. Recomendou a minha mãe que me levasse ao Hospital Infantil de Michigan, em Detroit, onde fui internada com os dizeres "não come" no prontuário. Lá, um psiquiatra me descreveu como uma "menina bem desenvolvida, mas muito magra, sem sofrimento psíquico agudo".

Depois de entrevistar meus pais, que tinham se divorciado um ano antes e ainda brigavam pela minha guarda, um médico escreveu: "A mãe declara que o pai ridiculariza indivíduos obesos, e o pai não a desmentiu". Meu pai, por sua vez, aventou que a origem do problema estava na minha mãe, "preocupada demais com a alimentação". De fato, ela estocava tantos pães integrais, comprados em feirinhas agrícolas da periferia de Detroit, que quando abríamos o freezer eles às vezes caíam em cima da gente. Mas sua relação com a comida, apesar de zelosa, era relativamente normal. Como muitas mulheres de sua idade, vez ou outra tentava fazer dieta, sem muita dedicação.

Na semana anterior à minha internação, mamãe fez um diário para mim — eu ainda não sabia escrever, então ela transcrevia o que eu falava. Mas não revelei detalhes do meu estado de espírito, fiz apenas relatos cronológicos de cada dia entremeados com perguntas do tipo "Por onde sai a diarreia de uma cobra?" e "Por que as pessoas não têm cauda?". Minha mãe, que terminara um namoro fazia pouco tempo, também tinha um diário. Naquela semana ela anotou um sonho — vivia documentando seus sonhos — no qual pedia a um jardineiro que desmontasse nossa casa tijolo por tijolo. "Restaram apenas sujeira e os contornos de cimento da casa", ela escreveu.

Na primeira noite no hospital, uma enfermeira trouxe uma bandeja com comida, e eu recusei. Minha mãe estava com fome e acabou comendo. "Ficaram muito bravos comigo. Não era para eu confundir o que eu comia com o que você comia", ela me contou. No dia seguinte as enfermeiras me deram soro intravenoso porque eu estava desidratada.

Meus prontuários não formavam um quadro plausível da razão de eu não comer ou beber. Uma psicóloga escreveu: "Claramente os sintomas são uma expressão da patologia na relação entre ela, a mãe e o pai". Outra observou: "Rachel tenta olhar para dentro de si a fim de entender e resolver sentimentos intensos relacionados ao mundo exterior", porém tem dificuldade com "um processo mental excessivamente complicado" que conduz a "uma atitude autocondenatória ('acho que o problema sou eu')". Embora essa descrição pudesse ser aplicada a quase qualquer pessoa, os médicos concluíram que eu tinha "um caso incomum de anorexia nervosa".

A anorexia frequentemente é definida como um "transtorno de leitura" ocasionado pelo consumo acrítico de textos que apresentam a magreza como o ideal feminino.[1] Eu mal aprendera a ler. Nunca tinha ouvido falar em anorexia. Quando minha mãe me contou o diagnóstico, achei que aquele nome parecia o de alguma espécie de dinossauro. A acadêmica japonesa Takayo Mukai, ex-anoréxica, relata uma desorientação semelhante ao deparar com o termo nos anos 1980, antes de a anorexia ser bem conhecida no Japão: "Essa palavra de oito letras era apenas um envelope vazio, sem selo e sem destinatário".[2]

Meu pai e Linda foram à biblioteca do bairro e leram o único livro que encontraram sobre o assunto: *The Golden Cage*, de Hilde Bruch, publicado em 1978. Psicanalista conhecida como "Sra. Anorexia", Bruch começou a escrever sobre o tema nos anos 1960, quando a doença ainda era obscura.[3] Aventou que o fator novidade era essencial para a condição, que descreveu como "uma busca cega por senso de identidade e individualidade".[4] Predisse (erroneamente) que quando uma massa crítica de meninas se tornasse anoréxica o número de casos poderia declinar, pois deixaria de parecer algo especial. "Antes, a doença era o feito de uma garota isolada que sentia ter encontrado o próprio caminho para a salvação", escreveu. "Cada uma era, de certo modo, autora dessa trajetória equivocada rumo à independência."

Minha mãe também leu sobre a doença, principalmente sob a perspectiva psicanalítica, a dominante na época, e internalizou o senso comum: a culpa era da mãe. "Fui eu quem causou todo o sofrimento — e a ferida primal", escreveu no diário que levava na bolsa. Ela transformou essa percepção em uma acusação do próprio caráter. "Devo reconhecer que tenho propensão a ser cruel e a magoar", relatou. "Às vezes o que faço com minhas filhas é cruel — mesmo pensando que me esforço arduamente para protegê-las." Nem minha irmã nem eu nos lembramos de nossa mãe ter feito qualquer coisa perto de ser cruel, mas ela acreditava que aqueles livros continham revelações sobre si mesma. Em anotações se preparando para uma conversa com meus médicos, recomendou a si própria: ser "humilde" e não "dizer que entendo o que está acontecendo".

A palavra "anorexia" me parecia tão poderosa que eu tinha medo de pronunciá-la. Estava aprendendo o som das letras, e para mim as palavras se assemelhavam a entidades tangíveis que de algum modo incorporavam significado. Eu não dizia os nomes dos alimentos porque pronunciá-los era quase equivalente a comer. "Se esses termos forem usados em sua presença, ela tampa os ouvidos", escreveu uma psicóloga. Eu não dizia *eight* [oito] porque tinha a pronúncia parecida com *ate* [comeu]. Fiquei transtornada quando uma enfermeira, frustrada com minha teimosia, me chamou de osso duro de roer. Minha mãe mostrava mais sensibilidade com meus receios, e, na ocasião em que perguntei sobre a diabetes da garota internada no mesmo quarto que eu, ela evitou a palavra "açúcar". E explicou: "É como se fosse o oposto do que você tem".

Fui encaminhada para Thomas Koepke, um jovem psicólogo carinhoso e de fala branda. Eu respondia a suas perguntas com o menor número de palavras possível. Tinha um vago receio de que, mesmo quando ficava em silêncio, meus pensamentos escapassem pela parte de trás da cabeça e fossem transcritos e impressos como páginas saindo de uma impressora. Em uma avaliação que hoje vai contra a espontaneidade na carreira que escolhi, outro psicólogo escreveu: "Rachel comportou-se como se parecesse muito cônscia de sua capacidade de controlar a entrevista".

Koepke disse a meus pais que os médicos de sua equipe não tinham nenhuma evidência de diagnóstico de anorexia em crianças de apenas seis anos. Mesmo assim, me transferiram do quarto que eu dividia com a menina diabética para o quinto andar do hospital, que até onde eu podia ver era racialmente segregado. No fim do corredor ficavam crianças negras com anemia falciforme. No centro, onde me instalaram, estava um pequeno grupo de meninas brancas, todas mais velhas do que eu. Algumas, devido à subnutrição, tinham o rosto e os braços cobertos por lanugem, os pelos finos que revestem a pele dos recém-nascidos. Toda manhã, usando a camisola do hospital, subíamos na balança para que nos pesassem.

As meninas costumavam falar sobre seus "privilégios". Se comêssemos toda a refeição que chegava em uma bandeja e as enfermeiras não encontrassem migalhas grandes caídas, podíamos telefonar para nossos pais. Se comêssemos duas refeições completas em um dia, eles podiam nos visitar por uma hora. Mas as consequências eram severas para quem se abstivesse de comer: pular duas refeições significava ter de ficar em repouso total. Para ir ao banheiro precisávamos chamar uma enfermeira pela campainha, e ela registrava nossa "produção". Perdíamos a liberdade de ver TV e de ir à sala de jogos, onde brincavam crianças com outras doenças. A ameaça de uma sonda de alimentação — castigo por perder peso demais — pairava sobre cada refeição. Eu não tinha ideia de que era um tubinho entrando pelas narinas. Imaginava um tubo enorme, como um escorregador coberto, em cujo interior eu teria de viver.

Na ala da anorexia fui instalada no mesmo quarto que Carrie, uma menina de doze anos com cabelos cor de palha. Perguntei tantas vezes se ela me achava esquisita que acabou respondendo: "Se perguntar mais uma vez, vou dizer que sim". Ela conhecia todas as enfermeiras do andar e fizera amizade com outras pacientes. Para mim, ela e sua amiga Hava, que vivia no quarto ao lado, eram como mentoras. Hava tinha doze anos e era bonita, com traços marcantes e cabelos castanhos compridos que nunca penteava. Tinha um ar de resistência e rebeldia que me fazia pensar nas protagonistas de livros sobre os colonos pioneiros. Mantinha um diário minucioso sobre sua temporada no hospital cujo tom seguia a linguagem terapêutica através da qual ela aprendia a se autoconhecer. Estudiosa precoce de seu círculo, entrou em um modo teatral depois de me conhecer: "Deus do céu, a menina só tem seis anos!", escreveu. "Olhe só para ela!" E prosseguiu: "Aguarde até ela confiar em um adulto e liberar os comportamentos infantis escondidos em algum lugar daquele corpo tenso, rígido. Aposto que só está esperando que alguém estenda a mão para agarrá-la!".[5]

Talvez Hava também tenha sido indevidamente influenciada pelo clima do Yom Kippur. Ela estudava em uma escola judaica e escreveu no diário que tinha pavor de "não ser inscrita no livro da vida" — o registro feito por Deus daqueles que merecem viver mais um ano. Censurava-se por "não alcançar um estado de santa perfeição".

Havia outras similaridades entre nós duas. Os pais de Hava também estavam às voltas com um divórcio arrastado e hostil, assim como faziam piada com amigos da família que eram obesos. "Sempre zoavam os Ornsteins e os chamavam de Oinksteins, porque mais pareciam porcos de tão gordos", escreveu. Ela também tinha uma amiga chamada Elizabeth, a quem não só admirava, mas em quem gostaria de se transformar. Quando brincava na casa da amiga, registrou no diário, gostava de imaginar que morava lá e nunca mais voltaria para a própria casa. Sua caligrafia era tão parecida com a minha que pouco tempo atrás, quando li trechos de seu diário, fiquei ligeiramente desorientada e tive a impressão de ler minhas próprias palavras.

Fazia quase cinco meses que Hava estava internada quando a conheci. Sua mãe, Gail, foi até a sala da sexta série onde a filha estudava e tentou explicar sua ausência prolongada. "Apesar de Hava estar muito magra, ela pensa que está gorda demais", disse à turma.

Hava, que pesava 32 quilos, parecia não saber se a explicação da mãe teria melhorado seu status social. No diário listou "O que eu queria gostar em mim mesma". Entre os itens, estavam "minha personalidade", "minha inteligência — minhas notas" e "meus sentimentos". Ela tinha sonhos nos quais "argumentava com meus colegas e de repente recebia sua completa aceitação e compreensão", escreveu.

Na sala de jogos, enquanto todos competiam pelo único Pac-Man, Hava foi fazer amizade com uma menina de treze anos grávida de gêmeos. Quando Hava mencionou as rigorosas regras de alimentação na ala da anorexia, a mãe da garota grávida comentou despreocupadamente que Hava poderia queimar calorias fazendo atividade física. "Foi ela quem me influenciou a fazer polichinelos hoje à noite", relatou.

Fiquei deslumbrada com a amizade entre Hava e Carrie, que se consolidava em torno de objetivos mútuos. "Carrie e eu comparamos nossos ossos, pele, cor e magreza", Hava descreveu. "Se Carrie não estivesse aqui, não sei o que seria de mim!" Ambas passavam, juntas, por ciclos de perda e ganho de peso. Ao melhorarem, as enfermeiras permitiam que visitassem o berçário para ver os recém-nascidos. Alguns dos bebês tinham "agulhas e um monte de coisas enfiadas neles, o que fez com que me sentisse muito grata", registrou. "Eu só queria que fosse mais fácil comer sem sentir culpa." Quando as enfermeiras não prestavam atenção, Hava e Carrie andavam pelos corredores até ficarem sem fôlego; elas também se ofereciam para servir o almoço dos outros pacientes — "foi meu exercício do dia", Hava anotou.

Eu não sabia que atividade física tinha relação com o peso, mas comecei a fazer polichinelos com Carrie e Hava à noite.

Não me permitia mais ficar sentada, do contrário seria "sedentária", termo que elas me ensinaram. As enfermeiras entravam em cada quarto da ala da anorexia com um carrinho cheio de romances para jovens. Depois que cheguei, incluíram livros infantis, como os dos Ursos Berenstain, os de Clifford, o Gigante Cão Vermelho, e a série Mr. Men and Little Miss, incluindo *Mr. Strong*, sobre um homem que comia oito ovos moles no café da manhã — detalhe que achei pavoroso. Aprendi a ler no quarto do hospital, sempre em pé. Quando as enfermeiras vinham, testava minha nova habilidade juntando as cinco ou seis letras no crachá delas.

As meninas mais velhas pareciam me considerar uma espécie de mascote, uma trainee em anorexia. Minhas ideias sobre corpo e alimentação eram ainda mais mirabolantes que as delas. Eu comia um bagel, mas recusava uma tigela de Cheerios — um O grande era preferível a trezentos e tantos Os minúsculos. Quando Hava e Carrie me deixavam vê-las jogando Go Fish, eu ficava curiosa (mas tinha vergonha de perguntar): que tipo de peixe elas pescavam no jogo? Peixe do mar? Ou peixe frito no prato? Eu não entendia que os peixes do mar eram os mesmos que vinham no prato, e se o jogo tivesse alguma relação com o segundo tipo eu não ia querer nada com ele.

Eu não conseguia acompanhar Hava e Carrie, que falavam sobre seu peso não só em quilos, mas também em gramas. Apesar de a anorexia ter a reputação de uma doença causada por transtorno de leitura, talvez resultasse também da matemática. A acadêmica japonesa Mukai recorda que quando foi anoréxica entrou em um mundo "digitalizado" onde tudo era limitado a metros, centímetros, quilos, calorias, prazos etc.[6]

Em suas palavras: "Não tinha mais em comum com ninguém a cultura, a realidade social e nem mesmo a linguagem. Vivia em um mundo fechado onde as coisas faziam sentido para mim, mas só para mim".

Eu não tinha conhecimento suficiente para fazer os cálculos que a doença requeria, mas me sentia atraída pelo modo como Hava e Carrie haviam adotado um novo sistema de medidas, um modo misterioso de interpretar nossas sensações físicas e avaliar nosso valor. Sempre que uma nova paciente chegava à nossa unidade, Hava anotava no diário a altura e o peso da garota. "Preciso vencer meus impulsos de comer para sentir o êxtase da realização", escreveu. "O êxtase é maravilhoso." Parecia que Hava disciplinava o corpo com algum objetivo mais elevado que nunca expressava.

No ensaio "The Ascetic Anorexic", publicado em 1995, a antropóloga Nonja Peters, que também era anoréxica, afirma que a doença se desenrola em fases.[7] No começo, a pessoa é impelida pelas mesmas forças culturais que inspiram muitas mulheres a fazer dieta. O processo pode ser desencadeado por um comentário banal. Mukai, por exemplo, decidiu começar o regime depois de perguntar à mãe se quando crescesse ficaria gorda como a avó. "Sim, talvez", a mãe respondeu.[8] Mukai ficou obcecada com aquilo, embora reconhecesse que a mãe "estava rindo, brincando. Eu sabia". Hava descreveu no diário o momento crucial em que uma amiga disse que seu tamanho era "médio". Seus pais insistiam para que ela não ligasse para isso, mas Hava registrou: "Se elas acham que estou gorda, então estou gorda".

Por fim, uma decisão impulsiva ganha força e passa a ser cada vez mais difícil revertê-la. "Quando a pessoa envereda pelo caminho ascético, o comportamento ascético produz motivações ascéticas — não o inverso", Peters escreveu.[9]

Vários especialistas estudaram os paralelos entre a anorexia nervosa e a anorexia mirabilis, transtorno da era medieval que levava jovens religiosas a morrer de fome com o objetivo de libertar o espírito do corpo e partilhar do sofrimento de Cristo.[10] Acreditava-se que a perda de apetite das jovens fosse um milagre. Seus corpos tornavam-se símbolos tão cheios de fé e pureza que elas tinham dificuldade para voltar a comer, mesmo com a vida em risco.

O historiador Rudolph Bell chamou esse transtorno de "anorexia santa" e concluiu que aquelas mulheres tinham uma doença. Mas o argumento oposto também parece verdadeiro: a anorexia pode se disfarçar de prática espiritual, um meio distorcido de descobrir um eu mais nobre. O filósofo francês René Girard supõe que a anorexia tenha raízes não no "desejo de ser santa, mas de ser vista como tal".[11] Segundo ele: "É uma grande ironia o fato de que o processo moderno de aniquilar a religião produza incontáveis caricaturas dela".[12] Uma vez tomado o rumo, é difícil mudar os termos do compromisso. Escrevi na segunda série: "Tive uma doenssa xamada aneroxia". Expliquei que "tive aneroxia porque quero ser alguém melhor do que eu".

Fiquei doze dias sem ver meus pais. Minha mãe foi ao hospital levar um pijama depois que manchei o meu de sangue quando a agulha do acesso intravenoso escapou do braço. Ouvi sua voz e, embora estivesse restrita ao repouso, saí do quarto e corri pelo corredor em sua direção. Nós duas chorávamos, mas a poucos metros dela as enfermeiras me seguraram.

Três vezes ao dia uma enfermeira sentava comigo durante trinta minutos enquanto eu olhava para a comida e só ingeria uns poucos pedaços. Cada refeição continha trezentas calorias. Quando a bandeja era levada, a enfermeira me acompanhava por mais 45 minutos, para assegurar que eu não vomitasse. Eu nem sabia que era possível provocar vômito.

Depois de quase duas semanas, comi todo o desjejum e depois todo o almoço. Gostei do que fora servido, macarrão com queijo, e quando dei por mim tinha limpado o prato sem perceber. "Eu meio que espero ansiosa pelas refeições porque às vezes posso me esquecer e começar a gostar delas", Hava escreveu em seu diário. Talvez eu tenha caído nesse mesmo prazer acidental. A enfermeira que monitorava minhas refeições me deu os parabéns e disse que eu conquistara um privilégio: telefonar para os meus pais. Me lembro de ir até o telefone ao lado do leito e discar o número da minha mãe. Ao ouvir sua voz, senti um alívio tão grande que nem consegui falar. Apenas ri.

Quando meus pais me visitaram, ficaram consternados ao perceber que eu havia adquirido um repertório de comportamentos anoréxicos. Além dos polichinelos, não queria me sentar nem deitar antes das nove da noite, que era a hora de dormir. Minha irmã, enfim autorizada a me visitar também, entendeu a atração que minhas amigas exerciam sobre mim. "Fiquei fascinada por Carrie", ela disse anos mais tarde. "Era muito bonita e descolada, tinha os cabelos lisos, lindos." E acrescentou: "Aquelas meninas a dominaram".

Meus pais ficaram furiosos porque eu caíra sob a influência de meninas mais velhas versadas na doença. "Até então tinha sido um processo puramente mental — algo interno, só seu", minha madrasta explicou. "Você não lia revistas nem tinha uma imagem do que seria uma pessoa magra ideal." Minha mãe comentou: "Acho que você nem sequer entendia o que era ser 'magro'. Acho que só não queria uma barriguinha saliente — algo que toda criança tem".

Meu pai foi o único que rejeitou o diagnóstico. "Desde muito pequena você dizia 'Você não manda em mim'. Foi o mesmo comportamento que adotou à mesa." Em um questionário sobre "atitudes diante da alimentação" que lhe pediram para preencher, um dos itens era "Minha adolescente se concentra em queimar calorias quando se exercita". Meu pai riscou a palavra "adolescente" e escreveu na margem "Ela não sabia nada sobre isso, agora sabe".

Assim que meus pais começaram a me visitar, foi como se o encanto se quebrasse. Meus objetivos se realinharam. Para continuar a vê-los, passei a comer tudo o que vinha no prato. Minha mãe e meu pai estavam autorizados a ir separadamente todos os dias e ficar comigo durante meia hora, contanto que eu comesse tudo.

O peitoril da minha janela se encheu de bonequinhos do *Pee-wee's Playhouse,* programa a que minha irmã e eu assistíamos todo fim de semana. Meu pai trazia um personagem novo quase toda vez que me visitava: Chairry, a poltrona; Reba, a moça do correio; e a Miss Ivonne, que Pee-wee chamava de "a mulher mais linda da Terra dos Bonecos". Agora, graças a Carrie e Hava, compreendia que TV era para "sedentários" e não me permitia mais esse prazer. No entanto, durante as visitas do meu pai consentia em assistir enquanto ele se sentava na minha cama, com um bonequinho em cada mão, e encenava um quadro do programa em tom de falsete.

Para ter alta eu precisava alcançar 22,5 quilos — quatro quilos a mais do que eu pesava quando fui internada. À noite eu ia até o posto de enfermagem e pedia caixinhas de cereal com cobertura açucarada. Quando tirava meleca do nariz, botava tudo de volta para não ficar mais leve. "A partir do décimo segundo dia de internação, Rachel passou a comer o equivalente a novecentas calorias e aumentou gradualmente o consumo até não ter dificuldade de consumir acima de 1800 calorias por dia", Koepke registrou.

Minha irmã contou sobre a última vez que me visitou no hospital: "Tinham te engordado tanto que parecia que você estava usando dois moletons — era só o seu corpo, mas parecia isso". Carrie também ganhara peso suficiente e se preparava para voltar para casa. A recuperação de Hava era mais hesitante. "Me sinto muito louca e esquisita depois de comer — mas ninguém entenderia, pois não consigo explicar nem para mim mesma", escreveu. "Queria que alguém pudesse me ajudar e mudasse minha cabeça em relação a tudo isso."

Tive alta do hospital em 9 de novembro de 1988, seis semanas depois de internada. Koepke pareceu pessimista quanto a minhas perspectivas de recuperação. "Considerando a hostilidade intensa" entre meus pais "e a gravidade da doença, nosso prognóstico é extremamente cauteloso", registrou. Ele e sua equipe sugeriram que um hospital psiquiátrico fosse "um encaminhamento apropriado". Mas escreveu que meus pais decidiram não seguir "essa recomendação por enquanto". Minha mãe ficou chocada com a sugestão. "Temia que, se você entrasse no sistema das instituições psiquiátricas, fosse muito difícil tirá-la de lá."

Voltei à escola no dia seguinte. Perguntei para minha mãe se eu podia contar aos colegas que fora internada com pneumonia, mas ela não me deixou mentir. Nesse primeiro dia foi comigo até a sala e, com as outras crianças sentadas em círculo no tapete, explicamos que eu estivera no hospital. "Não foi uma conversa longa", minha mãe lembrou. "Ninguém insinuou que você fosse diferente ou tivesse uma doença mental. Acho que provavelmente as crianças entenderam que sua doença tinha a ver com algo físico. E, de fato, você precisava se alimentar."

Com medo de ficar sedentária, não queria me sentar na carteira nem no tapete na hora da roda. A sra. Calfin permitia que eu ficasse em pé. Elizabeth, que hoje trabalha com aconselhamento de casais, me contou: "Você ficava lá, em pé, com um dos braços abaixados e o outro segurando o cotovelo". Às vezes um colega me pedia para dar licença porque eu atrapalhava quando ele queria enxergar a lousa, e me lembro de pensar que na verdade eu não estava em seu campo de visão. Só queriam chamar a atenção para meu comportamento esquisito. Mas, pelo que lembro, nunca caçoaram de mim, e depois de um mês comecei a me sentar como as outras crianças. "Você se juntou de novo à mistura", disse a sra. Calfin, e acrescentou: "Só queria que se sentisse de novo parte daquela comunidade." Na primavera um psicólogo escreveu que meus sintomas haviam desaparecido. A anorexia foi "um modo de lidar com as pressões que ela sentia".

Elizabeth e eu voltamos a jogar mancala. Logo éramos melhores amigas. Ela me convidava com frequência para dormir na sua casa, e fundamos um clube do New Kids on the Block em seu closet. De certo modo, em minha memória Hava aparece mesclada com Elizabeth: ambas usavam camisolas de seda, eram magras e frágeis, e minha mãe as descrevia como "etéreas". "Quero ser Elizabeth", escrevi no diário. "Quero ter uma casa maior. Quero que todos gostem de mim."

Quando eu estava na quinta série, minha mãe me contou que vira uma garota parecida com Carrie, de calça com estampa camuflada, remexendo em uma lata de lixo no centro da cidade de Birmingham, onde morávamos. Não consegui descobrir o sobrenome de Carrie — nossos médicos também não se lembram —, por isso não pudemos confirmar se era ela. Também não soube mais nada sobre Hava por vários anos, até que foi mencionada em um artigo do *Detroit News* sobre a identificação de sinais iniciais de doença mental na adolescência. No artigo havia uma foto sua, em pé, diante de um lago, com os cabelos até a cintura. Ainda era bonita, mas parecia abatida. O texto relatava que ela passara a adolescência e o começo da idade adulta entre internações em hospitais psiquiátricos. Precisara abandonar os estudos no ensino médio, e considerava seu transtorno alimentar o fator que definiu sua vida.

ALGUNS ANOS ATRÁS fui à Suécia fazer uma reportagem sobre uma doença conhecida como "síndrome da resignação".[13] Centenas de crianças de países que haviam pertencido à União Soviética e à Iugoslávia, a quem fora negado asilo na Suécia, não saíam mais da cama. Não queriam comer. Pararam de falar. Por fim, pareciam perder os movimentos.

Muitas precisavam ser alimentadas por sonda. Algumas entraram em um estado parecido com o coma. Um menino me contou que durante aqueles meses na cama se sentira como se estivesse no fundo do mar, dentro de uma caixa de vidro de paredes frágeis. Se ele falasse ou se movesse, produziria uma vibração que despedaçaria o vidro. "A água entraria e me engoliria", disse.

Psiquiatras supõem que esse transtorno seja reação ao estresse do processo de migração e ao trauma sofrido no país de origem pelas famílias refugiadas. Mas não conseguiam entender por que a doença ocorria apenas na Suécia — inexistia em países nórdicos vizinhos, onde havia exilados das mesmas regiões. Ao entrevistar as famílias, descobri que muitas das crianças diagnosticadas com síndrome da resignação tinham conhecido alguém que sofria da mesma coisa. A imprensa sueca alegava que era fingimento, sobretudo depois que a Suécia inseriu a doença nas condições que justificavam a concessão de autorização de residência. No entanto, ao ver aquelas crianças, tive certeza de que não era mentira. Demoravam semanas, às vezes meses, para sair de um estado quase catatônico, mesmo depois de as famílias serem informadas de que poderiam permanecer no país. O que começara como um protesto assumia um ímpeto próprio. As crianças tinham se transformado em representações de mártires, papel que no início parecia libertador, mas depois passava a destruí-las.

As conversas com famílias e médicos na Suécia me levaram a repensar minha experiência com a anorexia. Alguma coisa naquelas crianças mudas que se privavam de comer me era familiar. Para uma criança, solipsista por natureza, há limites para comunicar seu desespero. A cultura molda os roteiros que as expressões de sofrimento seguirão. Tanto na anorexia como na síndrome da resignação, as crianças incorporam a raiva e a sensação de impotência recusando alimento, um dos poucos métodos de protesto de que podem lançar mão. Especialistas dizem a elas que seu comportamento é reconhecível, que pode ser nomeado. As crianças então fazem ajustes, conscientes e inconscientes, de acordo com o modo como foram classificadas. Com o tempo, um padrão de comportamento deliberado se torna cada vez mais involuntário e arraigado.

O filósofo Ian Hacking usa o termo "efeito looping" para designar a forma como pessoas ficam presas a narrativas autorrealizáveis sobre uma doença.[14] Um novo diagnóstico pode mudar, segundo ele, "o espaço de possibilidades para a individualidade".[15] "Nós nos tornamos nossa própria imagem científica dos tipos de pessoa que é possível ser."[16] Em um ensaio sobre as crianças diagnosticadas com síndrome da resignação na Suécia, Hacking menciona a aposta de Pascal: para evitar a possibilidade de uma eternidade no inferno, devemos nos comportar como se Deus fosse real, mesmo sem ter prova de sua existência. Com o tempo, podemos internalizar essa fé que simulávamos, e nossa crença se torna sincera. Hacking aventa que para algumas doenças ocorre um processo similar. A pessoa encontra um modo de expressar o sofrimento através da imitação até que por fim "'aprende' — ou melhor, 'adquire' — um novo estado psíquico".[17]

Aos seis anos ainda me parecia possível que eu me transformasse em outra pessoa apenas pela minha própria vontade. Se tivesse permanecido no hospital por mais tempo ou voltasse para uma escola menos compreensiva, talvez enveredasse pelo mesmo caminho de Hava. "Rótulos não são tão ruins", ela escreveu no diário. "Pelo menos nos dão um título ao qual podemos tentar nos encaixar... e uma identidade!!!!"

Minha madrasta, a pessoa com mais senso prático na família, disse que chegou a duvidar que eu chegasse à idade adulta. Eu realmente tenho características que me deixam suscetível a jejuar sem razão, uma espécie de noção difusa de que a autoprivação é um bem moral. Mas também me pergunto se o que tive foi mesmo anorexia. Talvez minha exposição limitada ao ideal da magreza impediu que eu desejasse ardentemente atingi-lo. Usando aqui as palavras da historiadora Joan Jacobs Brumberg, que escreveu sobre a gênese dos transtornos alimentares, fui "recrutada" [18] para a anorexia, mas a doença nunca se tornou uma "carreira".[19] Não me forneceu a linguagem com a qual vim a compreender a mim mesma.

Essa sensação de ter escapado por um triz chamou minha atenção para as janelas existentes nas fases iniciais de uma doença, quando um transtorno debilita, incapacita, mas ainda não construiu uma nova identidade e um novo mundo social para a pessoa. Muitas vezes doenças mentais são vistas como forças crônicas e intratáveis que se apoderam da nossa vida, mas me pergunto quanto seu curso pode ser alterado pelas narrativas que criamos sobre elas, sobretudo no início. Podemos nos sentir libertos por essas histórias, mas também ficar presos nelas.

Os psiquiatras usam o termo "insight" — palavra fundamental, quase mágica, na área — para avaliar a veracidade da história que a pessoa conta sobre o que se passa em sua mente. Em um artigo influente publicado em 1934 no *British*

Journal of Medical Psychology, o psiquiatra Aubrey Lewis definiu insight como "a atitude correta diante de uma mudança mórbida em si mesmo".[20] Um paciente com a "atitude correta" reconhece, por exemplo, que espíritos de pessoas mortas não começam subitamente a falar com ele; em vez disso, as vozes são sintomas que a medicação pode silenciar. O insight sempre é avaliado quando pacientes psiquiátricos são internados e influi nas decisões sobre tratá-los mesmo contra a vontade. No entanto, em grande medida esse conceito desconsidera quanto a "atitude correta" depende de cultura, raça, etnia e fé. Estudos mostram que pessoas de cor são classificadas como "carentes de insight" com maior frequência do que pessoas brancas, talvez porque os médicos não tenham familiaridade com seu modo de expressar sofrimento, ou porque esses pacientes tenham menos razão para confiar no que os médicos dizem.[21] No fim das contas, o que o insight mede é o grau de concordância do paciente com a interpretação do médico.

Há cinquenta anos, no auge da era psicanalítica, o insight era descrito como uma espécie de epifania: desejos e conflitos inconscientes se tornavam conscientes. Dizia-se que o paciente tinha um insight se pudesse reconhecer, por exemplo, o ódio reprimido pelo pai e a forma como essa emoção proibida formara sua personalidade. No entanto, por fim se percebeu que ter insights em conflitos interpessoais, embora fosse algo intelectualmente gratificante, não fornecia uma cura.

Explicações biomédicas para a doença, que começaram a dominar nos anos 1980 e 1990, eliminaram a necessidade desse tipo de insight. A "atitude correta" passou a se basear em um novo conjunto de conhecimentos: os pacientes tinham insights se fossem capazes de entender que seus transtornos se originavam de doenças cerebrais. A abordagem biomédica resolveu uma questão moral — a culpa atribuída a esses pacientes e suas famílias — e foi celebrada pelo potencial de reduzir o estigma. O primeiro relatório sobre saúde mental do diretor nacional de saúde dos Estados Unidos, publicado em 1999, afirma que o estigma surge da "divisão equivocada entre mente e corpo, proposta pela primeira vez por Descartes".[22] Em uma entrevista coletiva à imprensa, o diretor anunciou que não existe "justificativa científica para distinguir doença mental de outras formas de enfermidade".[23]

Pode ser, mas esse arcabouço biomédico não parece ter de fato reduzido o estigma. Estudos mostram que aqueles que compreendem a doença mental como biológica ou genética têm menos probabilidade de atribuir transtornos mentais a fraqueza de caráter ou de reagir de modo punitivo, mas em contrapartida têm mais probabilidade de supor que o transtorno de uma pessoa esteja fora do controle dela e seja alienante e perigoso. A doença acaba por parecer intratável, um raio do qual não se pode desviar. Elyn Saks, professora de direito, psicologia e psiquiatria da Universidade do Sul da Califórnia, escreveu em sua autobiografia *The Center Cannot Hold* [O centro não se sustenta] que ao ser diagnosticada com esquizofrenia teve a sensação de que "disseram que o que estava errado na minha cabeça, fosse o que fosse, era permanente e, ao que tudo indicava, irremediável. Repetidamente deparei com palavras como 'debilitante', 'desnorteante', 'crônico', 'catastrófico', 'devastador' e 'perda'. Pelo resto da minha vida. *O resto da minha vida*".[24]

Hava tinha excelentes insights — no diário menciona com frequência seus "desequilíbrios químicos" —; já eu, aos seis anos, não tinha insight algum. Quando voltei a comer, pareceu uma escolha aleatória. Mas talvez a decisão tenha sido possível porque as explicações dos médicos não significavam nada para mim. Eu não estava conectada a qualquer narrativa específica sobre o papel da doença em minha vida. Existem histórias que nos salvam e aquelas que nos prendem em uma armadilha, e no meio de uma doença pode ser dificílimo diferenciá-las.[25]

Os psiquiatras sabem pouco sobre a razão de algumas pessoas se recuperarem enquanto outras, com o mesmo diagnóstico, "seguirem carreira" na doença. A meu ver, responder a essa pergunta requer prestar mais atenção à distância entre os modelos psiquiátricos que explicam as doenças e as narrativas por meio das quais as próprias pessoas encontram o sentido dessas enfermidades. Mesmo se as interpretações forem secundárias para a descoberta de tratamento médico eficaz, a história contada sobre a doença altera a vida das pessoas, às vezes de maneira imprevisível, e influencia acentuadamente o modo como se percebem — e como desejam ser tratadas.

Estudos de caso sempre me atraíram, mas em contrapartida me irrita a imagem que apresentam de mundo fechado, limitado a uma pessoa e uma explicação. Me pergunto se aqueles entre nós que escrevem sobre doença mental não buscam inspiração na psiquiatria com demasiada frequência. Histórias sobre doenças psiquiátricas costumam ser profundamente individuais; a patologia emerge de dentro para fora e assim é suportada. Acontece que essas histórias têm desconsiderado o local e o modo de viver da pessoa, além de como sua identidade se torna reflexo da maneira como é vista pelos outros. Nossas doenças não estão apenas contidas no crânio — também são produzidas e sustentadas por nossos relacionamentos e comunidades. Embora um modelo puramente psiquiátrico da mente possa ser essencial para a sobrevivência das pessoas que têm uma doença mental, o título deste livro, *Estranhos a nós mesmos* — frase extraída do diário de Hava —, é um lembrete de que esse arcabouço também pode nos afastar das muitas escalas de compreensão requeridas, sobretudo em períodos de doença ou crise, para manter a continuidade do nosso sentido do self.

Em um ensaio intitulado "The Hidden Self" [O self oculto], William James escreveu que "o ideal de qualquer ciência é um sistema da verdade fechado e completo".[26] Segundo ele, os estudiosos atingem esse objetivo em grande medida desconsiderando o que James chama de "resíduo não classificado" — os sintomas e experiências que não "se encaixam com precisão nessa forma ideal". Sua obra trata de pessoas cujo embate com a doença mental se passa fora desse "sistema da verdade fechado e completo". A vida delas se desenrola em épocas e culturas variadas, mas tem um cenário em comum: os confins psíquicos, as periferias da experiência humana, onde a linguagem geralmente fracassa. Escolhi analisar aquelas que tentaram superar o sentimento de incomunicabilidade por meio da escrita: este livro se baseia não apenas em conversas com elas, mas também em diários, cartas, relatos autobiográficos não publicados, poemas e orações. Essas pessoas depararam com os limites dos recursos psiquiátricos na compreensão de si mesmas e estão à procura da escala certa de explicação — química, existencial, cultural, econômica e política — para entender o self no mundo. Entretanto, essas diferentes explicações não são excludentes; às vezes todas podem ser válidas.

Cheguei a pensar em dedicar este trabalho a cada uma dessas vidas sobre as quais escrevo aqui, mas quis enfatizar a diversidade de experiências das doenças mentais, o fato de que, quando examinamos questões sob diferentes ângulos, as respostas mudam continuamente. *Estranhos a nós mesmos* começa com a história de um homem dividido entre as explicações dominantes no século XX para os transtornos mentais: a psicodinâmica e a bioquímica. Os demais capítulos vão além desses dois arcabouços prevalecentes: uma das protagonistas tenta entender quem ela é em relação ao seu guru e aos deuses; outra está às voltas com a história racista de seu país e como isso moldou sua mente; a terceira foi tão definida por conceitos psiquiátricos que não sabe explicar por conta própria seu sofrimento. Nesse sentido, este livro trata de narrativas perdidas, de facetas da identidade que as teorias da mente não captam. É impossível voltar no tempo e descobrir quais sentimentos existiram antes de uma história ser contada — quando a angústia, a solidão e a desorientação ainda não tinham encontrado sua caixinha —, mas me pego procurando a lacuna entre as experiências de cada uma delas e as histórias que estão por trás do seu sofrimento e às vezes definem toda a trajetória da sua vida.

Por meio de uma linguagem comum, a psiquiatria contemporânea pode aliviar a solidão, mas talvez aceitemos como inquestionável o impacto de suas explicações, que não são neutras: elas alteram os tipos de histórias sobre o self que são consideradas insights e o modo pelo qual compreendemos nosso potencial. Ray Osheroff, o protagonista do primeiro capítulo, tenta entender dois modelos conflitantes da mente, nenhum dos quais torna o sofrimento discernível. "Sou isso mesmo?", Ray pergunta. "Não sou isso? O que sou?"

Quando eu era adolescente, minha mãe, professora do ensino médio, sugeriu que escrevêssemos um livro juntas, alternando capítulos sobre minha experiência como a mais nova (até onde sabíamos) pessoa diagnosticada com anorexia no país. Descartei a ideia, que achei constrangedora. Duas décadas mais tarde, a surpreendi quando contei que finalmente escrevera sobre o que aconteceu. Também fiquei surpresa com a influência intelectual que a experiência teve sobre mim. Me sinto como se estivesse diante de um abismo quando penso na minha vida de hoje e no quanto ela facilmente poderia ter seguido outro caminho, como aconteceu com Hava, cuja história retomarei no epílogo. A divisão entre os confins psíquicos e um cenário que poderíamos chamar de normal é permeável — fato que para mim é ao mesmo tempo apavorante e promissor. É estarrecedor perceber que evitamos ou escapamos por um triz de levar uma vida radicalmente diferente.

Ray: "Sou isso mesmo? Não sou isso? O que sou?"

Em 1979 Raphael "Ray" Osheroff caminhava oito horas por dia. Respirando com esforço através dos lábios franzidos, percorria os corredores do Chestnut Lodge, um dos hospitais de elite do país. "Quantos quilômetros vão ser hoje, Ray?", uma enfermeira perguntou.[1] Ray calculou que fazia cerca de 29 quilômetros diários, só de chinelos. Outra enfermeira registrou que ele frequentemente trombava com pessoas "mas não parecia perceber que sofrera contato físico".

Com seu bigode e vasta cabeleira preta, Ray caminhava e rememorava as luxuosas férias que costumava passar com a esposa. Ambos trabalhavam como médicos no norte da Virgínia, e jantavam fora com tanta frequência que quando chegavam a seus restaurantes favoritos eram reconhecidos de imediato. Formavam o casal de médicos mais popular de Washington. O movimento das pernas, ele escreveu em sua autobiografia não publicada, se tornou um "mecanismo de auto-hipnose que me levava à vida que um dia tive".[2] Os pés de Ray tinham tantas bolhas que os auxiliares de enfermagem do Lodge o levaram a um podólogo. Os dedos estavam pretos, com a pele necrosada.

No prontuário, Manuel Ross, o psiquiatra de Ray, registrou que o paciente sofria de "uma forma de melancolia, não luto" —

referência ao artigo de Freud "Luto e melancolia", publicado em 1917. Nesse ensaio, Freud estabelece que a melancolia surge quando o paciente lamenta a perda de algo ou de alguém, mas "não consegue saber claramente o que perdeu". Ray, um nefrologista de 41 anos, fundara uma empresa de diálise próspera, mas o negócio começou a ir mal e ele ficou obcecado por seus erros. Ross concluiu que o pesar obsessivo de Ray era um modo de se manter próximo de uma perda que ele era incapaz de nomear: a ideia de uma vida paralela na qual "poderia ter sido um grande homem". Ele remoía os detalhes do declínio porque continuava em negação, aferrado a uma versão idealizada de si mesmo.

De um telefone no saguão do Lodge, Ray ligava com frequência para Robert Greenspan, colega que dirigia a empresa na sua ausência, a fim de compartilhar seus infortúnios. Às vezes, Greenspan ouvia ao fundo outros pacientes gritando "em tons um tanto estranhos". Um rapaz andava pelos corredores dizendo "Hiperespaço, hiperespaço, hiperespaço". Greenspan telefonou para uma assistente social do Lodge e perguntou por que o estado de saúde de Ray parecia decair. A funcionária explicou que Ray "pioraria, o que fazia parte da terapia. A personalidade precisava ser reestruturada. Era necessário demolir para reconstruir".

Julia, mãe de Ray, foi visitá-lo pela primeira vez depois de seis meses. Ficou horrorizada com a aparência do filho. Os cabelos chegavam aos ombros. Ele usava o cinto do roupão para segurar as calças, pois perdera dezoito quilos. Ray, que fora um leitor contumaz, já não lia nada. Também havia sido músico — participava de uma banda de jazz e tocava banjo, trompete, clarineta, piano, bateria e trombone — e, embora tivesse levado partituras na mala, quase nunca as olhava. Quando uma enfermeira o chamava de dr. Osheroff, ele corrigia: "*Sr.* Osheroff".

Julia pediu aos psiquiatras para darem antidepressivos ao filho. Mas na época o uso de medicação ainda era novidade, e a premissa dessa forma de tratamento — ser curado sem o insight do que estava errado — parecia contrária à intuição e até um recurso inferior. Drogas "poderiam trazer algum alívio dos sintomas", avaliou Ross, o psiquiatra de Ray, "mas não será algo sólido que lhe permita dizer 'Vejam só, sou um homem melhor. Consigo controlar minhas emoções'". Ross concluiu que Ray procurava por uma droga que lhe comprasse "o regresso ao antigo status", uma realização que, na opinião do médico, sempre fora ilusória.

O Lodge tinha um ambiente de plantation sulista. O prédio principal, uma mansão de tijolos, pertencera antes ao Hotel Woodlawn, o resort mais sofisticado de Rockville, Maryland, que costumava receber hóspedes ricos vindos de Washington DC, a pouco mais de trinta quilômetros. A construção seguia o estilo revivalista francês, com um telhado de mansarda em ardósia, seis chaminés e cerca de oitenta janelas de caixilho branco. Ao redor do edifício, bangalôs coloniais espalhavam-se por quarenta hectares de terreno sombreado por árvores de vinte metros de altura.

O Lodge foi fundado em 1910 por um médico chamado Ernest Bullard, e duas décadas depois seu filho, Dexter, assumiu os negócios da família e transformou o local em um estabelecimento onde os médicos acreditavam ter enfim descoberto os mistérios da mente.[3] Dexter crescera no primeiro andar do hospital, jogando croquet e beisebol com os pacientes. "Conheci o psicótico como pessoa antes de saber quais eram as implicações da palavra 'paciente'", afirmou.[4] A ideia de que pacientes estivessem fora do alcance da empatia "nunca fez parte da experiência". Frustrava-se por vê-los "rotulados e postos na prateleira".

Depois de ler Freud na biblioteca do pai, Dexter decidiu que o Chestnut Lodge poderia fazer o que nenhum hospital do país fizera: psicanalisar cada paciente, por mais afastado da realidade que estivesse (contanto que pudesse pagar pela internação). O Lodge "não descartaria nenhum recurso terapêutico", escreveu.[5] O objetivo era criar uma instituição que expressasse o éthos da profissão do psicanalista.[6] "Ainda não possuímos conhecimento suficiente para explicar por que o paciente fica doente", comentou com um colega em 1954.[7] "Enquanto isso não acontece, não temos o direito de considerá-lo crônico."

No Lodge, o objetivo de todas as conversas e atividades era *compreender.* "Nenhuma palavra usada no hospital é mais carregada de significado emocional ou mais enganosa em suas implicações cognitivas",[8] escreveram o psiquiatra Alfred H. Stanton e o sociólogo Morris Schwartz em *The Mental Hospital* [O hospital psiquiátrico], estudo sobre o Lodge publicado em 1954. A esperança de "melhorar" — alcançando insights da dinâmica interpessoal — tornou-se o tipo especial de natureza da instituição.[9] Segundo os autores, "o que ocorria lá era um tipo de avaliação coletiva na qual a neurose ou a doença era o Mal, e o Bem supremo era a saúde mental".[10]

Outros hospitais tratavam os pacientes com barbitúricos, substâncias sedativas, e também com terapia eletroconvulsiva e lobotomia. Mas Dexter achava que "a farmacologia não tinha lugar na psiquiatria".[11] Numa conferência da comunidade médica, quando um colega relatou que lobotomizara uma paciente e a curara em dez dias, Dexter criticou a ideia de um tratamento que nem sequer considerava o autoconhecimento. "Você não pode dizer isso", Dexter gritou.[12]

A "rainha do Chestnut Lodge", como a chamavam, era Frieda Fromm-Reichmann, fundadora do Instituto Psicanalítico de Frankfurt.[13] Morava nos arredores do Lodge, em um chalé construído para ela. Às vezes levava pacientes para almoçar em um restaurante próximo, ou a uma galeria de arte ou a um concerto. Imitava a postura deles para compreender melhor a perspectiva que tinham. As frases "nós sabemos" e "eu estou aqui" — ditas no momento certo, com sensibilidade — "podem substituir aquela desoladora experiência do 'só eu sei' vivida pelo paciente", relatou.[14]

Fromm-Reichmann caracterizou a solidão como "um dos fenômenos psicológicos menos satisfatoriamente conceitualizados, nem sequer mencionado na maioria dos textos psiquiátricos" —[15] estado no qual "o fato de que houve pessoas no passado do indivíduo é mais ou menos esquecido, e a possibilidade de haver relacionamentos interpessoais na vida futura está fora de expectativa".[16] Para ela, a solidão era uma ameaça tão profunda que os psiquiatras evitavam falar sobre o assunto, pois temiam ser contaminados por ela. Era uma experiência quase impossível de comunicar: uma espécie de "existência nua".[17]

Fromm-Reichmann e outros psicanalistas do Lodge eram chamados de "mães substitutas"; os terapeutas mais jovens competiam por sua atenção, segundo eles em uma espécie de rivalidade entre irmãos.[18] Os médicos, que também haviam sido psicanalisados, sentiam-se incorporados à família Bullard — faziam "parte de uma família disfuncional", nas palavras de um deles.[19] Quando um paciente passava pelo corredor a caminho da análise, os outros gritavam "Boa sessão!".[20] Alan Stone, ex-presidente da American Psychiatric Association, elogiou o Lodge como "o mais esclarecido hospital da América do Norte". Ele me contou que a instituição "parecia Valhalla, a morada dos deuses".

Na época, a fé no potencial da psicologia e da psiquiatria parecia ilimitada. As ciências psicológicas ofereciam uma nova base para compreender a sociedade. "O mundo estava doente, e os males que o acometiam decorriam sobretudo da perversão do homem, de sua incapacidade de viver em paz consigo mesmo", declarou o primeiro diretor da Organização Mundial da Saúde, um psiquiatra.[21] Após a guerra, no encontro de 1948 da American Psychiatric Association, o presidente Truman enviou uma saudação: "O maior requisito prévio para a paz, que reina suprema no coração e na mente de todos nós, tem de ser a sanidade mental".[22] A guerra não visava apenas o poder ou os recursos — resultava de insegurança, neuroses e outras feridas emocionais. O psicólogo Abraham Maslow declarou que "O mundo será salvo pelos psicólogos — no sentido mais amplo —, do contrário, não será salvo".[23]

O Chestnut Lodge incorporava a premissa utópica da psiquiatria, mas a história que a instituição contava sobre si mesma foi incapaz de resistir às demandas de um paciente como Ray. Em 1982, ele processou o hospital por não ter conseguido se recuperar. Na ação judicial colidiram as duas explicações dominantes no século XX sobre doença mental. O psiquiatra Peter Kramer, autor do famoso livro *Ouvindo o Prozac*, comparou a importância do caso[24] ao de Roe versus Wade.* Como observou a revista *Psychiatric Times*, o processo criou "um confronto entre duas formas de conhecimento".[25]

ANTES DE SER INTERNADO, Ray fora o tipo de médico carismático e ocupadíssimo que associamos ao sonho americano. Abrira três clínicas de diálise no norte da Virgínia e se sentia prestes a alcançar, como escreveu em sua autobiografia, algo "muito novo para mim, algo que nunca tive antes: a perspectiva clara e distinta de sucesso". Ele era um entusiasta do telefone, que trazia novas indicações, mais clientes — a sensação de ser vital e desejado. Fazia amizade com os pacientes, comprava-lhes aparelhos de ar-condicionado, pagava o aluguel ou o funeral deles. Para um paciente imigrante recém-chegado ao país, deu um táxi.

Porém, em suas palavras, as "energias pareciam tão dedicadas e concentradas em meu preparo profissional e em minha carreira" que ele negligenciou a mulher e os dois filhos. Ela pediu o divórcio. Ray logo se apaixonou por uma estudante de medicina sedutora e ambiciosa chamada Joy. Às vezes a levava a reuniões de negócios e os dois ficavam de mãos dadas por baixo da mesa. Casaram-se em 1974. "A vida era um rojão", escreveu.

---

* Roe versus Wade foi um litígio judicial de 1973 no qual a Suprema Corte dos Estados Unidos decidiu que era direito das mulheres estadunidenses fazer aborto sem restrição governamental. (N. T.)

Mas depois do casamento ele perdeu o ímpeto. Permitiu que a ex-mulher se mudasse para Luxemburgo com os dois filhos do casal por um ano, mas logo se arrependeu da decisão. Seu pai, que tinha uma loja no Bronx, fora negligente e ausente com os filhos — e Ray receava reproduzir em seus dois meninos a mesma sensação de abandono. Não conseguiu mais o "consolo no pensamento místico de que a proximidade era possível [...] sendo o bom pai que eu perdera", registrou.

O raciocínio de Ray se tornou circular. Sua secretária, Dotty, contou que para conseguirem estabelecer uma conversa precisavam "dar inúmeras voltas no quarteirão".[26] Ele era tão repetitivo que começou a entediar as pessoas. Não conseguia ficar sentado nem para comer. "Engolia alguns bocados e se levantava, ia ao banheiro ou lá para fora", Dotty relatou.

Joy e Ray tiveram um bebê menos de dois anos depois de se casarem, mas Ray se tornara tão alheio — parecia interessado apenas no passado — que se comportava como se o filho não fosse dele. Sentia-se cada vez mais incapaz de lidar com o estresse causado pela concorrência na área das clínicas de diálise e vendeu parte da sua participação societária a uma empresa maior. Embora conservasse um cargo gerencial, supervisionando 35 pessoas, mais uma vez se convenceu de que fizera a escolha errada. Após fechar o negócio, escreveu: "Fui para fora, me sentei no carro e percebi que tinha me transformado num pedaço de pau". O ar parecia pesado, como um gás venenoso.

NAQUELE ANO, Ray encontrou numa drogaria o livro *From Sad to Glad* [De triste a contente], publicado em 1974 por Nathan Kline, um dos mais renomados psiquiatras estadunidenses. Na obra, que Ray começou a ler imediatamente, Kline atribui a depressão a "um desarranjo no vaivém das marés bioquímicas dentro do corpo".[27] O autor não tinha curiosidade pela razão de os pacientes terem adoecido. "Não tente encontrar razões", dizia a eles.[28] Na capa vinha a promessa: "Depressão: você pode vencê-la sem análise!".

Kline ganhara fama estudando o fármaco iproniazida contra a tuberculose, cujo efeito inesperado foi trazer uma grande sensação de bem-estar aos pacientes, a ponto de se tornarem imprudentes e se esforçarem em excesso. Em um sanatório em Long Island, pessoas que tomaram a medicação se sentiram tão alegres que dançaram nos corredores. Uma fotografia de 1953 da Associated Press mostra um semicírculo de pacientes vestindo saias longas estampadas, com um olhar meio vidrado, mas feliz, sorrindo e batendo palmas. [29] Mais tarde uma mulher relatou a sua médica que a única vez na vida que se sentira feliz fora durante sua conversão religiosa enquanto se recuperava da tuberculose. "Não tive coragem de contar que a experiência extática talvez não viesse do Senhor, e sim de uma reação bioquímica a uma medicação", declarou a psiquiatra ao *New York Times*.[30]

Kline experimentou prescrever a iproniazida a seus pacientes e descobriu que eles se tornavam mais capazes e animados. Quando receitou o medicamento a uma jovem casada, ela começou a "cuidar da família com eficiência e a dar conta da pós-graduação em tempo integral", contou.[31] Ao prescrever os comprimidos a uma enfermeira, "até a aparência física dela mudou", constatou. "O cenho fechado e a boca apertada foram substituídos por um semblante descontraído e sorridente, que a fez parecer vinte anos mais nova." Outro paciente, um artista que por mais de um ano não conseguia pintar, se libertou do impasse: "Ele produziu uma profusão de quadros a óleo, aquarelas e esboços, mais de uma centena no total", Kline registrou.[32]

O antipsicótico Thorazine fora desenvolvido alguns anos antes em um laboratório na França, e pela primeira vez muitos psiquiatras se viram diante da possibilidade de que as pessoas não precisassem compreender a infância para melhorar. Mas essa noção ainda era malvista. Segundo Kline, colegas o alertaram de que ele se arriscava a ser humilhado caso afirmasse que um medicamento poderia amenizar a depressão. "Muitos sustentavam inflexivelmente a opinião teórica de que uma droga assim não poderia existir", escreveu.[33] Para o neurocientista Solomon Snyder, naquela época um psiquiatra que se dedicasse à pesquisa biológica era "visto como um sujeito esquisito que talvez sofresse com conflitos emocionais que o faziam evitar confronto com 'sentimentos reais'".[34]

Kline, porém, apresentou uma nova interpretação sobre quais tipos de sentimentos eram "reais". Uma das epígrafes de seu livro era uma citação de Epitecto: "Pois você não nasceu para ser deprimido e infeliz".[35] Ao experimentar ele próprio a iproniazida, constatou que a substância produzia um tipo bastante estadunidense de transcendência: conseguia trabalhar com mais afinco, mais depressa e por mais tempo.

Inspirado em *From Sad to Glad*, Ray viajou para Nova York e procurou o consultório de Kline, instalado em um sobrado elegante na rua 69 Leste, em Manhattan. Ray prometeu a Joy que depois de tomar as medicações de Kline seria "um novo homem". Na sala de espera, pacientes relataram recuperações milagrosas. Eram tão devotos que "sentiam que ele era

Deus", lembrou um colega.[36] Diziam que Kline tinha mais deprimidos no consultório do que qualquer outro médico de Nova York, mas despendia pouco tempo com eles, e grande parte do trabalho era feita por assistentes. Em um artigo para a revista *Proceedings of the American Philosophical Society*, Kline se vangloriou de que agora era possível um psiquiatra atender quatro pacientes em uma hora. "As substâncias produzem seus efeitos, como em qualquer outra área da medicina, sem que o médico necessariamente esteja presente", escreveu.[37]

A consulta de Ray com Kline durou dez minutos. O médico prescreveu uma dose baixa de Sinequan, antidepressivo desenvolvido pouco depois da iproniazida. Ray usou a medicação por algumas semanas, mas parou porque não se sentiu melhor. Descartou a clínica por ser um estabelecimento que oferecia um atendimento do tipo "receita de bolo".[38]

Ray sentia que havia construído uma boa vida — como nunca imaginara ser capaz de alcançar, mas à qual, em outro nível, secretamente sentia que tinha direito — e que devido a uma série de decisões impulsivas jogara tudo fora. "Parecia que eu só era capaz de falar, falar e falar sobre minhas perdas", escreveu.

Percebeu que a comida parecia estragada, como se tivesse sido imersa na água do mar. O sexo também já não lhe dava prazer. Apenas "fazia mecanicamente", sem "sentir nenhum deleite ou arrebatamento", registrou em sua autobiografia.[39]

Ray e seu colega Greenspan costumavam ir a lojas de artigos musicais depois do trabalho para experimentar diversos instrumentos. A esposa de Greenspan, Bonnie, contou-me que "Ele não se limitava a tocar as notas musicais: tirava um som belíssimo, e nenhuma outra coisa que fazia na vida tinha aquele refinamento". Mas pouco a pouco até a música perdeu o apelo.

Ray começou a ameaçar suicidar-se. Fartos de seu abatimento, Greenspan e Joy deram-lhe um ultimato: se ele não se internasse em um hospital, Joy pediria o divórcio e Greenspan deixaria a empresa. Relutante, Ray concordou. Escolheu o Chestnut Lodge, que na época era dirigido por Dexter Jr., neto do fundador. Ray lera a respeito do lugar no famoso romance autobiográfico de Joanne Greenberg *I Never Promised You a Rose Garden* [Nunca lhe prometi um mar de rosas], publicado em 1964, que relata seu tratamento com Fromm-Reichmann. O livro é uma espécie de ode ao poder do insight psicanalítico. "Os sintomas, a doença e os segredos têm muitas razões de ser", enuncia Greenberg, diagnosticada com esquizofrenia.[40] "Se não fosse assim, era só dar ao paciente uma boa injeção desse ou daquele medicamento." Porém, segundo ela, "esses sintomas são construídos por muitas necessidades e atendem a muitos propósitos, e é por isso que removê-los causa tanto sofrimento".

Ray tirou licença da empresa e deu entrada no Lodge em 2 de janeiro de 1979 — época em que ocorrem muitas internações psiquiátricas após a solidão e a alegria forçada das festas de fim de ano. Era um dia úmido e encoberto. O padrasto o levou de carona; passaram por uma estrada ladeada de pedras brancas, gramados pontilhados por gnomos de jardim. No estacionamento, placas de madeira esculpidas marcavam a vaga de cada psiquiatra e pareciam "uma fileira de cruzes", Ray observou. "Era quase um cemitério." A fachada do prédio era imponente, mas lá dentro os pisos eram de linóleo e as janelas tinham grades de ferro. As lâmpadas do teto eram cobertas por caixas de arame. "Não quero ficar aqui", bradou Ray, nervoso.[41] Mas o padrasto respondeu que não permitiria que ele voltasse para casa.

O colega de quarto de Ray, em tratamento por perversão sexual, disse que ele tinha sorte: Manuel Ross, o psicanalista que conduziria seu tratamento, era considerado um dos melhores do lugar. Esguio, de bigode grisalho e com um bico de viúva, Ross trabalhava no Lodge havia dezesseis anos.

Durante as primeiras semanas de terapia, Ross tentou tranquilizá-lo de que a vida não acabara, mas Ray só "se retraía e se tornava mais alheio, mais repetitivo", Ross comentou mais tarde com colegas.[42] Na esperança de melhorar o insight do paciente, o médico o interrompia ao menor sinal de autopiedade: "Pare de besteira!", dizia. Quando Ray descrevia sua vida como uma tragédia, Ross respondia: "Nada disso é trágico. Você não é heroico o bastante para ser trágico".

Em uma das sessões, quando Ray começou a compreender que os problemas da sua vida tinham sido criados por ele mesmo, "ficou muito angustiado com a ideia de que não vinham de forças externas, e sim do seu interior", relatou Ross. "E com voz soturna comentou: 'Estou neste leito entre Eros e Tânatos, tentando decidir se quero viver ou morrer'."

Apesar de a filosofia do Lodge defender que todo paciente merecia ser compreendido, os prontuários de Ray dão a impressão de que os médicos não gostavam dele. Em uma reunião de equipe alguns meses depois da internação, uma psicóloga, Rebecca Rieger, relatou uma dor de cabeça latejante após passar algum tempo com Ray (que afirmou ter sido criado em "uma caricatura de família de imigrantes judeus"). "O período que passei com o paciente deixou-me mais exausta do que com qualquer outro, acho", declarou.[43] Ray era tão agitado que, para fazer o teste de Rorschach, ela precisava segui-lo enquanto ele andava de um lado para outro.

"Ele é dez pacientes em um", reclamou um assistente social.

Rieger cogitou que Ray talvez tivesse um "possível delírio", porque "vivia falando sobre o cérebro, como se pensasse que havia algo de errado com o órgão no sentido físico".

Robert Gruber, o diretor de internações, afirmou que Ray só tinha ido para o Lodge porque fora pressionado pela mulher, com quem Gruber simpatizou depois de ter encontrado uma única vez. "Se ela tiver algum juízo, provavelmente não manterá" o relacionamento, comentou na reunião. "Creio que esteja tentando ressaltar o elemento destrutivo, dizer que talvez seja isto o que ele fará conosco: destruirá nossa disponibilidade para ele, assim como destruiu a disponibilidade dela para ele."

Ross concordou. "Ele trata as mulheres como se tivessem que aguentar sua ansiedade e estivessem lá para agradá-lo e segurar sua mão sempre que estiver sofrendo", relatou. "E ele age assim comigo também, vejam só: 'Você não imagina como sofro. Como pode fazer isso comigo?'." Ross contou que já alertara Ray: "Com esse histórico de destrutividade, mais cedo ou mais tarde você tentará arruinar o tratamento".

Ainda assim Ross estava confiante de que se Ray "permanecer em tratamento por cinco ou dez anos, talvez alcance bons resultados".

"Cinco a dez anos é mais ou menos o certo", disse outro psicanalista.

O diretor clínico do hospital afirmou que esperava que os membros da equipe não tratassem Ray com desdém. "Hoje, ouvindo as pessoas falarem, tenho a impressão de que, em certo sentido, consideram Ray um mau sujeito que se comporta como se fosse um figurão, mas sentem que, na verdade, ele não é nada disso e que se dane." Relatou que Ray parecia "um menino mimado".

"Gosto muito dele e gosto de trabalhar com ele", Ross esclareceu. "É uma pessoa muito criativa. Talvez tão criativo que seja impossível encaixá-lo em um diagnóstico. Mas é complicado, porque, por exemplo, ele diz: 'Você precisa me dizer o que fazer'. E eu respondo: 'Sua principal tarefa é ficar sentado e não fazer porcaria nenhuma. Apenas sente ali e não faça nada. Deixe que cuidemos de você. Não se mexa'."

ALGUNS ANOS ANTES da internação de Ray, Dexter Bullard III, bisneto do fundador do Lodge, se enforcara na casa dos pais. Estava no último ano do ensino médio e na linha de sucessão teria sido o próximo a assumir a empresa da família. Na época se consultava com um psicanalista. Uma ocasião, Dexter Jr. comentou: "Se eu tivesse procurado um psiquiatra moderno para meu filho em vez de um profissional que não acredita em medicação, talvez ele ainda estivesse vivo", recordou Ann-Louise Silver, psiquiatra do Lodge.

Os médicos se dividiam em dois campos: Dexter Jr. era parte de um contingente disposto a adotar medicação, mas Ross e outros queriam preservar a visão original do lugar. Ross acreditava que, se Ray se esforçasse mais para compreender a si mesmo, poderia se recuperar. Mas, ao longo de mais de seis meses na internação, as perdas de Ray se tornaram cada vez mais concretas. Joy parara de atender aos seus telefonemas fazia meses e pedira o divórcio. A ex-esposa, que continuava na Europa com os filhos, entrou na Justiça para restringir os direitos de visita. Segundo o contrato da empresa de Ray, um novo diretor seria empossado caso ele se ausentasse por mais de um ano. Dado o ritmo de sua recuperação, era improvável que cumprisse o prazo.

Na terapia, Ray sentia como se "um espelho fosse posto na minha frente [...] um espelho para eu me olhar e ver quem fui", e ficava consternado com a imagem refletida. Certa vez, perguntou a Ross: "Será que envelhecerei com meus filhos por perto?". Na autobiografia, escreveu que a resposta do psiquiatra foi: "Você, um patriarca? Absurdo. Absurdo total. Você, um patriarca? Hahaha".

Desiludida com o Lodge, a mãe de Ray decidiu transferi-lo para o Silver Hill, um hospital em New Canaan, Connecticut, que adotara o uso de antidepressivos. Em 1º de agosto de 1979, ela e o marido levaram Ray de carro até o aeroporto, acompanhados por dois enfermeiros do Lodge. Chegando lá, a mãe chorou baixinho, cobrindo a boca com o lenço. Segundo os enfermeiros, no aeroporto e depois no avião, Ray continuou a falar sobre as perdas, mesmo depois de o padrasto ter pedido que esperasse até aterrissarem, pois não conseguia ouvi-lo com o barulho do motor.

Em meio a colinas verdejantes, o terreno do Silver Hill tinha "jardins elegantes e primorosamente podados", Ray relata na autobiografia. Os pacientes viviam em chalés de madeira, com calçadas de pedra branca e treliças cobertas por glicínias. Segundo um artigo de 1964 da revista *Trends in Psychiatry*, o hospital era povoado por executivos, cirurgiões, artistas e "uma pitada de universitários malsucedidos nos estudos e oprimidos pela culpa, provenientes de boa família" e incentivados a "conversar sobre assuntos não patológicos".[44] Contudo, acrescentava a publicação, "também encontramos outras coisas: uma linda mulher cuja beleza é maculada por um tique ao piscar os olhos; um rapaz alto e bem-apessoado que desata numa gargalhada ruidosa e sem sentido".

A psiquiatra de Ray no Silver Hill, Joan Narad, prescreveu-lhe imediatamente duas medicações: Thorazine, para acalmar a agitação e a insônia, e Elavil, antidepressivo descoberto em 1960. A seu ver, Ray era "uma pessoa vulnerável que desejava desesperadamente ter um relacionamento com os filhos".

Na primeira noite no Silver Hill, Ray entregou a aliança de casamento para uma enfermeira. "Não preciso mais dela", disse. Descreveu-se como "um homem sem lar que tem apenas a mãe". Na manhã seguinte telefonou para a mãe e falou: "Esta instituição e um monte de comprimidos não vão mudar as coisas". Sentia-se "flutuando no espaço sem direção". Às vezes perdia o equilíbrio e precisava se apoiar em móveis e paredes.

No sétimo dia disse aos enfermeiros que queria mudar de nome e desaparecer. No oitavo, declarou: "Acho que tenho um ou dois anos de vida. Espero morrer de ataque cardíaco enquanto durmo".

Após três semanas internado, acordou pela manhã, sentou-se numa poltrona e bebeu uma caneca de café fumegante. Leu o jornal. Então chamou a assistente da psiquiatra ao quarto. "Está acontecendo algo diferente comigo", disse. "Alguma coisa mudou." Sentia uma "tristeza profunda", uma emoção que ficara inacessível até então. Fazia quase um ano que não via os filhos, e começou a chorar. Achava que antes disso já sentia um pesar por estar longe de seus meninos, mas agora percebia que o que experimentara não fora uma tristeza tão vívida: era "além do sentimento", descreveu. "Uma ausência total de sentimento."

O PRIMEIRO RELATÓRIO EXTENSO sobre a reação de um paciente a antidepressivos foi escrito pelo psiquiatra suíço Roland Kuhn em 1956:

> Hoje faz três dias que a paciente parece ter se transformado. Sua inquietude e agitação desapareceram completamente. Ontem ela própria observou que havia estado muito confusa, que nunca agira de modo tão tolo em toda a sua vida. Não sabia o que causara esse comportamento, mas estava feliz por ter melhorado.[45]

Kuhn era rival de Nathan Kline na corrida para desenvolver antidepressivos. Em meados dos anos 1950, trabalhando em um hospital público de um vilarejo remoto, Kuhn começou a fazer experimentos com um composto conhecido como G22355 (mais tarde chamado de imipramina).[46] Administrou a substância a alguns de seus pacientes esquizofrênicos, mas em vez de se tornarem tranquilos, como esperava, ficaram agitados e excitados. Um deles escapou do hospital à noite, de pijama, e foi até a cidade de bicicleta, cantando alto.

Kuhn concluiu que a substância induzia um estado de euforia, então experimentou dá-la a pacientes deprimidos. Seis dias depois, notou que eles adquiriram novos interesses, "enquanto antes se torturavam com uma mesma ideia fixa".[47] Quando lhes perguntou sobre suas preocupações, responderam: "Não penso mais nelas" ou "Essa ideia de preocupação agora não entra na minha cabeça".[48] Kuhn achou que a substância parecia "restaurar completamente [...] o que mais importava, o poder de experienciar".[49]

Kuhn fez parte da psiquiatria fenomenológica, movimento inspirado por filósofos como Martin Heidegger e Edmund Husserl que visava estudar a seu modo a experiência da doença mental — sem a interferência de teorias preexistentes. Em vez de se concentrar nos sinais típicos de uma doença mental, como alucinações ou fadiga, esses psiquiatras se dedicavam aos tipos de experiência mais ambíguos, que não podem ser facilmente nomeados: a maneira como a doença altera o senso de tempo e espaço (por exemplo, a capacidade de confiar que a calçada é sólida e não vai se dissolver). O objetivo era descrever, e não explicar. Kuhn definiu o método como "deixar que as coisas falem por si".[50] "Só assim", ele escreveu, pode haver "um relacionamento verdadeiro entre paciente e médico, um relacionamento entre dois seres humanos."

Kuhn era cético quanto ao modo como outros psiquiatras mediam experiências mentais com questionários, reduzindo a saúde mental a um conjunto de sintomas. Criticou Nathan Kline por tratar o cérebro como se fosse "uma máquina que apenas funciona mais rápido ou mais devagar".[51] Um psiquiatra precisa entender que "não lida com um objeto isolado e rígido, e sim com um indivíduo envolvido em movimento e mudança constante", declarou.[52] Segundo ele, algumas vezes, depois de receberem medicação, seus pacientes perceberam que tinham estado doentes por muito mais tempo do que haviam pensado; começaram a reavaliar quem tinham sido durante todo aquele tempo.

No entanto, a perspectiva não decolou. Nicholas Weiss, autor de um dos poucos artigos em língua inglesa sobre Kuhn, disse-me que "Houve um momento, nos primeiros tempos da psicofarmacologia, em que se tentou criar uma perspectiva ampla — estudar o mundo vivido pelo indivíduo em sofrimento e o modo como ele era modificado por meio da psicofarmacologia —, mas a medicina tradicional nos Estados Unidos eliminou essa perspectiva. E essa eliminação foi apresentada como progresso científico". Os médicos deixaram para trás o estudo dos aspectos menos mensuráveis da experiência humana — uma vida paralela para a própria psiquiatria.

Depois de tomar antidepressivos, Ray recuperou o senso de humor, a generosidade e a paixão pela literatura e pela música. Uma enfermeira escreveu que ele tinha "uma índole terna e sensível, especialmente com os filhos". Narad, sua psiquiatra, comentou que "um novo ser humano começou a surgir".

A poeta Jane Kenyon descreveu uma metamorfose parecida. Depois de anos se sentindo como "um pedaço de carne queimada/ [que] usa minhas roupas, fala/ com minha voz", seu médico sugeriu tentarem um antidepressivo.[53] "Com o espanto/ e a amargura de alguém perdoado/ por um crime que não cometeu/ volto para o casamento e os amigos", ela escreveu. "O que me feriu tão terrivelmente/ toda a minha vida até este momento?"

Ray começou a passar tempo com outra paciente, uma mulher da sua idade. Tinha a sensação de que ambos eram personagens de *David & Lisa*, um filme de 1962 sobre o relacionamento carinhoso entre dois adolescentes em uma escola para doentes mentais — um temia ser tocado, a outra só falava em rimas. Ao conseguir uma licença de um dia, Ray pegou um ônibus até o centro da cidade de New Canaan, comprou uma garrafa de champanhe e bateu à porta da mulher. Passaram a noite juntos. "O ato de fazer amor não foi exatamente sexual ou biológico", ele escreveu, "e sim um ato de desafiar, procurar, tatear, tomar de volta nossa condição humana."

Ray passou a ler durante horas na biblioteca do hospital. Ficou chocado com *A Season in Hell* [Temporada no inferno], autobiografia publicada em 1975 e escrita por Percy Knauth, ex-correspondente do *New York Times* que tentou suicídio até tomar antidepressivos. "Dentro de uma semana o milagre começou a acontecer", Knauth descreveu.[54] "Sem medos, sem preocupações, sem sentimento de culpa.[55] Olhei pela janela em um dia cinzento de novembro e pensei que nunca vira um mundo mais lindo. Pela primeira vez em mais de um ano me senti bem!" E acrescentou: "Não há dúvida de que eu sofria de um desequilíbrio de noradrenalina".[56] Na época, essa era uma teoria sobre a origem da depressão, mas que em grande medida foi descartada depois.

A teoria do desequilíbrio químico foi exposta pela primeira vez em 1965 por Joseph Schildkraut, cientista do Instituto Nacional de Saúde Mental dos Estados Unidos, no artigo que se tornou o mais citado do *The American Journal of Psychiatry*. Schildkraut examinou estudos sobre antidepressivos e testes clínicos tanto em animais como em humanos e sugeriu que essas substâncias aumentavam a disponibilidade dos neurotransmissores dopamina, noradrenalina e serotonina — que influenciam na regulação do humor — e de seus receptores no cérebro. Raciocinou então de trás para a frente: se antidepressivos atuavam sobre esses neurotransmissores, então a depressão talvez fosse causada por sua deficiência. Apresentou a teoria como uma hipótese — "No máximo uma supersimplificação reducionista de um estado biológico muito complexo", escreveu.[57]

Ainda assim, a teoria ensejou um novo modo de falar sobre o self: flutuações de substâncias químicas no cérebro estão na raiz do estado de humor das pessoas. O esquema redefiniu o autoconhecimento. "O novo estilo de pensamento não só estabelece o que é aceitável como explicação, mas também o que há para ser explicado", registrou o sociólogo britânico Nikolas Rose.[58] "O profundo espaço psicológico que se abriu no século XX achatou-se." E prosseguiu: "É uma mudança na ontologia humana — nos tipos de pessoas que pensamos ser".

No Chestnut Lodge, Ray era deficiente em insights, mas no Silver Hill, onde prevalecia um modelo diferente de compreender a doença, era um aplicado estudioso de sua condição. Começou a escrever uma autobiografia sobre a doença. Em uma página do manuscrito, ilustrou e comentou a respeito de seu andar no edifício do Lodge. "Meu trajeto de caminhada é indicado pelas setas", explicou. Para escrever, pesquisou textos médicos sobre depressão, doença que agora via como "maravilhosamente curável". Sentia-se aliviado com a ideia de que os últimos anos de sua vida podiam ser explicados com uma única palavra.

Depois de um mês no Silver Hill, Ray reconsiderou o plano de desistir da empresa. "De certo modo, alguma alteração no meu metabolismo me dava vontade de lutar", registrou. Uma noite, levantou-se às 2h30 da madrugada, andou pelo quarto e vestiu terno e gravata. Perguntou a um auxiliar de enfermagem: "Pareço um médico?".

Telefonou para Robert Greenspan, que dobrara o próprio salário durante sua ausência, e deu a notícia: estava pronto para voltar ao trabalho.[59] Não queria mais vender a empresa. Disse ter ouvido do outro lado da linha "um silêncio estranho, hesitante".

Ray teve alta do Silver Hill após três meses de tratamento. Passara quase um ano internado. Voltou para uma casa vazia. Joy havia se mudado com o filho do casal e levara a maior parte dos móveis. Os outros meninos continuavam na Europa.

Ray apareceu sem avisar na clínica. Recebeu abraços e apertos de mão de pacientes, beijos de algumas enfermeiras. Mas os novos empregados, contratados por Greenspan durante sua ausência, mantiveram distância. Correra a notícia de que ele estivera internado em um manicômio. Na sala do café, a enfermeira-chefe descreveu o chefe como "lunático" e "incompetente".[60] Uma secretária observou que ele fez perguntas rudimentares sobre como operar uma máquina de diálise. "Vinham me dizer 'Viu o que ele fez? Viu o que ele fez?'", Greenspan falou. "E eu respondia: 'Deixe tudo por escrito'."

Greenspan estava preocupado porque Ray não finalizara o tratamento no Lodge. Supunha que o Silver Hill tomara apenas "medidas paliativas". Deixou a empresa e abriu uma clínica concorrente no mesmo prédio. Muitos dos pacientes e funcionários de Ray foram para lá. A notícia da doença dele — e da ruptura com Greenspan — se espalhou por toda a comunidade médica, e pararam de lhe encaminhar pacientes. Às vezes não havia clientes em número bastante para preencher um dia de trabalho. Separado dos filhos e quase sem trabalhar, Ray sentia-se como se tivesse perdido "os elementos que me identificavam como uma pessoa no mundo".

Em 1980, ano seguinte àquele em que recebeu alta do Silver Hill, Ray leu todo o *Manual diagnóstico e estatístico de transtornos mentais* [*DSM*, na sigla em inglês]. A terceira edição acabara de ser publicada. As duas primeiras eram muito simples e não foram levadas a sério. Os diagnósticos eram falíveis e variáveis, dependendo do médico e do contexto. Mas na nova versão uma comissão nomeada pela American Psychiatric Association trabalhara para tornar o manual mais objetivo e universal, expurgando-o de explicações psicanalíticas, como a ideia de que a depressão é uma "reação excessiva" a um "conflito interno".[61] Agora que medicações tinham eficácia comprovada — lítio era benéfico em casos de mania; Thorazine nos de esquizofrenia; e imipramina e outros nos de depressão — as experiências que ensejavam um transtorno pareciam menos relevantes. As doenças mentais foram redefinidas segundo o que podia ser visto de fora, uma lista de sintomas comportamentais. Melvin Sabshin, médico e diretor da American Psychiatric Association na época, declarou que o novo *DSM* representava um triunfo da "ciência sobre a ideologia".[62]

A linguagem clínica do *DSM-III* aliviou a sensação de isolamento de Ray; seu desespero fora causado por uma doença que milhões de pessoas também tinham. Completamente revigorado pelo novo modo de encarar a depressão, Ray agendou entrevistas com psiquiatras biológicos renomados a fim de pesquisar material para sua autobiografia, intitulada *A Symbolic Death* [Uma morte simbólica]. Deu à obra o subtítulo *The Untold Story of the Most Shameful Scandals in American Psychiatric History* (*It Happened to Me*) [A história não contada dos mais infames escândalos da história da psiquiatria estadunidense (aconteceu comigo)].

Mas Ray lamentava não dominar os "truques literários para conquistar simpatia" pelo seu caso.[63] "Quem quer ler uma história de Horatio Alger ao contrário?", perguntava-se.* Ao longo de todo o livro fazia preleções a si mesmo. "Você precisa contar sua história", alertava-se. "Outros ouvirão, e

---

* Horatio Alger foi um escritor estadunidense da virada do século XX, famoso por suas histórias de garotos pobres que trabalharam duro até vencer na vida. (N. T.)

haverá entre você, quem fala, e os outros, os ouvintes, um vínculo, um senso de comunidade, que lhe fará sentir de novo que anda no mesmo compasso da raça humana."

Ray enviou um rascunho da autobiografia ao psiquiatra Gerald Klerman, que pouco tempo antes deixara a chefia da Alcohol, Drug Abuse, and Mental Health Administration. Klerman escrevera em tom depreciativo sobre o que chamava de "calvinismo farmacológico":[64] a crença de que "se uma substância química faz você se sentir bem, isso é de algum modo moralmente errado ou você vai ser castigado com dependência química, dano ao fígado, mudança cromossômica ou outra forma de represália teológica secular".[65] Ray disse que Klerman considerou seu manuscrito "fascinante e persuasivo".

Animado com a aprovação de Klerman, Ray decidiu processar o Chestnut Lodge por negligência e erro médico, e começou a procurar especialistas para testemunhar a seu favor. Enviou pelo correio uma parte da autobiografia a Frank Ayd, que chefiara o primeiro ensaio clínico com o Elavil, antidepressivo que Ray tomava. Ayd descrevera o surgimento da psicofarmacologia como "uma bênção para a humanidade",[66] um dos "mais importantes e sensacionais momentos da história da medicina".[67] Em seu livro *Recognizing the Depressed Patient* [Reconhecendo o paciente deprimido], best-seller lançado em 1961, Ayd escreveu que "não há vantagem na compreensão intelectual dos aspectos psicológicos da doença".[68]

Depois de conhecer Ray, Ayd sentiu confiança de que "lidava com um indivíduo sincero e honesto em remissão da depressão" e concordou em atuar como testemunha técnica na ação judicial.[69] Pouco tempo depois, Ray ajuizou a ação com o argumento de que perdera a empresa, a reputação na comunidade médica e a guarda dos filhos porque o Lodge não fora capaz de tratar sua doença. Andy Seewald, amigo de Ray, disse que Ray frequentemente se comparava ao capitão Ahab de *Moby Dick*. "O Lodge era sua baleia branca", afirmou. "Ele estava à caça da coisa que o emasculara."

SEGUNDO ALAN STONE, ex-presidente da American Psychiatric Association, nenhum processo por erro médico na área de psiquiatria atraiu mais especialistas renomados como testemunhas do que a ação judicial de Ray. O caso tornou-se o foco em torno do qual eminentes psiquiatras biológicos "promoveram sua linha de tratamento", relatou.

Além de Klerman e Ayd, Ray recrutou Bernard Carroll, professor de psiquiatria na Universidade Duke que criara um teste (hoje em desuso) para diagnosticar a depressão medindo a função das glândulas suprarrenais. Ray também persuadiu Donald Klein, psiquiatra da comissão redatora do *DSM-III*, a testemunhar. Klein acreditava que os psiquiatras do Lodge, como muitos da área, não respondessem à altura das exigências científicas. "Se o diagnóstico e tratamento de pacientes não é uma ciência aplicada, então o que é?", indagou em uma conferência. "Uma forma de arte? Uma construção filosófica? Um balé?"[70]

Em uma audiência perante o tribunal de arbitragem, que determinaria se o caso iria ou não a julgamento, as testemunhas técnicas de Ray tentaram definir o novo espaço que a psiquiatria biológica reivindicara.

"Os psiquiatras se tornaram 'intranautas médicos'— é como às vezes me refiro a nós mesmos", Ayd disse.

"Como assim?", indagou um advogado do Lodge.

"Intra-nautas", Ayd repetiu. "Exploramos o universo interior do ser humano."

"Ah, então vocês ainda estão na área exploratória?"

"Tenho certeza de que exploraremos ainda por mais um século", Ayd respondeu. "Faz uns dois mil anos que exploramos."

"Doutor, me responda com sim ou não", pediu outro advogado do Lodge. "Não é correto dizer que um dos benefícios da psicoterapia é tentar fazer as pessoas olharem para si?"

"Obrigar uma pessoa a olhar para si quando ela não está em condições de fazer isso pode ser muito perigoso", Ayd respondeu.

Durante toda a audiência, que durou duas semanas, o Lodge procurou mostrar que a tentativa de Ray de categorizar a depressão como uma doença que requeria medicação era uma abdicação de responsabilidade. Em relatório, um dos especialistas que testemunharam pelo Lodge, Thomas Gutheil, professor de Harvard, observou que a linguagem da ação judicial, em grande parte esboçada pelo próprio Ray, exemplificava sua luta com a "'externalização', isto é, a tendência de pôr a culpa dos problemas nos outros".[71] Gutheil concluiu que a insistência de Ray "na natureza biológica do problema não é apenas desproporcional, mas me parece ser outra tentativa de afastar o problema dele próprio: não sou eu, é a minha biologia".[72]

As testemunhas técnicas do Lodge atribuíram a recuperação de Ray no Silver Hill, ao menos em parte, ao envolvimento romântico com uma paciente, o que lhe teria dado uma injeção de autoestima.

"Esse é um comentário aviltante", Ray respondeu ao testemunhar.[73] "Só serve para destacar a total descrença na legitimidade da sintomatologia e da doença." E acrescentou: "Não nego que tive dificuldades na vida. Observo e examino a mim próprio do ponto de vista de um homem que agora conhece muito sobre psicologia. Sou um narcisista? Sou isso mesmo? Não sou isso? O que sou?".

Os advogados do Lodge tentaram depreciar a descrição que Ray fizera da depressão argumentando que ele tivera momentos de prazer enquanto internado lá, por exemplo, quando tocava piano.

"Martelar mecanicamente melodias de ragtime naquele piano decrépito da enfermaria era quase um gesto de perturbação em vez de um prazeroso ato criativo de fazer música", Ray respondeu.[74] "Só porque joguei pingue-pongue, comi um pedaço de pizza ou sorri, ou talvez tenha contado uma piada ou arregalado os olhos ao ver uma moça bonita não significa que era capaz de sustentar sentimentos de fato prazerosos." E prosseguiu: "Dizia a mim mesmo: 'Estou vivendo, mas não estou vivo'".

Manuel Ross testemunhou por mais de oito horas. Leu um rascunho da autobiografia de Ray e rejeitou a possibilidade de ele ter sido curado por antidepressivos. Ali não estava um homem recuperado, pois continuava aferrado ao passado. "Isso é o que chamo de melancolia, no sentido usado no ensaio de 1913", argumentou, referindo-se a "Luto e melancolia".

Ross declarou que esperava que Ray tivesse um insight no Lodge. "Este é o verdadeiro esteio: quando a pessoa entende o que se passa em sua vida." Queria que Ray deixasse de lado a necessidade de ser um médico famoso, o mais rico e poderoso de sua área, e aceitasse uma vida na qual fosse um dos "meros mortais que labutam na seara médica".

O advogado de Ray, Philip Hirschkop, um dos mais renomados da área civil, perguntou a Ross: "Como analista, o senhor não deve olhar para dentro de si mesmo e se assegurar de não reagir aos próprios sentimentos em relação a alguém?".

"Com certeza", Ross respondeu. "Com certeza." Tirou os óculos e mordeu a ponta de uma das hastes.

"O senhor, atrelado a um cargo durante dezenove anos sem ter nenhuma progressão de carreira além da salarial, não poderia, talvez, estar um pouquinho ressentido com esse homem que ganha tanto dinheiro e então estava ali como seu paciente?", Hirschkop indagou.

"É possível, sim", Ross falou. "Isso precisa ser levado em consideração — não resta dúvida. Creio que esse seja o tipo de trabalho psicológico que fazemos em nós mesmos. Invejo isso? Ou será que apenas descrevo a mania de grandeza por inveja e despeito? Mas não acho que tenha sido meu caso."

"Para ser justo, o senhor inferiria que alguém que permanece no mesmo cargo por dezenove anos talvez careça de ambição?"

"Não, sr. Hirschkop", Ross respondeu. "Gosto do trabalho que faço. Para mim ele é estimulante."

Em 23 de dezembro de 1983 o tribunal de arbitragem concluiu que o Chestnut Lodge violara as normas de tratamento.

A ação seguiria para julgamento. Joel Paris, professor da Universidade McGill, escreveu que "o resultado do caso Osheroff foi discutido em todos os departamentos acadêmicos de psiquiatria da América do Norte".[75] O *New York Times* registrou que ele abalou "a crença convencional, vista até em alguns médicos, de que a depressão crônica não é uma doença, e sim mera falha de caráter".[76] Segundo o *Philadelphia Inquirer*, aquilo poderia "determinar em grande medida o modo como a psiquiatria seria praticada nos Estados Unidos".[77]

Contudo, pouco antes do julgamento, em 1987 o Chestnut Lodge ofereceu um acordo de 350 mil dólares. Na época, Ray namorava uma colega dos tempos do ensino médio, Mauricette, viúva de um psicanalista. Ela não gostou da maneira como o caso de Ray jogava uma vertente psiquiátrica contra a outra. "É simplista demais", me disse. "Uma escola não suplanta a outra." Ray decidiu aceitar o acordo e seguir a vida.

Os psiquiatras de maior destaque do país continuaram a tratar o caso como o acerto de contas definitivo com a psicanálise. Em um artigo de 1990 no *The American Journal of Psychiatry*, Gerald Klerman, um dos especialistas que testemunharam na ação de Ray, escreveu que todo profissional tem obrigação de informar o paciente sobre seu diagnóstico e explicar a linha de tratamento citando estudos clínicos randomizados. Esse dever, disse Klerman, seria o equivalente médico do "Aviso de Miranda" — lei que determina que os policiais leiam para os suspeitos uma lista dos seus direitos a fim de que possam fazer uma escolha consciente quanto a falar ou permanecer calado.[78]

Klerman defendia o que na época era um movimento incipiente a favor da medicina baseada em evidências, modelo segundo o qual a fundamentação de decisões técnicas devia se respaldar em testes clínicos randomizados de métodos de tratamento. Esse conceito foi esboçado pela primeira vez em 1972 na obra *Effectiveness and Efficiency* [Eficácia e eficiência], do epidemiologista escocês Archibald Cochrane. Nessa obra de referência, Cochrane afirmou que "nada deveria ser dito sobre qualquer tratamento antes de o primeiro paciente ter sido randomizado em um estudo científico".[79] Dentro de uma década, os estudos clínicos randomizados destacaram-se como a forma de conhecimento médico com maior credibilidade, suplantando a autoridade de estudos de caso individuais. Quando o *New York Times* pediu ao diretor do Centro de Medicina Baseada em Evidências de Oxford, Inglaterra, que explicasse como essa nova ênfase poderia transformar a arte da medicina, ele respondeu: "Arte mata".[80]

Joan Narad, médica de Ray no Silver Hill, disse que se entristecia com as conclusões que as pessoas tiravam da história de Ray. "O caso foi usado para aumentar a polarização." Ray escreveu em sua autobiografia: "Embora continue a prosperar uma 'indústria artesanal' dedicada a comentar o significado do mundialmente famoso caso Osheroff, nenhum dos estudiosos procurou entrevistar a fonte primária viva: eu!".

A American Psychiatric Association organizou um painel sobre o caso de Ray na conferência anual de 1989, ao qual ele compareceu acompanhado pelo filho mais velho, Sam. Narad também estava lá e mostrou a Sam páginas dos prontuários nas quais ele expressava a ânsia por ver os filhos. "Disse: 'Só queria que soubesse que seu pai tentou conviver com você; ele o ama e estava desesperado para vê-lo'", Narad contou.

Mas Sam e o irmão mais novo, Joe, não perdoaram o pai. Acreditavam que ele tinha se agarrado à explicação errada de por que sua vida saíra do controle. "Meu pai tinha o lado sociável, gentil e brilhante, mas nunca lidava com os problemas", Joe me relatou. "Vivia contando a mesma história." Na opinião de Joe, o pai seria mais feliz se tivesse sido capaz de se dedicar ao sonho da infância e se tornar músico, em vez de estudar medicina, área que o pai escolhera para ele. Sam e Joe queriam seguir carreira no teatro, e para eles era irônico que Ray os aconselhasse a buscar uma profissão mais respeitável, como a de empresário ou advogado. Joe comentou: "Era um cara que só queria tocar música — era só isso que queria fazer — e tem dois filhos que só querem fazer teatro. Ele perpetuou o padrão sofrido na infância".

DEPOIS DO PROCESSO DE RAY, o Lodge começou a prescrever medicação para quase todos os pacientes. "Tivemos que nos adaptar", disse-me Richard Waugaman, psiquiatra de lá. "Nem sempre cogitávamos se isso ajudaria ou não o paciente. Pensávamos se nos protegeria ou não de outra ação judicial."

Os médicos da instituição sentiram-se tolhidos por um estudo de longo prazo, publicado em 1984 na revista *Archives of General Psychiatry*, que acompanhou mais de quatrocentas pessoas internadas lá entre 1950 e 1975.[81] Apenas um terço dos pacientes esquizofrênicos tinha melhorado ou se recuperado — aproximadamente a mesma porcentagem das pessoas que na época se recuperavam em qualquer contexto de tratamento, segundo demonstrado.[82] O que distinguia os que levavam uma vida produtiva daqueles que permaneciam doentes não parecia ter relação com qualquer ação do Lodge. Em um simpósio com a presença de quinhentos médicos, Thomas McGlashan, coautor do estudo e psiquiatra do hospital, anunciou: "Os dados estão aí. O experimento fracassou".[83]

Durante anos os pacientes do Lodge tiveram o tratamento financiado por planos de saúde privados — além de alguns, chamados de "galinhas dos ovos de ouro", que pagavam do próprio bolso —, mas no começo da década de 1990 esses planos de saúde dominaram o ramo dos seguros. Para conter custos, as seguradoras exigiram que os médicos submetessem à análise os planos de tratamento e apresentassem evidências da melhora dos clientes num grau mensurável. As longas e elegantes narrativas sobre o percurso dos pacientes foram substituídas por listas de sintomas. O tratamento de doenças mentais devia ser visto como mercadoria, e não como parceria. Os psiquiatras do Lodge ainda faziam reuniões demoradas para analisar cada um, mas Kalyna Bullard, nora de Dexter Jr., que era chefe da assessoria jurídica do hospital, me disse que "eles não eram mais remunerados por isso".

A relação médico-paciente, que o Lodge via como um vínculo encantado — uma cura para a solidão —, foi reformulada pela linguagem da cultura empresarial. Os psiquiatras tornaram-se "fornecedores", e os pacientes "consumidores" cujo sofrimento se resumia a diagnósticos extraídos do *DSM*. "A loucura se tornou um produto industrializado a ser gerenciado com eficiência e racionalidade de modo oportuno", escreveu o antropólogo Alistair Donald no ensaio "The Wal-Marting of American Psychiatry" [A wal-martização da psiquiatria americana].[84] "O paciente real é substituído por descrições comportamentais, e com isso se torna desconhecido."[85]

À medida que os psicanalistas mais velhos se aposentaram, o Lodge contratou uma nova geração de médicos e assistentes sociais que mostravam mais entusiasmo pelas medicações. Mas Karen Bartholomew, ex-diretora de serviço social da instituição, me contou que era frustrante ouvir membros da equipe afirmarem, menosprezando a psiquiatria do passado: "Hoje estamos muito melhor". Segundo ela, cada vez mais pacientes chegavam ao Lodge "tomando cinco ou seis remédios, e quem sabe qual está fazendo efeito a essa altura?". "Só fico à espera da próxima descoberta para evoluirmos, porque essa não está dando certo — não neste país", comentou.

Em 1995 Dexter Bullard Jr. morreu, e ninguém da geração seguinte quis assumir o negócio. O hospital foi vendido a uma ONG voltada para saúde comunitária que, em pouco tempo, o levou à falência. Ann-Louise Silver, psiquiatra do Lodge, acredita que o suicídio do filho de Bullard e as mudanças que isso causou — o direcionamento para o uso de medicação, o vácuo de liderança — "levaram à morte do hospital". "Enquanto Dexter Jr. estava de luto pelo filho, estávamos de luto pelo Lodge", ela me falou. No fim dos anos 1990 as instalações estavam caindo aos pedaços. Silver contou que uma das pacientes estava no terceiro andar quando sentiu mel pingar em seu rosto. Havia colmeias no teto.

Em 27 de abril de 2001, último dia de funcionamento do hospital, restavam apenas oito pacientes. Parte da equipe se ofereceu para abrir mão do salário a fim de manter o Lodge em funcionamento por mais algum tempo. Também cogitaram comprar a propriedade e criar um novo lugar chamado Rosegarden Lodge, alusão a *I Never Promised You a Rose Garden*. "Não somos muito diferentes dos nossos pacientes", disse na época Robert Kurtz, psiquiatra do Lodge, à revista *Psychiatric News*. "Somos muito crônicos, obstinados e idealistas. Não desistimos!" [86] Mas o plano não foi levado adiante. "Um grandioso e célebre farol desmoronou, por fim, com o avanço da maré", Silver escreveu.[87]

O psicanalista de Ray, Manuel Ross, trabalhou no Lodge até o encerramento das atividades. Já quase centenário, Christopher Keats, diretor da área de psicoterapia, contou que Ross "permaneceu igual: continuou a trabalhar do mesmo modo". Quando telefonei para Ross, ele me disse que não queria falar sobre o caso de Ray: "Nunca discuto esse assunto — nem mesmo em particular", explicou. "Acredito que esse seja um princípio fundamental da psiquiatria e até do sacerdócio: nada é revelado."

O Lodge, assim como muitos hospitais psiquiátricos do país, foi abandonado. Um jornal local descreveu a propriedade como ponto de encontro de "caçadores de fantasmas" movidos por "histórias de paranormais e outras assombrações".[88] E então, em meados de 2009, devido a circunstâncias nunca determinadas, o prédio principal foi arrasado por um incêndio.

Em 2013 deparei com um artigo na *Psychiatric Times* intitulado "A Belated Obituary" [Um obituário tardio], uma breve celebração da vida de Ray.[89] Ele falecera no ano anterior à publicação, e sua morte passara despercebida. O autor do texto quase não conseguira encontrar informações pessoais sobre Ray além das que constavam na página dele no Facebook: a imagem de perfil era a capa de um livro de psicologia de

1986 chamado *Finding Our Fathers: How a Man's Life is Shaped by His Relationship with His Father* [Encontrando nossos pais: Como a vida de um homem é moldada pelo relacionamento com o pai].

Eu havia encontrado breves referências ao caso de Ray em textos psiquiátricos (um deles o descrevia como um homem que antes da depressão tivera "tudo o que uma pessoa poderia desejar neste mundo"), e me perguntei como ele via o fato de que sua vida e seu legado haviam sido definidos pelo embate entre duas teorias opostas sobre sua mente. Entrei em contato com Philip Hirschkop, que foi seu advogado, e ele me convidou para ir a sua casa em Lorton, Virgínia, e ler mais de uma dezena de caixas de arquivo com documentos sobre o cliente guardadas na garagem. Em meio aos registros judiciais e médicos, havia diversos rascunhos da autobiografia não publicada de Ray. Ele fizera revisões no texto durante mais de trinta anos. A prosa se alternava entre pomposa e autodepreciativa. "Eu me tornei uma figura histórica", escreveu. "Sou o homem que todos sabem quem é, mas ninguém conhece."

Depois do fim da ação na Justiça, Ray se mudou com Mauricette para Scarsdale, Nova York, mas após alguns anos sentiu que aquele relacionamento "não tinha conteúdo" e se divorciou mais uma vez. Em um rascunho de seu livro, modificou sua definição de depressão: "Não é uma doença, não é uma enfermidade: é um estado de desconexão". Ele voltara a se consultar com um psicanalista. Referia-se a ele como o "pai bom" (enquanto Ross fora o "pai mau", registrou). Ray acreditava que se o Lodge o tivesse tratado com medicação ele talvez nunca necessitasse de terapia, mas agora, escreveu, "perdera a base a partir da qual construiria qualquer coisa".

Após o fim do casamento com Mauricette, Ray se mudou para Cranford, New Jersey, e foi viver com outra ex-colega do ensino médio, Paula, apesar de achá-la enfadonha e sem graça. Trabalhou em uma clínica de nefrologia por um ano, mas, assim como os médicos do Lodge, sentia-se reprimido pelos ditames dos planos de saúde: o supervisor o repreendia quando ele passava mais de vinte minutos com um paciente. Depois de um ano seu contrato não foi renovado, e ele começou a "flutuar em cargos subalternos", como relatou em uma carta. "Dá para imaginar o que é sentir vergonha de que seus filhos o vejam dessa maneira — ter vontade até de fugir deles?", escreveu.

Os dois mais velhos, Joe e Sam, se tornaram atores. Quando Ray os visitava, sufocava-os com um relato repetitivo sobre como o Chestnut Lodge tirara sua vida dos trilhos. Ele também lhes levava as versões mais recentes da autobiografia. "O livro, o livro", Joe suspirou. "Ele só queria falar nisso." Quando a primeira filha de Sam nasceu, Ray chegou com um rascunho revisto e pareceu mais interessado em falar sobre o texto do que em conhecer a neta. Sam disse que ouviu do pai: "O livro vai bombar. Vão fazer um filme baseado nele". Sam e Joe então pararam de atender aos telefonemas do pai. O filho mais novo já se afastara.

A autobiografia chegou a quinhentas páginas. Os primeiros rascunhos tinham sido vibrantes, com uma construção refinada. Mas depois de três décadas de revisão, havia algo de opressivo e desonesto no texto, uma narrativa de vingança. Talvez a única melhoria fosse o retrato que Ray fez do pai, ausente nos primeiros esboços. A morte paterna se tornou a cena primordial. Na última vez em que se viram, Ray foi repreendido porque não levou o lixo para fora. "De repente me dou conta da raiva que sinto, e agora, sem temer a fúria física de meu pai, o pensamento de bater nele me passa brevemente pela consciência", ele escreve. "O pensamento proibido, embora logo suprimido, me deixa horrorizado." Ray desembestou porta afora sem se despedir. Mais tarde, naquele dia, o pai teve um ataque cardíaco e morreu, aos 45 anos. Ray precisou identificar o corpo no necrotério.

"Então o que esta história significa?", Ray quis saber. "Como posso me definir? Quem é Ray Osheroff agora?" Fazia três décadas que tomava remédios, mas ainda se sentia sem raízes e sozinho. "Existe um abismo doloroso entre o que é e o que deveria ter sido", registrou. Ele era um "homem sem esperança". Duas narrativas diferentes sobre sua doença, a psicanalítica e a neurobiológica, não haviam adiantado. Agora tinha esperança de que fosse ser salvo por uma nova narrativa, sua autobiografia. Se estruturasse corretamente as ideias ou encontrasse as palavras certas, sentia que poderia "finalmente desembarcar na praia da terra da cura", escreveu. "Haverá a hermenêutica de sua tragédia pessoal. Você poderá finalmente reconstruir um novo legado para si mesmo. Aja rápido! O momento se aproxima!"

No começo dos anos 2000, Ray conseguiu um emprego como aplicador de testes eletrodiagnósticos em vítimas de acidentes de carro. Ele analisava a atividade elétrica dos músculos e nervos do paciente para determinar se havia lesões. Talvez tenha começado com boas intenções, mas logo se viu trabalhando para clínicas que exploravam as políticas dos seguros com cobertura de despesas médicas em danos contra terceiros. Alguns dos pacientes talvez nem sequer tivessem sofrido um acidente. Em uma conversa que gravou com um terapeuta, lamentou: "Estou fazendo um trabalho de mentira. Gerando relatórios de mentira para acidentes de mentira". Sentia-se "um homem oco, um simulacro". Depois de um dia de trabalho, não suportava conviver com Paula, cuja ideia de prazer, disse, era ir a um jantar festivo com comida chinesa kosher. "Não consigo voltar para casa e encontrá-la. 'Oi, amor, o que houve? Quer ver televisão comigo?' Preciso digerir essa experiência."

Quando conversei por telefone com Paula, ela elogiou as habilidades médicas de Ray, contou que os amigos do casal achavam o máximo ele ter duas especialidades, uma em clínica médica e outra em nefrologia, e repetiu quatro vezes a história de um homem que tinha câncer e escrevera uma carta agradecendo Ray por ter cuidado dele à beira do leito. Mas o modo como descreveu o trabalho do marido foi vago. "Ele fazia uma espécie de teste", disse. "Os médicos que não sabiam como fazer ligavam para ele e pediam: 'Ouvi falar que você é muito bom nisso. Pode vir a meu consultório no Bronx?'."

No começo de 2012, Ray contou ao amigo Andy Seewald que sua conta bancária fora bloqueada por investigadores federais. A procuradoria dos Estados Unidos preparava acusações de formação de quadrilha contra mais de trinta pessoas devido a um esquema para fraudar empresas de seguro-saúde, e Ray suspeitava que logo fosse ser indiciado. Recentemente fora processado em um caso parecido por cobrar pagamento de empresas de seguro para "tratamentos médicos ilusórios ou inúteis", segundo a queixa.[90] Seewald disse que Ray comentou: "A vergonha vai me matar".

Ray convidou Joe, o filho do meio, que não encontrava havia mais de dez anos, para jantar com ele em um restaurante italiano no Theatre District, em Manhattan. Ao entrar no restaurante, Joe ouviu alguém gritar seu nome. "Virei e vi meu pai em uma mesa redonda com no mínimo oito ou nove sujeitos, todos russos, tirando fotos. Comentavam: 'Nunca imaginamos que fôssemos ver o dia em que o dr. Osheroff se reencontrou com o filho!'." Ray se levantou e fez um discurso. "Cada um pegou o celular para filmar meu pai", Joe disse, "e, quando terminou de falar, ele me entregou, chorando, seu velho exemplar surrado daquela porcaria do *Finding Our Fathers*." Escrito por um psicólogo de Harvard, o livro relata como o "problema não resolvido" de um homem com o pai prejudica seus relacionamentos.[91]

Todos começaram a comer. "E meu pai sentou ao meu lado e contou de novo a história do Chestnut Lodge, como se eu nunca tivesse ouvido aquilo", Joe falou. "Gelei. Senti que ele estava se aproveitando da minha boa vontade." Mesmo quando o pai tentava reparar o relacionamento, o esforço para criar uma ligação emocional era engolido pela história que ele se sentia compelido a continuar contando.

Menos de um mês depois, Seewald notou que Ray, então com 73 anos, parecia exaurido. "Dizia o tempo todo: 'Tenho a sensação horrível de que estou me desfazendo. Quando olho no espelho, me sinto acabado'." Dois dias mais tarde, Joe perdeu uma ligação do pai enquanto atuava em uma peça em Manhattan. Depois do espetáculo, foi ouvir o recado. O motorista de Ray, que o levava às clínicas pela cidade para fazer os testes diagnósticos, deixara uma mensagem: Ray morrera.

No funeral, Sam e Joe notaram que a história da morte do pai era sempre atualizada. Alguns diziam que ele caíra sobre a escrivaninha do escritório e fraturara a mandíbula. Outros, que sofrera um ataque cardíaco. O jornal de New Jersey *Star-Ledger* escreveu que ele "morrera dormindo".[92] Paula me falou que ele tinha morrido na cama que mantinha no escritório para as noites de nevasca, quando não era possível voltar para casa. "Ray deveria vir para casa naquela noite, mas estava muito, muito cansado", contou.

Depois do funeral, Sam e Joe conversaram até tarde, tentando organizar as diversas versões da história. Criaram a própria teoria. Achavam que Ray fosse testemunhar sobre a conduta criminosa dos colegas. "Tenho certeza de que meu pai foi assassinado", disse-me Sam na primeira vez que conversamos. Joe comentou: "Ele iria expor aqueles caras, e acho que seu assistente o liquidou. Seu legado é ter se tornado um criminoso descartável".

Ninguém mais entre as pessoas com quem conversei acreditava que Ray fora assassinado, embora Seewald tenha cogitado por algum tempo a possibilidade de suicídio. A certidão de óbito registra "cardiopatia hipertensiva". No mês anterior ele fora hospitalizado por ter sofrido desmaios.

Um psicanalista poderia dizer que Joe e Sam tinham matado o pai, assim como Ray, na autobiografia, matara simbolicamente o seu ao lhe negar a cortesia de se despedir. Pouco antes de morrer, Ray lera ensaios de Freud sobre Dostoiévski, um de seus escritores favoritos. Em "Dostoiévski e o parricídio", ele escreve que, quando um filho descobre que o pai foi assassinado "não importa quem realmente cometeu o crime; a psicologia só se preocupa em saber quem emocionalmente desejou isso e quem gostou quando aconteceu".[93]

A autobiografia de Ray ficou incompleta, as páginas dispersas nos escritórios de diferentes digitadores que haviam ajudado a organizar o material. Nas versões finais, ele buscara uma teoria abrangente que explicasse por que a vida que desejara havia terminado quarenta anos mais cedo. Uma teoria era que ele sofria de um desequilíbrio químico. Outra, que foi um menino privado do modelo paterno: "Debaixo de tudo isso", escreveu, "não estaria o tema do filho em busca do pai? Não a perda de uma empresa. A perda do pai." Uma terceira teoria era que ele sofria de uma espécie de solidão crônica — condição que ele caracterizou, citando Fromm-Reichmann, como "uma experiência tão intensa e incomunicável que os psiquiatras só podem descrevê-la a partir do relato das pessoas que lutam contra ela". Mas ele também sentia que qualquer narrativa que prometesse resolver completamente seus problemas seria falsa, uma fuga do desconhecido. "No fim da vida, depois de perder tudo", escreveu, "talvez eu seja apenas uma quebradiça folha no outono soprada para longe por um implacável vento de outubro."

Bapu: "Essa dificuldade que estou enfrentando é a lição da entrega total?"

NENHUM ASTRÓLOGO FOI CONSULTADO antes de Bapu se casar. A família baixava a voz ao comentar essa omissão. Todas as suas irmãs haviam trocado horóscopos com os noivos para conferir a compatibilidade. Mas Bapu era menos atraente. Tivera poliomielite na infância e mancava. Em uma fotografia enviada a pretendentes em 1960, Bapu tinha os cabelos pretos penteados em uma trança até a cintura e estava sentada em uma cadeira lendo um livro, com o calçado ortopédico fora de vista. Dessa forma não seria discriminada.

Sua família era brâmane, casta social superior na Índia, considerada espiritualmente mais pura do que o restante da população. O pai de Bapu, empresário e renomado crítico musical, havia comprado para ela uma imponente casa colonial em um bairro de classe alta em Chennai, sul da Índia, na esperança de assim tornar a filha mais desejável. A casa, de janelas francesas, parapeito com ladrilhos vermelhos, varanda comprida e jardim murado, ficava em um terreno de mais de 4 mil metros quadrados em meio a palmeiras, flores-de-maio e mangueiras. Antes de comprá-la, o pai de Bapu consultou um sacerdote versado em *vastu shastra* (a "ciência da arquitetura") e ouviu que aquela propriedade não era adequada para uma família. Todavia, desconsiderou o aviso. Chamou a casa de Amrita, néctar da imortalidade.

Bapu concordou em se casar com um pretendente chamado Rajamani, gerente de uma empresa de publicidade, sujeito musculoso, de maxilar bem delineado e covinha no queixo. Foram morar em Amrita, mas a casa era grande demais para um casal e logo se tornou pouso para primos, irmãos e amigos que estudavam ou trabalhavam em Chennai. O irmão de Rajamani se instalou lá com a família e permaneceu por quase uma década. Na nova hierarquia doméstica, Bapu estava no degrau mais baixo. Toda manhã acordava por volta das cinco horas, tomava um banho frio e punha incenso nos cantos da casa. Com farinha de arroz desenhava um *kolam*, diagrama geométrico, do lado de fora da porta, para convidar o sagrado a entrar. Quando menstruava, ficava reclusa em um canto da casa, impedida de cozinhar, cumprir suas devoções ou tocar em homens. No restante do mês, cozinhava o que o marido e os parentes mandavam. Seu sobrinho Shyam, que morava lá, disse: "Ela era incansável. Não deixava de preparar uma refeição".

Bapu achava os parentes do marido insensíveis e críticos. Caçoavam dela porque tinha uma perna fraca e a chamavam de *nondi*, "manca" em tâmil. Quando deu à luz pela primeira vez, uma filha chamada Bhargavi, sua cunhada lhe deu uma bebida maltada chamada Horlicks — comercializada na Índia como "O Grande Alimento da Família" —, supostamente benéfica para o aleitamento. Mas em vez de prepará-la com água fervida, a cunhada usou água da torneira, desfeita que Bapu mencionou por anos.

Bapu abominava a preocupação dos parentes do marido com dinheiro — um "escorpião" que estava "sempre a me picar", queixou-se em seu diário, escrito em tâmil.[1] Seu marido, Rajamani, provinha de uma linhagem de sacerdotes astrólogos cujas necessidades materiais tinham sido atendidas pela comunidade do templo onde trabalhavam, mas, fazia pouco tempo, a família entrara para a classe média. Rajamani preenchia planilhas minuciosas com todas as despesas domésticas. "Quanto custa! Quanto custa! Arre!", Bapu escreveu. Rajamani comprou uma casa menor na propriedade, transferiu a família para lá e alugou a casa principal para suplementar a renda. A essa altura, Bapu dera à luz o irmão de Bhargavi, Karthik, depois de ter sofrido dois abortos. Mais rica que o esposo, ela sabia quais eram as poucas esferas nas quais tinha poder. "Meu marido me considera uma inimiga se não tiver meu corpo ou meu dinheiro", registrou.

Em algumas famílias brâmanes ricas de Chennai, era costume, quando as mangas amadureciam na primavera, a mulher na posição hierárquica mais elevada — a esposa ou a sogra — distribuir as frutas para amigos e parentes, um complexo drama social que ensejava dias de mexericos. Bapu escreveu, indignada, que as mangas eram "tudo o que minha sogra vê como salvação nesta vida".

Ela começou a levar os filhos a um *ashram* em Chennai para ouvirem preleções sobre o *Bhagavad Gita*, a escritura em sânscrito que narra um diálogo entre um príncipe e o Senhor Krishna, o deus hindu da ternura e compaixão. Sentavam-se no chão junto com aproximadamente sessenta pessoas congregadas ao redor de um sacerdote chamado Sri Anjam Madhavan Nambudiri, que conduzia recitações de textos sagrados em toda a Índia. Nambudiri usava túnicas cor de açafrão e uma guirlanda de flores no pescoço; tinha cabelos pretos e barba branca comprida e vasta. Era um *sannyasin*, um asceta que doara seus pertences e renunciara ao mundo material fazendo o próprio funeral. A posição dos *sannyasin* é tratada como o apogeu da espiritualidade hindu — dizem que eles têm insights completos. Não os buscam no funcionamento da mente, e sim na natureza da existência, no lugar que ocupam no cosmo.

Bapu passava várias horas por dia na sala de oração, único espaço da casa que podia chamar de seu. Parecia um pequeno closet, de pouco mais de um metro quadrado. Ela levou novas imagens, flores, sinos e incenso para o cômodo, embora em sua família a sala de oração fosse considerada domínio dos homens. Bapu sentia-se escolhida — "as misericordiosas mãos do Senhor tomaram as minhas", escreveu no diário — para ter uma existência mais livre. Queria "imergir no oceano da devoção, perdendo a noção do tempo". Não queria continuar em uma vida que considerava "sem sentido". Horrorizava-se com o dinheiro gasto em seu casamento e com a ideia de que algo era sua propriedade. "Esta mente é sua!", escreveu a Krishna. "Esta fala é sua! Este corpo é seu! Tudo é seu!"

Bhargavi tinha ciúme dos deuses porque absorviam tanta atenção de sua mãe. Ela e Karthik, que era dois anos mais novo, às vezes ficavam quietos na sala de oração só para estar perto da mãe. "Ela não se importava — só pedia para ficarmos sentados", Karthik disse. "E então nos entediávamos e íamos embora. Era uma sala escura, e não entendíamos bem aquilo."

Bapu ficou encantada com a poeta do século xvi Mirabai, que seguia a tradição da poesia *bhakti*, gênero que começou a circular no sul da Índia no século vi e ainda hoje faz sucesso. Segundo a lenda, Mirabai se recusou a consumar seu casamento. Renunciou ao marido e à família dele porque acreditava que Krishna fosse seu verdadeiro esposo. Como outras poetas *bhakti*, ela apresentava um quadro de loucura conhecido como "intoxicação divina".[2] Por fim, ela fugiu da casa dos sogros e vagou sozinha pelo país.[3] "Para mim até essa vergonha parece cativante", Mirabai escreveu.[4]

"Eu sou Mirabai?", indagou Bapu no diário.

Ela começou a compor para os filhos canções sobre Krishna, descrevendo-o como um belo pastor de vacas que seduzia todos em sua presença. As letras eram escritas em tâmil medieval, uma forma da língua que ela nunca tinha aprendido. Seu vocabulário era extenso, usando significados secundários de palavras que a família não conseguia compreender sem consultar um dicionário. "Era um mistério", disse Prema, cunhada de Bapu. "Aquilo fluía dela sem nenhum estudo."

Quando ela completou dois livros de versos, a família sugeriu mandá-los para um especialista em tâmil medieval. O erudito convidou Bapu para ir a seu gabinete. "Ele leu mais ou menos metade dos poemas e fez uns cálculos", contou-me Shyam, sobrinho de Bapu, que esteve presente na ocasião. "Avaliou a métrica e a estrutura e disse: 'Obedece a todos os critérios. É uma obra divina'." Bapu absorveu a notícia com tranquilidade. Não fora preciso esforço algum, explicou.

Seus livros foram publicados por uma editora local em 1970 e distribuídos em templos próximos. "Como o puro rio Ganges, que as canções purifiquem todos os corações", escreveu

Nambudiri, o *sannyasin* cujas preleções ela ouvia, no prefácio de uma das obras.[5] No bairro onde Bapu morava, espalhou-se a notícia de que ela tinha um dom divino. "Muitas senhoras da vizinhança vinham orar com ela", disse Shyam. "Achavam que era uma guia, uma professora de religião, embora ela não buscasse esse papel."

Bapu começou a usar sáris simples de algodão e parou de enfeitar os cabelos com flores. "Não vou gastar dinheiro com coisas como pó de arroz, perfume e roupas de seda", escreveu. "Devemos abrir mão das coisas que nos dão prazer." Uma ocasião, quando um condutor de riquixá lhe disse que tinha um filho doente, ela entrou em casa, abriu o armário e deu a ele um punhado de joias de seu casamento, a maioria de ouro 24 quilates.

Bapu sentia que alcançara uma nova compreensão da "igualdade de todos os seres", independente da casta, e considerava vazia a ênfase dos parentes do marido em rituais. As pessoas que leem textos sagrados e "depois desperdiçam tempo fazendo bolos e biscoitos nunca serão capazes de encontrar a si mesmas", escreveu. Eram "estudantes de ciências que leem livros, mas não vão ao laboratório".

Em longas e angustiadas cartas escritas em 1970, Bapu pediu a Nambudiri, que agora chamava de guru, permissão para seguir um caminho espiritual. Estava disposta a custear um novo casamento para que o marido encontrasse uma esposa mais adequada. "Em vez de arruinar sua vida feliz, viverei com um fardo a menos se ele conseguir uma boa mulher e se casar", anotou.

Embora Nambudiri aprovasse o que chamava de "nobre comprometimento", aconselhou Bapu a não abandonar a família. Se ela orasse nem que fossem cinco minutos por dia seria o suficiente, disse. "Não posso aceitar que isso seja tudo o que é preciso", ela respondeu. "Por favor me perdoe por escrever com tanta franqueza." Bapu contou a Nambudiri que desejava seguir os passos de poetas devocionais como Mirabai. "Se o dever fosse mais importante do que enaltecer o nome de Deus", escreveu, "esses poetas não teriam aparecido neste mundo."

Às oito da manhã de 9 de junho de 1970, Bapu disse ao cunhado que iria para o mosteiro de Kanchi, um dos locais mais sagrados do sul da Índia, a oitenta quilômetros de distância. Deixou biscoitos frescos e chocolate para os filhos. "Sejam inteligentes", escreveu na carta que endereçou a eles. "Muitos beijos."

Ao partir, usava brincos de pérola, um colar e duas pulseiras de ouro e levava seiscentas rupias. Na sala de oração, deixou uma pilha de cartas. "Nós dois não podemos viver um minuto sequer nesta casa enquanto houver dúvida e repulsa por mim em sua mente", escreveu a Rajamani. Em outra carta, observou que quando um marido se zanga "é a mulher que sofre respeitosamente". Se a família perguntasse sobre seu sumiço, ela pediu, "diga que fugi com a mente perturbada".

Em vez disso, Rajamani foi à polícia e fez um boletim: procurava uma mulher de um metro e sessenta de altura, "manca da perna direita", que "tem o hábito de visitar os lugares sagrados", descreveu.[6]

O diretor do mosteiro de Kanchi, Sri Chandrasekharendra Saraswati, era considerado por muitos brâmanes tâmeis o maior líder espiritual do hinduísmo. O Dalai Lama se referiu a ele como "meu irmão mais velho na religiosidade".[7] Saraswati, que se tornara asceta em 1907, aos treze anos de idade, se encontrava com centenas de devotos por semana. Diziam que, quando alguém o procurava com um problema, ele era capaz de intuir sua história pessoal e um remédio divino. Bapu estivera em seu mosteiro muitas vezes, e ele abençoara os filhos dela ao nascerem.

Bapu conversou com ele por vinte minutos. "Não posso cumprir meu dever", ela disse. "Não posso abrir mão da minha devoção. Por minha causa, todos na família têm a mente perturbada." Ela não registrou a resposta de Saraswati na íntegra. Disse apenas que ele assegurou que "toda a sua preocupação, devoção e carma são uma oferenda ao Senhor".

Cerca de duas semanas mais tarde, Bhargavi, na época com cinco anos, estava sentada na varanda quando uma viatura da polícia passou pelos portões da casa e estacionou. Na Índia é permitido aos policiais deter uma pessoa que esteja "andando a esmo" se "tiverem razão para acreditar que tem uma doença mental" — ordem derivada do direito colonial britânico.[8] Não está claro se Bapu teria chamado atenção com um comportamento anormal ou se fora detida por sair de casa sem permissão do marido, e ele a queria de volta. Os policiais a tiraram da viatura com o corpo enrolado em um tecido macio, como se fosse uma camisa de força. "Eu me lembro de que as pessoas gritaram com ela, xingaram", Bhargavi contou. Bapu tinha os cabelos desgrenhados, o sári sujo e rasgado. Assim que um policial enfim a soltou do pano, ela entrou em casa em silêncio.

Bhargavi esperava que a mãe retomasse os afazeres domésticos, mas Bapu parecia deslocada, como se a casa não lhe pertencesse mais. Ficava parada nos corredores sem entrar nos aposentos. Parecia ter transposto algum tipo de fronteira, para além dos deveres do lar, como se preparar o almoço do marido ou dar o laço na fita do cabelo de Bhargavi não fizessem mais sentido. "Parecia estar em outro plano, em outro nível de existência", Shyam disse. Quando falavam com ela, nem sempre respondia.

Logo partiu outra vez. Na noite em que desapareceu, informaram a família por telefone que Bapu estava em um trem que sofrera um acidente. Shyam foi de carro até o local do desastre, a uma hora e quinze minutos de casa, no sul de Chennai. O trem sofrera uma colisão traseira. Famílias gritavam e choravam. Passageiros eram levados em macas, ensanguentados e inconscientes. Shyam percorreu a lateral do trem à procura de Bapu. Encontrou-a no penúltimo vagão, sentada imóvel, rodeada de bagagem caída. Lia o *Bhagavad Gita*. Ele a descreveu como *sāttvika*, "equilibrada e harmoniosa" em sânscrito. "Ela não parecia perturbada", Shyam contou. "Estava completamente alheia ao seu redor." Bapu pagara dez rupias a um menino para avisar à família que estava em um trem acidentado. Mas agora não parecia ter pressa de partir.

Duas irmãs mais velhas de Bapu, casadas com médicos, achavam que ela devia procurar um psiquiatra. "Era como se dissessem 'Ora, seja moderna!'", Bhargavi me contou anos depois. "Hoje, a psiquiatria é uma ciência respeitada. Aproveite!"

O marido levou Bapu a uma clínica em Chennai, dirigida pelo psiquiatra Peter Fernandez, que provinha de uma família católica e pertencia à primeira geração de médicos indianos educados e especializados no país. "Só líamos livros ocidentais — britânicos, alemães e estadunidenses", falou. "Não havia autores indianos. Nenhum psiquiatra indiano conseguiria escrever um livro naquela época."

Fernandez contou que bastava fitar Bapu para saber que era esquizofrênica. "O esquizofrênico não tem insight", disse. "Não sabe quem é."

Alguns psiquiatras europeus afirmavam ser capazes de diagnosticar a esquizofrenia intuitivamente; percebiam uma aura de estranheza, como se o paciente fosse de outro mundo — princípio diagnóstico chamado de "doutrina do abismo".[9] "Diante dessas pessoas observamos um abismo impossível de descrever", escreveu em 1913 o filósofo e psiquiatra Karl Jaspers. "Ficamos assombrados e abalados na presença de mistérios estranhos."[10]

Geralmente a fase inicial da esquizofrenia é marcada pelo que o neurologista alemão Klaus Conrad chamou de "apofenia": revelação de que uma nova esfera da existência foi desvendada.[11] O paciente sente que o mundo pulsa com significado cósmico e que ele está prestes a resolver o enigma da vida. O psicólogo Louis Sass escreveu que os pacientes nesse estado têm a sensação de "visão claríssima, de profunda penetração na essência das coisas".[12]

Bhargavi tinha a vaga noção de que a mãe fora diagnosticada com esquizofrenia, mas ninguém na família tocava no assunto. Esse rótulo lhe dava a impressão de que as experiências da mãe eram exóticas e impossíveis de compreender. As explicações psiquiátricas importadas do Ocidente produziam em Bhargavi a sensação de alheamento: ela não sabia como lamentar a ausência da mãe. Sua família também não sabia ao certo de que maneira comunicar o fato de Bapu parecer habitar uma realidade diferente da deles. Toda vez que a mãe tinha um de seus "acessos", como eram chamados, todos ficavam em silêncio. Era como se tivessem um "apagão coletivo", Bhargavi falou.

Em oitocentas páginas de diários, Bapu também nunca mencionou o diagnóstico. Referia-se a Krishna como um marido substituto cujo corpo às vezes parecia tão próximo do dela que era possível sentir a fragrância do creme de sândalo da sua pele e a força dos seus braços. Krishna envolvia o pescoço de Bapu com as mãos macias e repousava a cabeça nos ombros dela. Infundia-a em uma sensação de amor incondicional. "Quem, no 'mundo científico', acreditaria nisso?", ela escreveu em inglês.

QUANDO BHARGAVI TINHA DEZ ANOS, ficou sabendo que a mãe fora levada para o manicômio do governo em Chennai, o Hospital Psiquiátrico de Kilpauk. A instituição parecia um quartel militar, com quase dois mil leitos e um muro de concreto cercando o terreno. Bhargavi a visitou e ficou chocada primeiro com o cheiro de urina, e depois com o odor pungente de cloro. Bapu estava em uma pequena cela, acorrentada às barras de aço da porta. Bhargavi não sabia por que ela estava lá. "Mas tenho certeza de que estava exatamente assim: em uma cela, de braços e pernas estendidos", falou. "Faz quarenta anos que desmaio ao entrar em hospitais porque têm o mesmo cheiro."

Sarada Menon, a superintendente do Hospital Psiquiátrico de Kilpauk na época, me disse que não se lembrava de Bapu, mas que sua história — a da paciente que afirmava ter uma comunicação direta com Krishna — era bem conhecida. "Para a pessoa com esquizofrenia, religião demais faz mal", explicou. "Digo a meus pacientes: 'Não se ocupem de filosofia. Estudem coisas práticas. É melhor do que deixar os pensamentos se desencaminharem'."

Fundado em 1794, o Hospital Psiquiátrico de Kilpauk era um dos muitos manicômios construídos pelo governo colonial britânico — projeto apresentado como prova do comprometimento da Grã-Bretanha de levar a ciência e a razão ao continente. Quando dignitários estrangeiros visitavam a Índia, as esposas dos oficiais britânicos às vezes até organizavam concertos e bailes nessas instituições. Jal Dhunjibhoy, um dos primeiros indianos nomeados superintendentes de um hospital psiquiátrico, em 1925, escreveu que a higiene mental era parte de um "programa de construção da nação" [13] para assegurar a "marcha rumo à civilização".[14]

No entanto, médicos ocidentais e indianos receavam que essa marcha trouxesse riscos psíquicos: achavam que os povos expostos à civilização ocidental tivessem maior chance de se tornarem mentalmente doentes. Em 1939 o antropólogo e psicanalista George Devereux afirmou (sem evidências suficientes) que a ausência de esquizofrenia em sociedades "primitivas" é "um aspecto sobre o qual todos os estudiosos de sociedade e antropologia comparativas concordam".[15] Declarou ainda que a esquizofrenia podia ser provocada por "um processo de aculturação imposto muito bruscamente". Por essa razão, dizia-se que os parses — comunidade zoroastriana da Índia que, na primeira metade do século XX, imitava o modo de vida britânico — apresentavam taxas desproporcionalmente elevadas de esquizofrenia.[16] Em uma carta escrita em 1928 para o *British Medical Journal*, um médico escocês disse: "Se temos um conselho a dar aos parses, é que evitem a assimilação completa da civilização ocidental", algo que estava "perturbando a mente desses jovens".[17] Em um periódico bengali, outro médico alertou que "na Índia, a civilização europeia é a principal razão por trás dessa *citta vikriti*", expressão do sânscrito que significa "insanidade".[18]

A Índia fundou uma sociedade psicanalítica antes mesmo da França — fonte de orgulho para Sigmund Freud, que tinha na escrivaninha uma estátua do deus hindu Vishnu enviada pelo fundador da sociedade psicanalítica indiana. "Isso me lembrará do progresso da psicanálise, das eminentes conquistas que ela alcançou em outros países", escreveu em uma carta.[19] Mas em grande medida a psicanálise de Freud se revelou incompatível com uma cultura na qual o misticismo é, geralmente, essencial à vida das pessoas. Bapu não buscava alcançar a compreensão da própria psique; queria transcender limites pessoais, pois sentia que enfim percebera a insensatez e a solidão de sua visão de mundo anterior.

Romain Rolland, amigo de Freud e autor de biografias de dois místicos hindus, recomendou-lhe que investigasse o que chamava de "sentimento oceânico", o "fato simples e direto do sentimento do 'eterno'" — conceito que Rolland extraiu dos estudos de religiões orientais.[20] Freud respondeu: "Agora tentarei, sob sua orientação, penetrar na selva indiana da qual até hoje incerta mistura de amor helênico pela proporção, sobriedade judaica e timidez filistina me manteve distante".[21] No entanto, discorreu sobre o misticismo em termos superficiais e depreciativos, como uma regressão infantil. O psicanalista indiano Sudhir Kakar escreveu que as ciências psicológicas ocidentais não entendem que a "jornada mística não é separada da vida cotidiana; ela permeia e fundamenta a vida em suas camadas mais profundas",[22] expressando "o cerne depressivo na base da vida humana que está além da linguagem".[23] No misticismo, Kakar escreveu, a "realidade de estar completa e dolorosamente sozinho é transitoriamente negada".[24]

N. C. Surya, que nos anos 1960 dirigiu o All India Institute of Mental Health em Bangalore, alertou os colegas de que adotavam teorias ocidentais como verdades universais. "Acabaremos como caricaturas ineficazes da teoria e prática psiquiátrica ocidental ou reduziremos nossos pacientes a um conjunto de jargões estrangeiros prestigiosos", escreveu.[25] Surya não aceitava a visão ocidental da saúde mental como um "padrão estatístico".[26] Segundo essa visão, uma pessoa saudável é "como qualquer outro João ou Maria saudável da vizinhança".[27] No entanto, as culturas indianas de cura destinavam-se a elevar o self a um ideal superior — desapegado, espontâneo, livre do ego —, e não simplesmente a restaurar alguém a uma condição de referência chamada de normal.

Surya se sentia um estranho na profissão, "completamente fora de sintonia, como se aplicasse sistemas de valores diferentes, estranhos a mim mesmo e aos pacientes", escreveu.[28] Ele talvez ocupasse o cargo mais prestigioso em psiquiatria na Índia, mas desiludiu-se. Aos 52 anos, no auge da carreira, abandonou a área e foi viver em um *ashram*.[29] Este era dedicado ao místico Sri Aurobindo, que declarou, referindo-se a

Freud: "Não se pode descobrir o significado do lótus analisando os segredos da lama onde ele cresce".[30]

Um remédio indiano ensejou a descoberta que transformou a psiquiatria, fato que costuma ser deixado de lado pela historiografia da área. O psiquiatra Nathan Kline, autor de *From Sad to Glad*, que ajudou a apresentar os antidepressivos ao público estadunidense, lera em 1953 um artigo do *New York Times* sobre a planta *Rauwolfia serpentina*, usada por curandeiros havia centenas de anos.[31] "Medicamentos aiurvédicos, encontrados facilmente na Índia, talvez mereçam investigação minuciosa de algumas instituições do Ocidente para doentes mentais", informou o jornal.[32] No ano seguinte, Kline e seus colegas decidiram administrar reserpina, um extrato da *Rauwolfia serpentina*, a pacientes do Rockland State Hospital em Nova York.[33] Ao relatar o efeito calmante da reserpina em uma paciente, Kline escreveu: "Ela não se curou subitamente do delírio, mas deixou de ser assombrada pelo terror".[34] Na ala dos pacientes medicados com reserpina, disse Kline, o vidraceiro do hospital notou que havia menos janelas quebradas para substituir.[35] Por fim, o secretário de saúde mental de Nova York recomendou a administração de reserpina a quase todos os pacientes hospitalizados no estado.[36] "Foi um feito singular 'descobrir' um remédio de 2 mil anos", Kline escreveu,[37] e acrescentou que a reserpina fora descartada por médicos britânicos "como mais um aspecto curioso do exótico Oriente".[38]

Depois de observar que a reserpina podia "desacelerar o pêndulo emocional", Kline raciocinou que devia existir uma substância capaz de "acelerá-lo" — a hipótese que inspirou seus experimentos com iproniazida, o remédio para tuberculose.[39] Kline foi laureado com o prêmio Lasker, um dos mais prestigiosos em medicina, pelo trabalho pioneiro com a reserpina, que "reforçou o argumento do uso de medicamentos para tratar transtornos mentais", como dito na premiação.[40] O neurocientista estadunidense Solomon Snyder enalteceu a reserpina como o "pilar da psicofarmacologia".[41] Na Índia, porém, a substância não foi objeto de muito estudo. Dhunjibhoy, o superintendente que pensou que a psiquiatria pudesse permitir o avanço do país, fizera experimentos com reserpina em seu hospital, mas parecia achar que o remédio de sua terra natal não merecesse estudo científico. Parecia mais atraído pelas novas técnicas ocidentais.

Na época em que Bapu foi internada no Hospital Psiquiátrico de Kilpauk, a maioria dos pacientes esquizofrênicos da instituição era medicada com o antipsicótico clorpromazina (nome genérico do Thorazine). A propaganda o apresentava como uma força civilizadora que domava a selvageria do paciente. Para dramatizar o estado pré-medicação, havia imagens de bastões de guerra, bengalas e estátuas da fertilidade.[42] Outro dos primeiros antipsicóticos, o Eskazine, foi divulgado no *Indian Medical Journal*, em 1969, com a frase "Torna-os cooperativos e comunicativos".[43] O anúncio mostrava uma mulher gritando de mãos espalmadas e com um branco espectral nos olhos e na boca.

Assim que Bapu recebeu alta, recusou-se a tomar a clorpromazina que lhe fora prescrita. Interpretava sua devoção através de uma narrativa que era celebrada por outros devotos e pelas obras que lia e, quando essa perspectiva foi substituída à força por uma nova elucidação sobre doença mental, sentiu-se diminuída. A nova explicação parecia uma afronta — o que não quer dizer que a condição anterior de Bapu estivesse livre de estigma. A psiquiatria não é a única estrutura que tem uma qualidade ambígua, que oferece uma interpretação capaz de salvar um indivíduo, mas também, sob circunstâncias diferentes, fazer com que se sinta sozinho e incurável. Eu me pergunto qual seria a natureza do sofrimento de Bapu antes de ser classificado como misticismo ou doença mental, da mesma forma que questiono quaisquer que fossem os sentimentos prévios que existiam em mim antes de serem rotulados como anorexia. Nos dois casos, a experiência original não pôde ser captada ou compreendida por si mesma e pouco a pouco se tornou algo que não vinha totalmente de nós.

Nos meses seguintes à internação, Bapu estava tão alheia aos deveres domésticos que a sogra foi morar em sua casa para fazer as tarefas que negligenciava. Ela "ralha comigo na frente de todo mundo", Bapu reclamou. "Antes de amanhecer a preocupação já me consome. Quantas acusações virão hoje?" Os parentes do marido a chamavam de maluca, e falavam tão alto que Bapu receava que fossem ouvidos pelos condutores de riquixá estacionados nas imediações da casa. Ela escreveu a Krishna: "Você está me deixando louca aos olhos do mundo!".

Bapu não foi a única na família a frustrar as expectativas sobre o comportamento esperado de uma esposa brâmane.

Sua mãe, Chellammal, também buscara uma existência independente. Quando o pai de Bapu morreu de ataque cardíaco pouco depois de comprar Amrita, Chellammal aproveitou a liberdade. Assumiu os negócios do marido, uma próspera empresa de cosméticos. "Numa época em que só homens geriam negócios, eis uma senhora que pôs sua empresa no mapa", noticiou o jornal diário nacional *The Hindu*.[44] Chellammal viajou para várias partes da Ásia promovendo seu célebre produto capilar. Uma matéria sobre ela na revista indiana *Femina* comentou: "Seria natural presumir que uma mulher de sua idade e origem fosse passar tempo em *puja* e paparicando os netos".[45] Em vez disso, "lá está ela, sozinha naquela casa de muitos cômodos, apenas com o som de seus passos e o sussurro das árvores como companhia".

Bapu receava que os outros a "comparassem com minha mãe". O mexerico na vizinhança era que as mulheres da família não tomavam jeito. Mas Chellammal não compactuava com a válvula de escape da filha. Pediu ao guru de Bapu, Nambudiri, que a persuadisse a permanecer em casa. "Sei que minha filha é uma moça simples cuja ambição na vida é a realização pessoal", escreveu em uma carta ao guru. "Mas o método que ela segue não é o correto."

A FAMÍLIA TENTOU um novo arranjo: Bapu poderia ser independente — porém vivendo em casa. Ela se mudou novamente para Amrita. O restante da família permaneceu na casa menor, nas imediações. O primeiro piso agora era ocupado por inquilinos, e ela se confinou no andar de cima. Lá, a única mobília eram uma mesa de aço, um fogão e duas poltronas. Dormia no chão, sem colchão nem roupa de cama. O marido e seus parentes disseram aos filhos de Bapu que não a visitassem. Não deviam nem sequer mencionar o nome da mãe.

A família ficou dividida. Karthik ficou do lado da mãe. "Eu era o encrenqueiro, o garoto irritante que apoiava o adulto errado da casa", relatou. "A ânsia de estar com minha mãe era o que me movia. Quando ela vai voltar? Era essa a pergunta de milhões, o tempo todo."

Bhargavi era leal ao pai e fazia as tarefas domésticas. Parecia ter uma relação com a gravidade diferente das outras crianças: andava com tanta leveza que sua presença em um aposento era inaudível. Passava o tempo livre sozinha, desenhando seres monstruosos com membros fraturados e olhos fora do lugar. Quando a família recebia a visita de amigos, envergonhava-se de ser chamada de "criança sem mãe". Às vezes se escondia atrás do muro. "O fato de minha mãe ter me deixado fazia com que eu pensasse que não tinha o direito de existir", disse. Projetava uma aura que significava "Se não estou aqui, como conseguem me ver?".

Todas as noites, Bapu preparava um pequeno jantar na esperança de que os filhos aparecessem. Disseram a Karthik que a comida da mãe poderia estar envenenada, mas ainda assim ele ia até lá comer. Uma noite, menos de três meses depois, Karthik foi visitá-la. Encontrou a porta aberta. Ela não estava. "Nós sabíamos", ele disse. "Sim, o pássaro levantara voo." Em uma carta para a mãe, Bapu escreveu: "De repente, o Senhor me deu um novo rumo e me chamou em direção a uma estrada solitária".

As fugas de Bapu se tornaram rotineiras. "Toda vez que ela sumia havia uma breve agitação", Bhargavi contou. A família perguntava aos condutores no ponto de riquixás, na calçada da casa, se sabiam a direção que ela seguira. Karthik duvidava de que a preocupação fosse sincera. "Se ela voltasse e exigisse o lugar na casa que era seu por direito, alguns dos parentes talvez precisassem procurar outro lugar para morar", disse. "A casa estava no nome dela, e muita gente queria aquela propriedade."

Logo ficou claro que o destino de Bapu quase sempre era a Chennai Central, a principal estação de trem da cidade. Seu sobrinho Shyam examinava os horários dos trens para saber quais seguiam em direção aos templos dedicados a deidades que Bapu descrevia nas histórias para os filhos. E então ele viajava até lá, percorria os saguões e os acampamentos do lado de fora. Mostrava fotos de Bapu aos devotos. "Eu era fascinado pelas histórias do Perry Mason e agia como se fosse um detetive", Shyam me contou. "Procurava ser objetivo e estava sempre atento a pistas."

Em 1973 Karthik soube por um amigo da família que a mãe fora vista no mosteiro de Kanchi, templo que visitara antes de ser detida pela polícia. Karthik, então com dez anos, convenceu Chellammal, sua avó, a mandá-lo para lá. Viajou em um carro dirigido por um empregado da fábrica de cosméticos da avó. Quando chegaram, Karthik procurou pela mãe, caminhando por um pátio gramado com torneiras para os devotos lavarem as pernas antes de orar.

Não a viu por lá, então foi até uma área residencial com pequenas ermidas de telhado de colmo, onde os *sannyasin* moravam e recebiam os devotos. Uma pessoa de cabeça raspada, sentada sob uma árvore, o chamou pelo nome. Karthik se aproximou e percebeu que o *sannyasin* era sua mãe. Em vez de sári, vestia uma túnica cor de açafrão transpassada em um dos ombros e ao redor da cintura. Tirara todas as joias. Karthik ficou chocado com a aparência dela. Mas "a única coisa que importava era que eu a encontrara", disse. "Era o prêmio. Estava desesperado para me sentar no colo dela."

Saraswati, o monge superior do mosteiro de Kanchi, dizia que a mulher não precisa de gurus porque tem o marido como guia: "Ela deve olhar para ele como seu Deus, e nessa atitude precisa se entregar a ele de corpo e alma".[46] O monge enaltecia as mulheres que, segundo a tradição, atiravam-se na pira funerária do esposo.

Fazia três dias que Bapu esperava para falar com o monge superior. Karthik observou a conversa a seis metros de distância. "Em seu modo manso de falar, ela foi muito veemente", disse Karthik. "Teve uma discussão acalorada com ele. Perguntou: 'Por que na sua tradição os homens podem ir embora, deixar a família e viver como mendigos, mas as mulheres não?'."

Karthik contou que o monge "tentou tranquilizar e abrandar minha mãe. Disse que a família sentia falta dela, que era preciso fazer essas coisas com equilíbrio e que ela poderia alcançar qualquer estado que desejasse — Deus certamente a abençoaria —, mas não havia necessidade de ser extremista". No fim da conversa, obedecendo ao costume, Bapu juntou as palmas das mãos e se ajoelhou aos pés do monge.

No entanto, saiu do encontro insatisfeita. "Para a alma que encontrou deus, não há gênero", escreveu no diário.

Quando ela voltou para casa, a família ficou horrorizada com sua cabeça raspada. Bhargavi disse: "Ainda me lembro de minha tia gritando '*Paithiyam!*'" — "insano" em tâmil.

Bhargavi e Karthik tinham a impressão de que sua casa fervilhava de aparições. Fenômenos sobrenaturais se tornaram rotina: um animal enorme com aparência de felino foi avistado subindo numa árvore com a cabeça inclinada para trás. Karthik viu centelhas de luz entrarem e ricochetearem nas paredes, deixando uma esteira de fuligem. Bhargavi evitava o tamarineiro atrás da propriedade porque diziam que quem andasse embaixo dele poderia ser pego por um fantasma. Ela observava mulheres de sári vermelho passarem rápido pelos cômodos dos fundos.

A família achava que o pai de Bapu talvez devesse ter dado ouvidos ao sacerdote que o alertara para não comprar a propriedade. Agora aquela advertência feita mais de duas décadas antes parecia uma previsão. Rajamani decidiu convidar três sacerdotes de Kerala, estado com vegetação luxuriante na costa sudoeste da Índia, para visitarem o lugar. Eram especialistas em uma forma de adivinhação exclusiva do local: coletavam informações da família, observando os presságios positivos e negativos quando as pessoas falavam — toque de sino era bom, som de coruja ou corvo era ruim. Jogavam pequenas conchas em um tabuleiro marcado com sinais e, com base nos lugares onde caíam, eles apresentavam teorias sobre os infortúnios da moradia.

Depois de três dias, os sacerdotes concluíram que a casa era assombrada por um Brahmarakshasa, o espírito de um erudito brâmane que quase atingira o estado de iluminação antes de morrer — por suicídio, supuseram os sacerdotes. Seu espírito agora pairava nas proximidades do local da morte e se apossara da mente de Bapu.

Ela rejeitou essa história do mesmo modo como descartara a que os psiquiatras haviam imposto sobre sua vida. "Dizer que o motivo é um Brahmarakshasa é bobagem", escreveu. "Só com as bênçãos de deus canções e preces vertem de mim como água."

Mas os parentes do marido de Bapu acharam a explicação muito convincente. O cunhado, N. Balakrishnan, me disse que ela era "uma mulher miúda, uma mulher fraca, e só podia ser um homem forte que entrara nela". Sua esposa, Prema, falou: "Pensamos que ele tivesse entrado na alma dela e feito com que escrevesse aqueles poemas. Era a obra inacabada dele".

BAPU PASSOU A SER mais estratégica para não deixar rastros. Em vez de se dirigir imediatamente à estação de trem, ficava alguns dias em Chennai, dormindo em templos locais ou em plataformas da ferrovia. "Não peço uma cama", escreveu. "Não peço um lar. Não peço filhos amorosos. Não desejo um lar nem uma terra natal!"

O lugar aonde mais gostava de ir era Guruvayur, um dos templos mais famosos de Kerala. O santuário era cercado por fileiras de taças de latão contendo velas que eram acesas todas as noites. Do lado de fora do santuário havia elefantes acorrentados e vários saguões com telhados vermelhos. O templo oferecia um espaço seguro para pessoas vulneráveis e isoladas encontrarem companhia e sentimento de companheirismo. Naquele recinto se tornavam livres de julgamento quanto à ferocidade de sua devoção. Quando oravam de modo estranho ou errático, contorcendo-se no corredor principal, quem passava desviava tranquilamente delas. Todos os dias os sacerdotes ofereciam comida recém-preparada aos deuses e depois levavam as sobras, arroz e às vezes pudim doce, para os devotos em uma tigela feita de folhas secas. A comida era chamada de *prasadam*, "graça" em sânscrito.

Bapu dormia em uma plataforma, espécie de calçada elevada, do lado de fora do templo. Passava os dias entoando canções "comoventes" com outros devotos e rezando. "É muito evidente que a distância entre o Senhor e este indivíduo vem diminuindo", escreveu. Um dia, enquanto conversava com outro devoto, sentiu-se abraçada por Krishna. "Se eu contar", registrou, "todos vocês pensarão em me mandar para o Hospital de Kilpauk", o manicômio estabelecido pelos britânicos. "Mas aconteceu mesmo. Não é mentira!"

No diário, Bapu repreendia a si mesma por desejar alimento; a fome era prova de que seu ego não podia ser totalmente controlado. Como a anoréxica que se torna viciada no barato da fome extrema, Bapu sentia que seu discernimento aumentara — realização expressada como superioridade e abnegação. Em sua próxima encarnação, escreveu, desejava ser um cão que vaga ao redor do Templo Guruvayur ou uma vaca que puxa carroças lá.

Os *Upanishads*, coletânea de textos fundamentais do hinduísmo, descrevem a pessoa que alcançou a transcendência como aquela que perdeu totalmente a individualidade: é como um torrão de sal se dissolvendo na água.[47] Bapu sentia que poderia alcançar estado similar se conseguisse se livrar do anseio pelos filhos. "O amor por um filho não poupa ninguém", escreveu. "Só quem é mãe sabe." E prosseguiu: "Meus queridos! Cometi um erro ao deixá-los? Não os abandonei no parque e vim por vontade própria!". Foi obra dos deuses, disse. "Mas a culpa paira sobre mim."

Quando Chellammal soube como a filha vivia — Bapu às vezes lhe mandava cartas —, providenciou para que ela morasse em um pequeno quarto no Elite Lodge, hotel para peregrinos nas imediações do templo. O quarto ficava no térreo, embaixo de uma escada. O espaço mal dava para ela se deitar no chão.

Bapu escrevia em qualquer pedaço de papel que encontrasse: calendários, a parte de trás de jornais e velhas fotografias, além de vários cadernos, cada um com quatrocentas páginas. Quando refletia sobre suas dúvidas, a caligrafia era simétrica, mas se tornava descuidada e desordenada ao escrever sobre Krishna. Ela intitulou um dos cadernos "Mohana Ramayana", referência ao épico em sânscrito *Ramayana*. *Mohanam* significa "que encanta" em tâmil; em sânscrito, "que confunde mentalmente". Talvez Bapu tivesse noção de como outra pessoa poderia ver seu projeto: a crônica de uma mente perturbada.

Bapu se refere a si mesma como louca ou lunática mais de uma dezena de ocasiões nos diários, porém só algumas vezes com desesperança. Via sua alienação da sociedade como prova de insight. Para ela, seu mundo interior se tornara mais substancial do que a realidade à qual sua família estava atrelada. Os santos que Bapu admirava também haviam rompido os laços familiares e devotaram a vida a fenômenos que outros não podiam ver nem tocar. Ramakrishna, místico do século XIX, disse aos devotos que a loucura era uma marca da devoção que nunca devia ser ridicularizada. "Um perfeito conhecedor de Deus e um perfeito idiota têm os mesmos sinais vistos de fora", escreveu.[48] O poeta e santo hindu do século XVIII Ramprasad prometeu: "No céu há uma feira de lunáticos".[49]

UM HOMEM ESQUIZOFRÊNICO chamado Thomas, com quem me correspondi por vários anos, disse-me certa vez que tentou cultivar uma espécie de "genialidade de pessoa em situação de rua". No começo dos anos 2000, ele viveu em Chicago. "Consegui sobreviver mesmo no frio, com um senso quase selvagem do que fazer", declarou. Achava que, se refletisse bem, seria capaz de descobrir um modo de se empoderar vivendo nas ruas. "Como o que os budistas fazem", disse. "Medite andando — sem casa, sem pertences. Eles conseguem trazer significado para a vida fora das convenções normais de posse." No entanto, ele não conseguia desviar totalmente sua atenção da realidade que o atingia. "O fato de eu não ser capaz de fazer isso sozinho foi uma das coisas que me mostraram que eu tinha uma doença", escreveu.

A métrica com a qual Bapu avaliava o próprio estado mental era mais obscura, pois se baseava em uma rica tradição que conferia propósito e estrutura à angústia. Bapu estudou a vida dos místicos e compreendeu que as histórias deles não consistiam em procurar Deus e por fim encontrá-lo vitoriosamente. Muitas vezes as convicções daqueles indivíduos fraquejaram. Lamentaram ter entregado tudo por uma visão, uma experiência de união com o divino que nunca poderiam alcançar. Mirabai, a santa favorita de Bapu, dramatizara seu estado de espírito: escrevera que fora "privada da visão do amado, era uma alma solitária e perdida",[50] "triste em cada momento do dia".[51]

Bapu rejeitara a ideia de que sua conduta podia ser explicada pela doença mental, assim como as histórias que definiam Mirabai e outros santos podiam parecer gratificantes e crônicas. Bapu disse que suas pernas doíam de tanto correr atrás de Krishna, de andar constantemente no encalço dele. Ela se sentia como uma "fruta que não amadurecerá", um "saco vazio", uma "árvore morta", um "verme desafortunado", uma "casa abandonada". Mas também se perguntava: "Essa dificuldade que estou enfrentando é a lição da entrega total?".

Em algum momento de meados dos anos 1970 — Bapu não registrou datas nos diários —, foi proibida de participar de um festival religioso organizado por seu guru, Nambudiri — sete dias de recitação do *Bhagavata Purana*, um texto sagrado. Achou que seu guru tinha aversão a ela "porque sou pobre". Quando se conheceram, ela era uma mulher bonita e rica que usava sáris de seda e era levada aos templos em carros ocidentais. Oito anos mais tarde, alimentava-se do que encontrava nas composteiras atrás do templo.

"As promessas que você me fez, elas se tornaram um delírio?", Bapu escreveu a Krishna. "Por que deixei todos os meus amorosos parentes e vim até você?"

A complexidade dos primeiros poemas de Bapu deram lugar a um estilo simples, lastimoso. Às vezes é difícil saber se ela faz perguntas a Krishna, ao marido ou ao guru — sua atenção alterna entre os três homens em torno dos quais estruturara sua vida. "Você me acha uma velha feia?", indagou. "Por isso me esqueceu e abandonou?"

Certa noite em 1978, Peter Fernandez, o psiquiatra que tratara de Bapu na clínica em Chennai, dirigiu 650 quilômetros até Guruvayur. A pedido da mãe de Bapu, ele e dois auxiliares entraram no Elite Lodge e abriram a porta do seu quarto. "Estava feia", Fernandez me disse. "Vivia como uma bruxa e se parecia com uma bruxa." Fernandez aplicou uma injeção de Valium em Bapu e a levou para o carro.

"Ela estava com medo?", perguntei a ele.

"Não nos preocupamos se esquizofrênicos estão ou não com medo", ele respondeu. "*Eu* estava. Ela nem sequer conseguia raciocinar", me disse. "Seu pensamento era ilógico. Ela não era uma pessoa normal." Ele a levou para um hospital particular em Chennai, onde foi internada contra a vontade. "Em meus cinquenta anos de serviço, foi um dos piores casos de esquizofrenia que já vi", comentou.

A filósofa Miranda Fricker descreve uma espécie de desigualdade chamada "injustiça epistêmica", "um erro cometido com alguém a respeito de sua faculdade mental".[52] No hospital, Bapu não foi tratada como digna de credibilidade na condição de testemunha das próprias experiências, não só por ser uma paciente, mas também em razão de noções colonialistas sobre a irracionalidade das religiões indianas. Muitos dos pacientes que procuram Fernandez, que hoje dirige outro hospital onde vivem cinquenta pacientes com esquizofrenia, trazem amuletos no pulso ou no pescoço. Mas o médico, católico devoto, me contou: "Tiro os amuletos assim que chegam aqui", prática que mantém há décadas. Na gaveta da sua escrivaninha, há um saco plástico cheio de talismãs dos pacientes, a maioria tubos de prata em que um pedacinho de papel ou folha de palmeira traz versos inscritos, destinados a protegê-los. Segundo ele, o fato de os pacientes continuarem doentes é prova de que os amuletos não funcionam.

Bapu passou várias semanas na instituição de Fernandez. Parava perto das janelas e cantava canções devocionais. Estudara música carnática, gênero surgido por volta do século XV, e tinha uma voz bela e melodiosa. Quando o pessoal do hospital pedia que se calasse — diziam que perturbava os outros pacientes — ela cantava ainda mais alto. Fernandez descreveu Bapu como "uma mulher muito insistente, uma mulher muito difícil".

Karthik, agora com catorze anos, fazia visitas frequentes. Uma ocasião, chegou quando a mãe era removida de maca do quarto. Karthik a seguiu até uma saleta onde havia um aparelho que aplicava choques eletroconvulsivos. Viu tudo por uma janelinha na porta.

Na época, a terapia eletroconvulsiva, TEC, era o tratamento padrão para pacientes psiquiátricos indianos, independente do diagnóstico (nos Estados Unidos e na Europa era mais direcionado a pessoas com depressão grave). O procedimento, que provoca uma breve convulsão, parece estimular a liberação de hormônios pelo hipotálamo e pela glândula pituitária, mas a ação precisa no cérebro nunca foi totalmente compreendida. Naquela época a Índia tinha menos de dois mil psiquiatras para meio bilhão de habitantes, e a TEC podia ser administrada em doze pacientes por hora, muitas vezes sem anestesia nem relaxantes musculares.[53] Fernandez relatou que no fim dos anos 1960 ele aplicava a terapia eletroconvulsiva em cerca de cinquenta pacientes por dia. "Eu tinha 35 anos e era cheio de energia. Os rapazes seguravam os braços dos pacientes." Ele cerrou os dentes e imitou o som da máquina. "*Zic, zic*", fez, alegre.

Karthik viu dois enfermeiros colocarem um pedaço de madeira na boca da sua mãe para impedir que mordesse a língua. Uma corrente elétrica foi aplicada na cabeça. Ele ouviu um zumbido ensurdecedor. O corpo de Bapu sofreu espasmos. Karthik desatou a chorar.

Quando Bapu foi levada de volta para o quarto, abriu os olhos e viu que o filho estava transtornado. Karthik contou que ela lhe disse: "Não se preocupe. Essas coisas só irão me deixar mais forte". Karthik concluiu que o procedimento era "só um eco muito fraco — não um som ao qual ela dava atenção. Ela já se entregara, e nada a afetava fisicamente".

Depois de ter alta, Bapu "passou longe da cidade", Karthik disse. "Ninguém sabia o paradeiro dela." Ele telefonou para o Elite Lodge para verificar se ela voltara para Guruvayur. Seus pertences continuavam no quarto, mas ninguém a vira e ela não deixara endereço. Karthik comentou que por muito tempo a mãe ficara "dividida entre estas duas forças — a ânsia pela família e a ânsia pelo divino —, mas dali em diante o caminho não teve desvios."

Karthik se acostumara a ouvir pessoas contarem que tinham avistado Bapu em seus templos favoritos. Mas se passaram meses e nada de notícias. Ele culpou a avó por sequestrar a mãe. "Foi o que precipitou tudo", relatou. "Ela perdeu a pouca fé que tinha em sua gente. Se tivesse um ombro onde se apoiar, sua vida teria sido diferente." (O dr. Fernandez, hoje com 89 anos, discorda. Contou que depois de ter tratado Bapu, "ela se tornou perfeitamente normal. Quando partiu estava muito feliz, a família estava exultante e me agradeceu". No entanto, reconheceu que não houve acompanhamento a partir de então.)

Depois de um ano do sumiço de Bapu, a família parou de falar nela. A essa altura, Bhargavi e Karthik cursavam o ensino médio. "Acho que nenhum de nós tinha palavras para isso", Bhargavi disse. "Havia o sentimento de culpa por vivermos na sua casa enquanto ela talvez morasse na rua. Quem a alimentava? Quem lhe dava roupas? Será que a estupravam? Essas perguntas nunca me deixavam." Nas horas vagas, Bhargavi compunha poemas melancólicos: "Parece/ que a eternidade é finita/ ela espera/ em uma memória deteriorada".

Karthik disse que, por fim, "era quase como se ela não existisse". Uma ocasião entreouviu o pai e os tios dizendo que estava morta.

Karthik começou a usar a câmera do pai para fotografar primos e também aves, plantas raras e serpentes. Para economizar, raramente imprimia as fotos; em vez disso, pagava a um homem uma rupia para revelar o filme e então projetava as imagens na parede à noite. Às vezes batia fotos sem ter filme na câmera. "Acho que ele não pensava em muita coisa a não ser que precisava fotografar sem parar", disse Bhargavi. "Era a realidade da sua vida." Ela achava que a fotografia era o modo como o irmão mantinha distanciamento — "viver na varanda, só assistindo".

Bhargavi tinha a própria forma de se desligar. Concluído o ensino médio, foi estudar filosofia em uma faculdade de Chennai. Disse que se sentiu atraída pela disciplina porque "me isolava das emoções mais profundas e do meu íntimo". Rejeitou a "infância assombrada", em suas palavras, e se tornou ateia. "Choviam deuses na minha casa — em cada canto — e eu os detestava." Bhargavi gravitou para filósofos europeus como Habermas, Sartre e Camus. "Lidei com meus problemas sendo 100% racional", contou. "O que ouço, o que cheiro, o que toco: só essas coisas são verdadeiras."

SRIRANGAM, cidade que abriga um grande templo e tem cerca de cinquenta santuários, fica em uma ilhota entre dois rios no sudoeste da Índia. Acredita-se que esse templo seja o lugar onde nasceu Andal, mística e poeta do século IX sobre quem Bapu escreveu um livro. A maioria das páginas dessa obra não publicada foi perdida. Restam apenas algumas linhas: "Se pensarmos em nossa Andal, todas as doenças que incomodam o corpo não derreterão completamente como neve?", Bapu escreveu.

Andal é famosa não só pela devoção a Krishna, mas também pela resolução de se casar verdadeiramente com ele. "Tão grande é meu desejo/ De unir-me com o senhor/ Que a emoção me sufoca", escreveu.[54] Um dia, Andal se vestiu de noiva, entrou no templo de Srirangam e abraçou os pés da imagem, Ranganatha — encarnação do deus Vishnu, de quem Krishna é um avatar. E então ela desapareceu. Nunca mais foi vista. A união foi celebrada como a suprema fusão de uma devota com Deus.

"Eu sou Andal?", Bapu escreveu no diário. "Ó Senhor, responda agora."

Em 1982, uma velha amiga de Bapu, ex-colega de escola, viu uma mulher parecida com ela em uma rodovia que levava ao principal templo de Srirangam. Fazia mais de cinco anos que a família não tinha notícias dela. A colega fitou a mulher, que estava com um grupo de gente pedindo comida. Essa mulher usava um sári esfarrapado e estava abatida. A colega seguiu em frente e mais tarde telefonou para a mãe de Bapu. Quando Karthik soube, pegou um táxi e viajou mais de trezentos quilômetros até Srirangam. "Reconheci minha mãe na hora", Karthik me disse. Ela estava sentada no meio-fio, em uma rua ladeada por vans de turismo, táxis, vendedores ambulantes de comida e centenas de pessoas que afluíam para o templo.

Ela estava com um grupo de mulheres que vivia em um *choultry*, uma pousada para peregrinos sem leito nem água corrente nos arredores do templo. Bapu tinha os cabelos sebosos e desgrenhados e feridas pelo corpo. Karthik explicou quem ele era, e algumas das mulheres instaram Bapu a voltar para casa com ele. Quando Karthik se aproximou, "ela parecia ter deixado de existir. O passado deixara de existir".

Com o coração disparado, Karthik levou a mãe para o táxi. "Era a mesma tensão da infância", contou. "Como vou levá-la de volta? Será que meu pai a deixará entrar?" Bapu estava tão fraca que mal conseguia falar. Ele a deitou no banco traseiro do carro. "Ela pareceu me reconhecer vagamente... vagamente", comentou. "E então algo vibrou dentro dela, e ela disse: 'Como você cresceu!'."

Na peça teatral autobiográfica intitulada *A fugitiva*, Bhargavi dramatizou o regresso da mãe à casa da família. "Sua blusa, mal costurada, cai solta e sem pudor pelo corpo", ela escreveu.[55] "Ela está absorta, sorri para si mesma, às vezes dá umas risadinhas inibidas, tampando a boca com a mão e olhando os outros para ver se notaram." Para o marido ela é intolerável. "Por que não faz algo pela minha mulher?", ele pergunta a um psiquiatra. "Aumente a dose, sei lá." Mas em outros momentos chega a duvidar de que ela é doente. "A loucura é só uma fachada atrás da qual ela se esconde", comenta, "para poder fazer o que quer e viver como bem entende."

Karthik e Bhargavi, que moravam com a família enquanto faziam faculdade em Chennai, encontraram um novo psiquiatra, disposto a visitar a paciente em casa e conversar com a família toda. "Ele foi um sopro de ar fresco", Bhargavi disse. "Não se limitou a olhar para ela e dizer 'Esquizofrenia: tome estes comprimidos' e ir embora." Prescreveu medicações antipsicóticas, mas também explicou à família que Bapu se sentia isolada, e os incentivou a conversar com ela sobre as experiências nos templos de cura. Bhargavi tinha dificuldade em fazer sua parte. "Acho que não estava disposta a ouvir", relatou. Quando sua mãe falava sobre a relação com deuses, relata Bhargavi, "sentia que sufocava como se alguém estivesse me estrangulando".

Depois de quatro anos morando com a mãe, Bhargavi se mudou. Foi para Mumbai fazer doutorado em filosofia no Indian Institute of Technology, concentrando-se no problema de como sabemos o que afirmamos saber sobre o comportamento humano — onde traçar a linha que separa conhecimento e crença. Na tese, escreveu: "Queremos saber se o conhecimento sintético concernente à mente humana [...] é possível", considerando a condição de "ciência e cultura, de verdade e metáfora".[56] Ela indagou "se a busca por uma racionalidade científica, particularmente em termos de leis causais, é ou não uma ameaça à autonomia" e como fazer "uma ciência assim responder às necessidades de uma sociedade".

Em outro artigo, defendeu o reavivamento da tradição fenomenológica à qual pertencera Roland Kuhn.[57] "Uma 'pessoa deprimida' não apenas encena os sintomas", escreveu.[58] "Experiencia o mundo de modo diferente. Usa a linguagem de modo diferente. Sente emoções de modo diferente." Quando desconsideram esses tipos de experiência — o "resíduo não classificado", nas palavras de William James —, os médicos correm o risco de não compreender por que a doença mental pode ser tão isolante, alterando a vida da pessoa de maneiras que não podem ser captadas apenas por sintomas. "Essas experiências de saúde ruim determinam como olhamos para o mundo e para nós mesmos", Bhargavi escreveu. A vida dos mentalmente doentes foi apagada do registro público, prosseguiu, mas "nos fazemos presentes no relato da história e nas narrativas pessoais".[59]

ENQUANTO BHARGAVI ESTAVA fora estudando, uma jovem esguia de vinte anos chamada Nandini foi apresentada a Karthik como possível noiva. Nandini sabia que Karthik, agora fotógrafo industrial, tinha uma história familiar maculada, mas ela própria também enfrentava complicações no "mercado matrimonial". Não aprendera a cozinhar nem a lavar roupa, o irmão sofria de uma doença crônica e a família não podia pagar um dote. Quando Nandini visitou a casa de Karthik pela primeira vez, Bapu estava sentada no parapeito de pedra da varanda. "Seu rosto lembrava um bebê, ela parecia muito afável e receptiva", Nandini disse. "Ela me perguntou: 'Gosta de mim? Quer vir morar aqui conosco? Gosta do meu filho?'. Fiquei muito comovida. Ninguém faz esse tipo de pergunta. Nem mesmo Karthik tinha perguntado."

Casaram-se no estúdio de Karthik. Nandini foi morar na casa de Bapu e, na prática, se tornou uma enfermeira, tomando conta da sogra sem julgá-la. As medicações antipsicóticas antes rejeitadas no hospital agora eram aceitas quando Nandini as trazia. Os comprimidos pareciam deixá-la menos inquieta e inflexível. Embora continuasse a compor canções e poemas devocionais, não os destinava mais a Krishna. "Ela sabia que a devoção a afastava da família, e não queria isso", Nandini me contou. Em vez disso, Bapu escrevia para Murugan, o deus hindu da guerra. Como tinha artrite nas mãos, a nora transcrevia suas palavras. A pedido da sogra, Nandini enviava os poemas à administração dos templos onde Bapu vivera. "Às vezes as cartas voltavam, mas eu respeitava seus sentimentos e continuava a escrever, escrever, escrever", Nandini comentou.

Depois de anos sendo evitada pelos parentes do marido, Bapu parecia sentir-se estimulada pela presença constante da nora, sua nova cuidadora — seus "olhos, mãos e pernas", nas palavras de Karthik. As duas começaram a se dizer melhores amigas. "Karthik saía para trabalhar, e minha vida era com ela", Nandini disse. Às vezes Karthik perguntava à mãe se queria voltar para Guruvayur, mas ela respondia: "Não desejo estar em nenhum outro lugar". Ao se devotar a um novo deus, que ela qualificava como menos sedutor do que Krishna, Bapu parecia ter encontrado um modo de manter a identidade espiritual sem ficar sozinha.

Começaram a dizer na vizinhança que Bapu tinha poderes curativos. Se encostasse na testa de um bebê doente, a febre baixava. Mães passaram a procurar seus conselhos quando os filhos iam mal na escola. Pescadores da baía de Bengala, a quase dois quilômetros de distância, pediam que ela rezasse por seus filhos doentes. Bapu ficava sentada em uma poltrona na varanda com uma perna pendente e a outra dobrada, a sola do pé tocando a parte interna da coxa oposta — postura adotada por deusas hindus. "As mulheres da vizinhança pensavam que ela fosse uma santa, como Mirabai", disse seu sobrinho Shyam.

O marido, Rajamani, não se opunha ao novo papel da esposa na comunidade. Tinha uma doença ocular congênita e estava ficando cego. "Acho que sua deficiência talvez tenha lhe trazido alguma sensibilidade", Bhargavi comentou. "No fim, meu pai se dobrou ao modo de ser dela."

Doze anos depois do regresso de Bapu, Rajamani morreu de malária, aos 62 anos. Quando Karthik contou à mãe que seu marido falecera, ela disse "Teve um bom fim", e nada mais.

Depois da morte do pai, Bhargavi voltou para casa e deu à luz pela primeira vez. Casara-se com um colega da escola, e a criança, uma menina, nasceu com deficiência na coluna vertebral. Quando estava acordada, chorava quase o tempo todo. Depois de seis meses, morreu no colo de Bhargavi. "Em tão pouco tempo minha filha me trouxe todo o drama do sofrimento humano", disse.

Karthik culpou a casa pela tragédia. Dois sacerdotes, com duas décadas de intervalo, haviam declarado que aquele lugar não era adequado para uma família. À noite Karthik costumava ouvir ruídos estranhos, e de vez em quando chegava a sair com uma lanterna para procurar o que os estava causando. Ficara horrorizado com a ideia de Bhargavi dar à luz no lar onde passaram a infância, mas pensou: "Quem sou eu para aconselhar que ela não venha?". Bhargavi não discordou. "Tanta desgraça enfrentamos ali — só mesmo um mau espírito pode ser a explicação de tudo o que aconteceu conosco."

De cada lado da propriedade havia dois pesados lampiões de ferro. Certa manhã, Karthik saiu com seu pastor-alemão e descobriu que ambos estavam torcidos, como que por uma grande força. Pediu a um eletricista que instalasse lampiões novos. Na manhã seguinte, mais uma vez, estavam destruídos. Karthik mandou consertar, mas algumas semanas depois aconteceu o mesmo. Pouco tempo depois encontrou seu cachorro morto numa poça de sangue.

Karthik disse: "Saí e comprei uma marreta — uma marreta enorme". Foi então para a parte noroeste da propriedade — segundo os sacerdotes de Kerala, onde residia o fantasma do erudito suicida. Karthik se aproximou de um galpão abarrotado com ferramentas de construção e entulho. "Todas aquelas histórias sobre nossa casa mal-assombrada rodopiavam na minha cabeça", disse. "Destruí quase cem metros quadrados do galpão." Estraçalhando a madeira com a marreta, berrava: "Saia! Apareça!".

Mas a sombra que pairava sobre a casa não se dissipou. Alguns meses depois, Bapu disse a Karthik: "Meu fim está próximo". Logo depois teve um derrame e entrou em coma. Os parentes do marido foram visitá-la no hospital, mas Bhargavi não permitiu que entrassem no quarto da mãe. Disse que eles já tinham feito mal o suficiente. "Nunca percebera o quanto estava zangada", Bhargavi comentou. "Não costumo me enraivecer. Mas me vi ali, dizendo: 'Não, vocês não vão entrar'. Proibi fisicamente que a vissem." Os médicos não podiam fazer muito por Bapu, então Karthik a levou para casa. No dia seguinte ele a carregou até a varanda para que ela pudesse sentir a brisa do mar. "Eu a ajeitei em meu colo e, enquanto afagava seus cabelos, ela parou de respirar", contou. "E foi assim. Muito tranquilo."

No dia da cremação de Bapu, trabalhadores da construção civil, jardineiros da região e pescadores se reuniram do lado de fora da casa. Viam-na como uma espécie de guru informal e foram se despedir. Bapu foi levada para o lugar da cremação em uma maca feita de bambu e folhas de palmeira, e as pessoas que ela abençoara seguiram em procissão. No diário, deixara instruções para seus ritos fúnebres junto com uma mensagem para os filhos. "A vestimenta que chamamos de 'este corpo' vem para uma pessoa como criança, para outra como esposa, para outra como mãe, para outra como inimiga, e para algumas como amiga, e ela perece por inteiro", escreveu. "Por que se entristecer com isso? É o destino do mundo."

Depois de perder a filha e os pais, Bhargavi disse: "Estava em outro plano e em outra órbita". Morava em Hyderabad, onde o marido trabalhava, e quase nunca saía de casa. Passava os dias no "devastador universo do nada", em suas palavras. Com frequência, visualizava a própria morte. Às vezes sentia-se tão furiosa que pegava pratos no armário e os despedaçava no chão. O casamento se deteriorou. Percebeu mais tarde, falou, que na doença mental "há uma sensação de que nossas partes estão frouxamente ligadas, não de uma forma absoluta, ou que não somos donos do nosso corpo ou dos nossos pensamentos. Perdemos a capacidade de saber o que vamos fazer".[60]

Ela entrou em um grupo de meditação budista para tentar debelar a raiva. Relatos biográficos contam que Buda passou por um período de depressão, experiência que transformou em uma das bases de seus ensinamentos: *sabbam dukkam*, a dor de estar vivo.[61] Em uma história, uma mãe enlouquece após a morte de seu bebê e implora a Buda um remédio para revivê-lo.[62] Buda concorda, com uma condição: que ela lhe traga uma semente de mostarda, uma especiaria indiana barata, dada por uma família na qual ninguém morreu. Eufórica, a mãe começa a bater às portas. No fim do dia, porém, percebe que nenhuma casa está livre da morte. Ela passa então a ver seu pesar como parte de um problema da existência universal. Consola-se generalizando para o mundo o desamparo que antes fora só seu.

No convívio com a morte, Bhargavi começou a sentir uma espécie de liberdade. Tomou uma série de decisões. Entrou para um grupo de leitura feminista. Cortou os cabelos. Mudou o modo de andar. Por fim, depois de ter outra filha, pediu o divórcio. "Perdi a brandura", disse. "Tornei-me mais franca e incisiva." Percebeu que intenções e emoções ocultas "escapavam de mim toda vez que eu falava". Até sua dissertação, uma análise da diferença entre o que considerava uma "ciência 'humana' e uma 'boa' ciência", agora via como sendo, de fato, uma reflexão sobre sua mãe. Segundo ela, "Carreguei minha mãe nas costas por décadas, como um cântico". Receava que, se não mudasse seu modo de vida, a própria filha se afastaria. "A história se repetiria", explicou.

Passou a frequentar todos os dias uma biblioteca em Hyderabad, onde lia sobre os direitos das mulheres e a história da psiquiatria. Concluiu que o movimento feminista na Índia compreendia a fonte do infortúnio das mulheres melhor do que grande parte da medicina. As comoções tradicionais na vida de uma mulher — os ajustes exigidos a uma jovem esposa se adaptando a novas expectativas sexuais e sociais ou o isolamento e a vergonha ao enviuvar — muitas vezes levavam a uma ruptura do sentimento de individualidade. Quando a bebê de Bhargavi morreu, ela disse que ouviu dos parentes do marido: "Não chore por uma filha que foi para Deus". "Nem mesmo chorar eu devia, apenas esperar pelo próximo filho." E percebeu: "Eu individualizara tudo. Era 'Meu pai é mau, meus sogros e cunhados são maus, a casa é má'. Quando conheci o feminismo, entendi que meu pai não devia ter feito as coisas como fez, mas aquilo era parte de um quadro mais amplo de tudo o que absorvera na juventude".

Em 2001 houve um incêndio em um abrigo para doentes mentais em Erwadi, vilarejo no sul da Índia. O local ficava próximo a um santuário de cura sufi que era conhecido por curar transtornos mentais. À noite, os moradores eram amarrados a vigas e árvores enquanto dormiam. O fogo se alastrou depressa, e 25 pessoas morreram. "Algumas estavam sentadas, com os braços presos, como bonecas de plástico", noticiou o *New York Times*.[63] "Foi difícil identificar os corpos."

Esse incêndio ensejou proibições nunca antes vistas a métodos de cura locais. A Suprema Corte da Índia ordenou que pacientes fossem "levados a médicos, e não a locais religiosos".[64] Quinze abrigos para doentes mentais nas imediações de Erwadi foram fechados, e mais de 150 pessoas que neles haviam encontrado acolhimento foram mandadas para o Hospital Psiquiátrico de Kilpauk, onde Bapu esteve. Repórteres seguiram os realocados e descobriram que o hospital era decrépito e imundo; os pacientes, isolados e negligenciados, eram examinados apenas a cada quinze dias, e não parecia haver protocolo para a prescrição de medicamentos. A revista indiana *Frontline* concluiu que para essas pessoas "parece não haver um verdadeiro resgate".[65]

Um ano depois do incêndio, psiquiatras do National Institute of Mental Health and Neurosciences publicaram um artigo no *British Medical Journal* relatando que pessoas com transtornos psicóticos melhoraram significativamente depois de uma estada em um templo hindu onde passavam o dia orando e fazendo tarefas leves. Os psiquiatras reconheceram os benefícios de "um refúgio culturalmente valorizado para pessoas com doença mental grave", contanto que não houvesse coerção ou reclusão.[66] "Deveríamos receber com satisfação — em vez de temer seu mau uso — as evidências de que enfoques psicofarmacológicos e neurofisiológicos não são os únicos apropriados à prática psiquiátrica eficaz", registraram.[67]

Embora os pesquisadores ressalvassem que os resultados não deviam ser generalizados a todos os templos, alguns psiquiatras receberam o estudo com indignação. Em carta à revista, o médico de um hospital em Kerala escreveu: "Fico estarrecido ao ver que um grupo de psiquiatras renomados neste nosso tempo de medicina baseada em evidências possa sequer cogitar formular um estudo desses!". E avisou: "Agora os curandeiros da fé podem citar o *BMJ*!".[68]

Bhargavi acompanhou o debate com atenção. Em 1999 ela e a filha moravam em Pune, cidade no oeste da Índia onde fica um dos maiores hospitais psiquiátricos da Ásia. Ansiosa para ampliar o escopo de seu trabalho além do mundo acadêmico, Bhargavi fundara uma ONG de saúde mental chamada Bapu Trust. Sentia que passara a vida como uma observadora passiva. "Não era certo", disse. "Eu não podia ser apenas uma espectadora de tudo. Tinha que assumir alguma postura moral."

O Bapu Trust oferecia o tipo de aconselhamento que possivelmente, segundo Bhargavi imaginava, teria ajudado sua família. Os conselheiros auxiliavam as famílias a descobrir uma explicação — ou mais de uma — correspondente a suas próprias experiências da doença, em vez de usarem linguagens que pareciam formuladas para um padrão de individualidade. Muitas vezes isso significava reconhecer não só uma disfunção cerebral, mas também uma ruptura no senso de identidade espiritual da pessoa.

Em favelas de Pune, Bhargavi e seus conselheiros batiam às portas e perguntavam se havia alguém com possíveis problemas psicológicos. Conversavam informalmente não só com a pessoa em dificuldade, mas também com a família e os vizinhos, em casa ou na rua, no dialeto delas. "O célebre 'estigma' que paira sobre os doentes mentais é causado, em algum nível fundamental, pelo fato de eles não contarem com uma linguagem comum, internalizada para expressar o sofrimento mental", Bhargavi escreveu.[69]

Os conselheiros faziam o encaminhamento daqueles que talvez necessitassem de medicação, mas também organizavam grupos de meditação, percussão e arteterapia. Evitavam categorias diagnósticas ou modelos rígidos de tratamento que pudessem diminuir o senso de autonomia das pessoas, a convicção de que eram protagonistas de sua própria história. Vikram Patel, psiquiatra indiano e professor de saúde global em Harvard, menciona preocupações similares quanto aos riscos de impor padrões ocidentais de descrição e explicação de doenças a pessoas de origens e histórias diferentes. Alerta sobre o "abismo de credibilidade entre o modo como a psiquiatria divide os sintomas de sofrimento mental e o modo como essas condições são vividas por pessoas comuns em comunidades comuns".[70]

Bhargavi e sua equipe reuniram histórias de centenas de pessoas que haviam passado algum tempo em santuários de cura. Ela escreveu que os curadores se apresentavam como "médicos da alma",[71] oferecendo "amor materno" a seus devotos. Os rituais de cura proporcionavam a sensação de catarse, propósito e conexão espiritual. "A psiquiatria e a psicologia descrevem apenas uma pequena parte da consciência humana", registrou.[72]

Bhargavi ficara fascinada com uma série de estudos realizados ao longo de três décadas pela Organização Mundial da Saúde a fim de examinar a evolução da doença mental em diversas culturas.[73] Foi constatado que as pessoas tinham maior probabilidade de se recuperarem da esquizofrenia em países em desenvolvimento do que em países desenvolvidos. Alguns dos melhores resultados em pacientes esquizofrênicos foram vistos na Índia. "Se eu me tornasse psicótico, preferiria estar na Índia a estar na Suíça", declarou em 2005 Shekhar Saxena, ex-diretor do Departamento de Saúde Mental e Dependência de Substâncias da OMS.[74]

As explicações para os resultados obtidos pela OMS são díspares, e nenhuma está fundamentada em evidências. Uma teoria diz que a Índia possui uma pluralidade de práticas curativas, por isso as pessoas podem procurar diferentes tratamentos, às vezes vários ao mesmo tempo, e ter um conjunto mais amplo de opções para interpretar seus problemas mentais. Outra afirma que as famílias indianas, numerosas, são capazes de dar mais apoio a familiares cuja produtividade é prejudicada pelo transtorno mental.[75] Mas Patel, o professor de Harvard, acredita que os estudos da OMS não levam muito em conta as altas taxas de mortalidade de pessoas com doença mental em países em desenvolvimento, bem como os maus-tratos e a discriminação que sofrem. Receia que essa omissão promova uma perspectiva ingênua e "extremamente ocidental sobre o nativo iluminado" — repetição moderna do mito colonialista de que aqueles que não são civilizados são inocentes e felizes.

Bhargavi tem ideias conflitantes quanto ao significado dos estudos, mas sabe que a mãe teria sido menos solitária se a família tivesse acolhido sua devoção em vez de tentar sufocá-la. "Em um mundo modernizante, a devoção não é aceitável", Bhargavi me disse. "Ela leva a pessoa ainda mais para o fundo do poço, ao fato de que estou sentada aqui hoje, mas amanhã talvez não acorde. Isso é aterrador, beira a loucura. Mas a devoção também pode ajudá-la a se conectar profundamente com a seguinte situação: não pedi para ter esta vida, portanto o que eu conseguir é um bônus".

KARTHIK SEGUIU CARREIRA como fotógrafo de instalações industriais, como terminais de regaseificação, torres de resfriamento e eclusas. Tinha o próprio laboratório, onde desenvolvera uma nova técnica para reproduzir fotos a partir de negativos antigos. Em 1988 foi procurado por dois discípulos de Ramana Maharshi, uma das mais influentes figuras religiosas da Índia moderna. Os discípulos haviam reunido quase duas mil fotografias do guru, que morreu em 1950. Procuravam ajuda para restaurar imagens danificadas pela água, manchas de fungo e arranhões.

Karthik aceitou participar do projeto. Consultou químicos renomados e começou a estudar as fotos de Ramana. Diziam que a mera presença dele — "o semblante benévolo, o toque delicado" e o "silêncio eloquente", escreveu um discípulo — já trazia paz aos devotos.[76] "Alguma coisa nesse homem chama minha atenção como a limalha de aço é atraída por um ímã", escreveu outro.[77]

Karthik começou a folhear obras de Ramana. O guru ensina que o luto por nossos pais não é necessário, pois quando alguém alcança a iluminação vê que não é um indivíduo distinto e limitado — as pessoas que ele ama estão de fato dentro de si. O "desejo de reaver a mãe é, na verdade, o desejo de reaver a si mesmo", Ramana disse.[78] "Isso é entregar-se à mãe para que ela possa viver eternamente."

Karthik, que tinha um filho pequeno, tornou-se um devoto tão fervoroso de Ramana que só de falar nele os olhos marejavam. Deram-lhe um escritório no *ashram* onde viviam cerca de cinquenta devotos. Lá, deveria trabalhar nas fotografias. Mas às vezes passava o dia inteiro sentado, sem se mover.

Karthik sentiu que estava destinado a se afastar da família. Quando o filho completou três anos — a idade que Karthik tinha na época em que Bapu desapareceu pela primeira vez —, Karthik disse ao presidente do *ashram*: "Acho que não fui feito para essa vida". Decidiu fazer do *ashram* seu novo lar. "Meu coração está aqui", declarou. O presidente do *ashram* procurou Nandini para saber se ela consentia com o plano, e então disse a Karthik: "Sua esposa concorda mais ou menos". (Nandini me falou que não entendera que Karthik desejava morar lá de forma permanente.)

Na primeira noite que Karthik passou no *ashram*, conversou com um ex-piloto de caça da Marinha francesa que morava lá havia anos e era conhecido por não ter mais a necessidade de comer ou dormir com regularidade. Karthik contou seus planos a ele. "O *ashram* concordou com minha decisão", disse. "Nandini aceitou minha decisão. Meu filho era pequeno demais para entender as coisas. Parecia que eu poderia ter êxito." O homem lhe disse: "Ainda não é o seu momento. Por favor, volte para sua família. Ainda não é o seu momento". Os dois conversaram até tarde da noite. Quando Karthik falou que estava com sono, o homem riu. "Ele estava caçoando de mim. Declarou: 'Você não está pronto para nada, meu jovem. O que está fazendo aqui?'."

No *ashram*, Karthik descobriu que não conseguia meditar. O tempo todo se levantava e saía do templo, forçava-se a voltar e tentar ficar quieto outra vez. Mas os mesmos pensamentos afloravam sempre. Imaginava o que Nandini e o filho estariam fazendo em casa naquele momento. Pensava que o menino talvez perguntasse por ele exatamente como Karthik fizera três décadas antes. No terceiro dia longe de casa, saiu pelos portões do *ashram*. Dessa vez, não se forçou a voltar. Pegou um ônibus para Chennai.

Tempos depois, ao ler conversas transcritas de Ramana Maharshi, encontrou várias passagens nas quais ele procurava dissuadir devotos de renunciar à família. "Foi como um tapa na cara", confessou. "Ramana não falou: 'Vá para a floresta e viva sozinho'. Ou: 'Vá viver para sempre nesse templo'. O que ele disse foi: 'Se for para esses lugares, saiba que a mesma mente o seguirá aonde quer que você vá'."

BHARGAVI MORA NO SÉTIMO ANDAR de um apartamento em Pune com um jardim no telhado. Nas manhãs de céu limpo, quando cuida das plantas, às vezes é dominada pelo desejo de "largar tudo e ir embora", me confessou. Não suporta ver o computador nem o fogão. Acha que tem roupas demais e quer doá-las. Certa manhã, estava no terraço e sentiu que derretia. "Tive um impulso fortíssimo de pular do prédio e me fundir com o céu", contou. "É uma sensação expansiva, maravilhosa. Posso permitir que qualquer coisa entre e me ocupe. O único pensamento que me puxou de volta foi: tenho uma filha. E não vou fazer com ela o que minha mãe fez comigo."

A filha de Bhargavi, Netra, hoje estudante universitária, começara a fazer perguntas à mãe sobre Bapu e a gravar furtivamente as respostas no celular. "Sempre ouvi durante a infância que minha avó era capaz de conversar com Deus e compreender a fundo o sofrimento dos outros", Netra me disse. "Ela conseguia ver quem realmente eram as pessoas e pelo que tinham passado. Esse tem sido um padrão há três gerações: minha mãe também faz isso, assim como eu.

Quando mais nova, Bhargavi teria ficado estarrecida se alguém apontasse semelhanças entre ela e Bapu. Ela puxara ao pai, repetia para si mesma: prática, leal, responsável. Agora, porém, fala: "Enceno a vida dela, às vezes conscientemente, outras nem tanto". Bhargavi também escolhera um caminho que lhe desse liberdade em vez de um papel restrito na sociedade, mas no processo sentiu que abandonara a mãe, deixando os cuidados com ela para a cunhada. "Alivio minha culpa me posicionando como sua aliada", disse, referindo-se ao Bapu Trust.

Bhargavi e eu começamos a nos corresponder em 2015, quando me interessei em escrever uma matéria sobre o trabalho do Bapu Trust. Certa manhã, enquanto cuidava das plantas no terraço, Bharghavi disse que teve uma epifania: na verdade, eu deveria escrever sobre sua mãe. "Senti que a história importante era a da minha mãe", disse por e-mail. "Adoraria legar isso para minha filha e para o mundo."

Alguns dias depois, Bhargavi começou a ler os diários da mãe. Por doze anos, desde que Nandini descobrira os textos em um armário na casa da avó, Bhargavi guardou-os no apartamento, sem ler. Folheara as páginas algumas vezes, mas até mesmo olhar a caligrafia da mãe trazia uma sensação "vulcânica", relatou. A letra de Bapu mudou ao longo das várias centenas de páginas, tornando-se mais solta e menos coerente, as frases escapando do papel. Bhargavi procurara cultivar o que chamava de "leveza pessoal", e receava perdê-la se lesse as palavras da mãe. "Não podia suportar aquele nível de intensidade", disse.

Bhargavi sempre supusera que Bapu, realizada em seu amor por Krishna, pensasse pouco na filha durante sua ausência. Espantou-se então com o número de vezes que ela escrevera sobre a saudade dos filhos. Bhargavi me contou por e-mail: "Todos os meus receios sobre conhecer minha mãe através de seus escritos se tornaram realidade".

No fim de 2019, Bhargavi viajou de Pune a Chennai para o nonagésimo aniversário de sua tia. Levou consigo os diários da mãe, e lá me encontrei com ela. Ficou hospedada na casa de Karthik e Nandini, que tinham se mudado para um sobrado com janelas francesas e vista para um jardim, exibido quase todos os dias nas fotos que Nandini postava no Facebook: romãs, rosas, folhas de areca, jasmim, hortelã, véu-de-noiva. Ela e Karthik alimentavam os corvos da vizinhança, que, segundo a crença, ligam o mundo dos vivos ao dos mortos. Também davam arroz a mais de uma dezena de cães de rua, mimando especialmente um cachorro chamado de Guard Man, de quem haviam cuidado pouco tempo atrás depois de ter sido atropelado. Quando conheci Karthik, Nandini passava pomada no dedo do esposo. Tinha sido mordido por um dos cães.

Thomas, o homem esquizofrênico que viveu em situação de rua em Chicago, certa vez lamentou comigo que todas as histórias sobre doença mental seguem o mesmo arco. São, em essência, histórias de casas mal-assombradas. Têm um cenário idílico e uma família feliz, e por fim um incipiente reconhecimento de uma força intrusiva ou uma herança indesejada. Pouco depois da minha chegada, Karthik desenhou Amrita, a casa da mãe, em uma página do meu caderno de anotações. Marcou o canto superior direito com um X dentro de um círculo, representando o espaço assombrado pelo Brahmarakshasa, o espírito do erudito que supostamente se suicidara. Sob o desenho, listou cinco observações. A primeira dizia "Aviso ao vovô" — o sacerdote alertara para que não comprasse a casa. A última concluía "A vida se torna muito dura". Na interpretação de Karthik, a doença de Bapu não estava na mente, e sim no espaço compartilhado com três gerações, com os problemas de uma transformando-se nas condições da seguinte. A doença de Bapu não tinha etiologia, cura nem sequer uma essência que pudesse explicar por que ela não conseguira ser a mãe e a esposa que a família esperava.

Karthik e Nandini passaram vários dias lendo os diários de Bapu, algo que nunca tinham feito com muita atenção. Nandini ficava em um sofá verde baixo que lembrava um divã de analista, e Karthik se acomodava numa poltrona reclinável sob uma foto que ele tirara: uma paisagem pálida com gansos em um litoral lodoso. Nandini lia alto em tâmil, e Karthik dizia "uhum" depois de quase todas as linhas. Várias páginas descreviam a jornada que Bapu fizera ao *ashram* de Ramana Maharshi, onde Karthik pensara em viver. Não percebera que a mãe também fora devota de Ramana.

Ele traduziu uma passagem para mim: "Quando Karthik crescer, talvez queira seguir o caminho da filosofia. Ninguém deve forçá-lo a formar uma família". Karthik me falou: "Viu só? Ela está dizendo: 'O filho que você me deu: eu o devolvo agora'".

Tinha os olhos marejados, mas as lágrimas não transbordaram. Continuou a traduzir as palavras da mãe: "Por favor, leve-o. Faça com que ouça sua grandeza. Faça com que viva por sua graça".

"Foi o que ela escreveu", Nandini disse.

Karthik riu. "E tenho vivido na graça nestes últimos vinte anos. A prece foi ouvida."

Embora Bhargavi e Karthik sempre tivessem sido muito unidos, em parte por partilhar o sentimento de serem negligenciados, quase nunca haviam conversado sobre sua infância. Durante a visita de Bhargavi, ela e Karthik trocaram pela primeira vez recordações dos desaparecimentos da mãe. Bhargavi não se sentia dona de suas memórias. Quando disse que se lembrava de sacerdotes exorcizando Bapu, Karthik refutou: "Não houve exorcismo. Nenhum exorcismo". Bhargavi aceitou a palavra do irmão.

Ela também comentou com Karthik sobre o pai: "Tenho uma forte lembrança de Appa batendo em você".

"Não", Karthik falou.

"Depois que a mamãe se foi, acho que ele voltou a raiva contra você", ela declarou. Karthik insistiu que isso não acontecera, por isso Bhargavi abandonou também essa memória. "Queria mesmo que algumas dessas lembranças me deixassem", comentou comigo mais tarde. "Que me soltassem."

Contudo, uma das recordações contestadas ela não estava disposta a abandonar. Lembrava-se de ter visitado a mãe no

Elite Lodge, no templo de Guruvayur, embora Karthik não se lembrasse de que alguma vez ela tenha ido lá. As paredes do quarto de Bapu estavam cobertas por minúsculas inscrições, do chão até o teto. "Era incompreensível — não conseguíamos ler o que ela escrevera", Bhargavi disse. "Foi quando minhas dúvidas começaram, pois aquela pessoa que eu via não era uma pessoa espiritualizada. Era alguém muito perdido. Talvez por estar faminta e subnutrida, sozinha. Mas isso permaneceu comigo. Não consigo relacionar a impressionante monja que morava conosco, o ser radiante que cantava e enchia nossa casa de coisas sagradas, com a mulher em que ela se transformara."

Depois da morte de Bapu, um de seus cunhados se desculpou com Karthik. "Ele se aproximou, pegou minhas mãos e disse: 'Fui injusto com sua mãe. Não sabia que tipo de pessoa ela era. Era uma santa — e eu não me dei conta'." Outros parentes também haviam começado a falar de Bapu como se ela tivesse sido uma figura tal qual Mirabai. Em alguns templos de Chennai, devotos procuram por dois livros publicados com poemas dela.

Bhargavi resistiu ao modo como os parentes reescreveram a vida da mãe. "Quando nos dizem que ela era uma santa, acho que exageram", observou. "Esse tipo de sentimento ajuda a deixar de lado as questões morais que desconsideramos na época em que partilhávamos nossa vida com ela."

O número de referências à fome nos diários de Bapu atormenta Bhargavi. "Para mim, trata-se do sofrimento pessoal profundo", me disse. "No entanto", acrescentou, "nos momentos de êxtase ou fosse o que fosse aquilo, ela estava com

Deus. E essa história é verdadeira também." O mais próximo que Bhargavi se sentiu de compreender a vida da mãe foi quando leu a poesia de Mirabai. "Estou louca de amor, e ninguém vê", Mirabai escreveu.[79] "A angústia me leva de porta em porta, mas nenhum médico responde."

Naomi: "Você não está me ouvindo"

Naomi Gaines procurava alguém que sorrisse para ela. Era o Quatro de Julho de 2003, e ela estava no Taste of Minnesota, celebração anual com música ao vivo no centro da cidade de Saint Paul. Ambulantes vendiam cachorro-quente, costeleta de porco grelhada, cebola empanada e bolinho de chuva; crianças seguravam bandeirinhas dos Estados Unidos. Naomi tinha 24 anos e era mãe de quatro filhos pequenos. Empurrava em um carrinho de bebê os dois mais novos, gêmeos de um ano e dois meses. (Os mais velhos estavam passando a tarde com sua irmã.) Ela sorria ao caminhar por entre as pessoas, mas em troca só recebia "cara feia", disse.

Algumas semanas antes preenchera a solicitação de auxílio financeiro do governo, e a assistente social comentara: "Você não devia viver do dinheiro dos contribuintes". Naomi, que era negra, pressupunha que toda pessoa com quem cruzasse no Taste of Minnesota também pensava assim. Buscava na multidão, composta quase totalmente de brancos, um rosto que lhe dissesse: "Eu me importo; estamos juntos". Em vez disso, sentia que as pessoas se perguntavam: "O que ela está fazendo aqui? Não é o lugar dela. Este lugar é nosso". Pensou ter ouvido alguém comentar: "Olha lá outro cabelo de vassoura", referindo-se a seus dreadlocks.

Lera pouco tempo antes *Behold a Pale Horse* [Eis um cavalo amarelado], do ex-sargento da Marinha estadunidense Milton William Cooper, que dizia conhecer segredos do governo. O livro fala sobre um programa governamental concebido para "lidar com os elementos 'indesejáveis' da sociedade".[1] Naomi apavorou-se ao ler que o nome do programa era MKNAOMI — supôs que fosse uma sigla para "Must Kill Naomi", "é preciso matar Naomi". Leu esse trecho várias vezes. Acreditava que a "elite governante", termo usado por Cooper,[2] estava instalada no novo prédio em frente a seu apartamento e a espiava por trás das vidraças espelhadas — sinal de que o tempo estava contado para "indesejáveis" como ela e os filhos.

Subiu na calçada, na Wabasha Street Bridge, que passa sobre o rio Mississippi. A ponte é ladeada por passarelas de pedestres, as quais possuem três metros de altura. Sem querer, o carrinho dos bebês esbarrou em uma moça não muito mais nova do que ela. "Por favor, preste mais atenção no que está fazendo", reclamou. Naomi sentiu que aquele incidente era prova de que "todo o amor foi retirado do mundo".

Ansiava por um sinal de que a aniquilação dos "indesejáveis" ainda não começara. Continuou a andar pela ponte, correndo os olhos pela multidão em busca de outra mãe negra. Mas só via casais e famílias brancas, absortos na própria vida. "Na verdade, somos todas iguais", pensou. "Somos todas mães de crianças. Como é que podem passar por mim e não dizer uma só palavra?" Recitou em silêncio uma passagem do Novo Testamento: "Os homens serão egoístas, gananciosos, jactanciosos, soberbos, blasfemos".

O dia estivera mormacento, mas de repente o ar ficou gélido. Naomi interpretou a lua crescente como sinal de destruição iminente. A água, mais de quinze metros abaixo, tinha um cheiro ardido. Naomi foi para o extremo sudoeste da ponte, onde uma bandeira dos Estados Unidos fora afixada em um dos pilares. Palavras de um poema de Saul Williams brotaram em sua mente: "Nossas estrelas e listras/ Usando bandeiras salpicadas de sangue como pipas nacionalistas".[3]

Ela temia voltar para o carro, onde pensava que fosse ser morta sem que ninguém visse. E cogitava a possibilidade de ser a única mãe negra ali, na ponte, porque as outras já tinham sido assassinadas. Olhou para a água lá embaixo, que parecia ser seu único recurso para escapar. Sentia que ela e os filhos tinham duas opções: uma morte misericordiosa ou uma morte torturante. Ergueu seus meninos um por vez, os beijou e jogou por cima do parapeito. E então subiu nele e caiu para trás de braços abertos. Durante a queda, gritou: "Liberdade!".

Um homem que estava na margem do rio ouviu o barulho dos corpos caindo na água. Como centenas de outros, estava perto da ponte esperando pela queima de fogos.[4] "Primeiro pensei que fosse um animal na água — um golfinho, sei lá, e continuei andando", contou. "Mas depois vi uma criança virada de barriga para baixo". O homem mergulhou. Enquanto nadava na direção da criança, notou que havia também um adulto. "Vi uma mulher jovem e bonita muito fora de si", me disse. Ela estava ali, mas não estava. Cantava ou gritava sem parar: "Liberdade. Liberdade. Liberdade".

Naomi foi levada para o Regions Hospital em Saint Paul e algemada ao leito. "Está sentindo alguma dor?", um médico perguntou.

"Nas costas e no coração", Naomi respondeu.

Em grande medida, fisicamente estava ilesa. Mas disse a uma jovem policial, Sheila Lambie, que estava ao lado: "Dói por dentro".[5] Explicou que "as pessoas querem dar as costas. Varrer mulheres e crianças, jovens pobres de pele escura. Mantê-los debaixo do tapete, esquecer que existem".

Naomi foi levada de cadeira de rodas a uma sala para fazer radiografias, e Lambie foi junto. Perguntou se ela estava frustrada por suas responsabilidades como mãe: devia ser difícil dar conta de todos os cuidados com as crianças e com pouca participação do pai dos gêmeos, comentou. "Ninguém para lhe dar uma noite de folga."

"Você não está me ouvindo", Naomi respondeu.

Lambie saiu da sala e foi falar com a equipe médica. Quando voltou, disse a Naomi que apenas um dos meninos fora salvo. O outro morrera. "Não tem problema você chorar", disse a Naomi. "São muitas emoções. Fale alguma coisa. Não fique só me olhando."

"Não queria fazer mal a meus bebês", desabafou. E começou a murmurar: "Ah, meu Deus, estão me vigiando. Meu filho não importa para eles".

"'Eles' quem?", Lambie quis saber. "Me ajude. Quem são eles?"

"Os poderosos", Naomi respondeu. Não quis explicar mais. E então recitou um poema de Julia Dinsmore, uma poeta de Minnesota que escreve sobre a pobreza. "Meu nome não é

'Essa Gente'", Naomi disse. "O vento irá parar antes de eu permitir que meus filhos se tornem estatística."

"Então voltemos à ponte", Lambie interrompeu. "Você estava andando, procurando por um rosto amistoso, e não viu nenhum."

"Eu sentia que eram todos como, ah, um... um rato", Naomi disse.

"Um rato?"

"Como um rato imundo lá de casa."

Uma ocasião Naomi pediu para a mãe, Florida, que contasse a história de seu nascimento, e Florida replicou: "Por que você quer saber? Não fale sobre isso", Naomi me disse. "Nunca mais perguntei. Mas de uma coisa eu sei: ela estava sozinha quando nasci, e deprimida." Florida não discordou da interpretação de Naomi, mas também não achou que a depressão tivesse importância. "Quem não ficaria deprimido se faltasse dinheiro para cuidar dos filhos?", perguntou. "Oprimida/deprimida — de um modo ou de outro, não dá para estar satisfeita consigo mesma."

Florida criou Naomi e outros três filhos no conjunto habitacional Robert Taylor Homes, em Chicago. A ajuda dos pais das crianças foi irrisória (Naomi só conheceu o pai aos três anos). Quando esses prédios foram construídos, em 1962, formavam um dos maiores complexos de moradia para pessoas de baixa renda do mundo.[6] Vinte e oito edifícios de concreto idênticos,[7] espremidos entre os trilhos da ferrovia e uma rodovia interestadual, ocupavam 37 hectares[8] no South Side e abrigavam 27 mil pessoas.[9] "O mundo nos vê como ratos de conjunto habitacional, vivendo em uma reserva como párias", um dos primeiros moradores declarou ao *Chicago Daily News*.[10]

Originalmente árvores e jardins circundavam cada prédio, mas para reduzir o custo de manutenção a vegetação foi removida e o terreno pavimentado. Naomi cresceu em um edifício sem vista para nada verde. Segundo a revista *Black World*, "Quem vê projetos habitacionais gigantescos, altíssimos e sem árvores como o Robert Taylor Homes compreende que muitos arquitetos brancos não parecem psicologicamente preparados para fazer projetos direcionados a pessoas pobres ou culturalmente diferentes".[11] Um estudo em outra revista, a *Environment and Behavior*, informou que os moradores que têm vista para árvores ou grama avaliaram a vida como menos fria e desesperançosa do que os que moravam em áreas sem verde. "Uma pequena dose de natureza poderia melhorar a capacidade do indivíduo para administrar os problemas mais importantes da sua vida", concluiu o estudo.[12]

Naomi morava no décimo quinto andar de um prédio, na parte que os residentes chamavam de Buraco — três edifícios dispostos em configuração de U, controlados pela gangue Mickey Cobras e conhecidos como os mais violentos do complexo.[13] (Em 1998, quando um jornalista perguntou a respeito do nome, um policial do Departamento de Habitação de Chicago sorriu e respondeu: "É um buraco do inferno".)[14] Os serviços básicos do complexo estavam tão avariados que, quando um incêndio eclodiu no quarto andar do prédio de Naomi, os bombeiros precisaram encher as bombas manuais em pias de banheiro e cozinha — a tubulação estava quebrada — até desistirem e pularem pela janela. Os elevadores quase nunca funcionavam. As lâmpadas na escadaria viviam queimadas. Prendendo a respiração por causa do fedor de urina e vômito, Naomi caminhava até o apartamento contando os lances de escada e espiando pelas portas até reconhecer seu corredor. Raramente saía do prédio, exceto para ir à escola. Nos anos 1990, os moradores do Robert Taylor eram 99% negros e 96% estavam desempregados.[15] Era uma "maldita penitenciária bancada pelo governo", disse uma moradora ao *New York Times*;[16] outra comentou: "Muito tempo atrás, concluí que para sobreviver aqui é preciso ser louco, estar chapado, ser cristão ou algum tipo de personagem".

O mês se dividia em dois: as semanas antes e depois de o dinheiro de Florida acabar. Na segunda metade do mês, Naomi às vezes levava bilhetes da mãe pedindo pão aos vizinhos. Para almoçar, Naomi e os irmãos desciam ao salão de jogos, no primeiro andar, e recebiam de graça o que chamavam de "engasgado": sanduíches de salsichão tão secos que eram alvo de piada, pois não dava para comê-los sem tossir. No jantar faziam "sanduíches de eu-queria": duas fatias de pão recheadas com melaço. O tio e a tia de Naomi, moradores do mesmo prédio, vendiam lanches em seu apartamento — balas, salgadinhos e refresco congelado em copinhos de isopor — para poupar as crianças do risco de irem até uma loja. Um artigo de 1993 no *Chicago Tribune* intitulado "Living in a War Zone Called Taylor Homes" [A vida em uma zona de guerra chamada Taylor Homes] informou que a violência era tão indissociável do cotidiano que "tiroteios eram naturais como neve caindo".[17]

Naomi aprendeu a ler com sua irmã Toma, dois anos mais velha. Graças aos livros começou a compreender que outras crianças não tinham um "céu de tijolo", em suas palavras. Também descobriu gramados verdejantes, playgrounds de cores vivas e janelas grandes com vasos de flores. "Toma me disse para fingir que vivia aquelas coisas", Naomi contou. "Falou para eu imaginar como me sentiria se fosse a personagem principal da história. O que eu faria? Como agiria?"

Naomi também brincava assim com a irmã e o irmão mais novos. "Ela sempre queria que nós a ouvíssemos ler", disse Natalie, a caçula da família. "Falava: 'Estão prestando atenção? Prestem atenção!'. Senão nos empurrava para fora da cama." Florida evitava participar, pois não queria que os filhos descobrissem que ela não aprendera a ler direito. Era analfabeta funcional. "Naomi era tão esperta que eu tinha certeza de que acabaria descobrindo", Florida me disse. "Meu ponto fraco era o ponto forte dela."

Naomi sentia que morava no lugar errado. A casa onde realmente deveria estar ficava a quase dez quilômetros da sua, uma residência de alvenaria com três dormitórios, caixilhos brancos e um jardim bem cuidado em Washington Heights, na época um bairro de classe média. A propriedade pertencia à mãe adotiva de Florida, sra. Jackson, mulher escultural que usava pérolas. Florida fora morar com ela aos dois anos, depois de ser levada junto com os seis irmãos do apartamento de sua mãe pelo departamento de serviço social (DCFS, na sigla em inglês). Ainda morava lá quando deu à luz sua primeira filha, Toma, aos dezesseis anos. Toma e a sra. Jackson tinham uma ligação especial, e quase todo fim de semana Toma dormia na casa da sra. Jackson. Naomi ansiava por ir junto — a sra. Jackson coava café toda manhã, e sua geladeira era bem abastecida de iogurte de morango —, mas ela e os irmãos mais novos só eram convidados de vez em quando. "A vovó Jackson não gostava da gente", Naomi comentou. "Não nos queria. Queria minha irmã."

Uma tarde, quando Toma tinha sete anos, sentou no chão do quarto que dividia com os irmãos e reclamou que queria ir morar com a sra. Jackson. Pediu muitas vezes para se mudar. Florida às vezes batia nas crianças, porém não mais do que qualquer outra mãe que Naomi conhecia. Mas dessa vez ela parecia ter saído dos trilhos. Surrou Toma com um fio de extensão elétrica. Naomi sentiu que a verdadeira razão de a mãe perder o controle era ter o mesmo desejo de ir embora.

No dia seguinte, Naomi esperou Toma depois da escola, que ficava no centro do Robert Taylor. Em vez dela apareceu foi seu primo mais velho, que disse calmamente: "Ela foi embora".

Quando Naomi chegou em casa, Florida estava sentada no chão, chorando. Uma professora vira os machucados em Toma e alertara o DCFS, que interveio e levou a menina para a casa da sra. Jackson. Florida estava certa de que a sra. Jackson tramara tudo. "Ela conhecia o sistema", Florida me disse. "Minha mãe adotiva queria minha menina e finalmente conseguiu."

Florida solicitava repetidamente ao DCFS permissão para visitar a filha, mas era informada de que qualquer contato devia ser autorizado pela sra. Jackson. Nos anos 1990, o Illinois tinha a maior porcentagem de crianças em lares adotivos, e quase 80% eram negras.[18] Florida disse: "Eu não tinha educação nem advogado nem coisa nenhuma para brigar por ela — nem mesmo sabia de que forma começar o processo".

Florida sentia tanta vergonha por terem tirado sua filha que nunca mencionava o assunto. "Ninguém jamais me explicou", Naomi disse. "Eu sabia, de algum modo, que minha irmã não estava morta, mas nada além disso." Na família, Naomi tinha a reputação de ser sensível demais — enfurecia-se com pequenas ofensas que outras crianças deixavam passar. Uma ocasião escreveu um poema intitulado "Chorando" em um pedaço de papel e o deixou na cama da mãe: "Meus olhos estão vermelhos e fundos, mas/ não há nenhum problema/ só estive/ chorando". Na época, Florida riu daqueles versos afetados. Anos mais tarde, porém, admitiu: "Menina, era verdade!".

A família só voltou a se reunir na formatura da oitava série de Toma, seis anos depois de sua súbita partida. Toma estava de beca e capelo, rodeada por amigos de seu bairro próspero. Florida comentou: "Naomi chorou demais quando a viu. Disse: 'Pensava que você fosse um sonho que eu tive! Pensava que você só existia no sonho em que eu tinha uma irmã mais velha'".

QUANDO NAOMI ESTAVA com nove anos, Florida a acordou no meio da noite. Chamou também os dois filhos mais novos e disse a todos para se vestirem sem fazer barulho. Depois desceram quinze lances de escada e pediram um táxi até o terminal de ônibus. Florida olhava pela janela traseira do carro. Namorava um homem que batia nela, e precisava fugir. No terminal, o sujeito apareceu. Um guarda permitiu que se escondessem na garagem, em um ônibus estacionado.

Ao amanhecer pegaram um ônibus para Milwaukee, a cidade grande mais próxima, e foram para uma igreja que abrigava pessoas sem teto. Todos os dias eram acordados às cinco da manhã por um administrador que gritava: "Pés no chão, corpo pra fora!". Só lhes permitiam voltar na hora do jantar, por isso passavam oito horas por dia na biblioteca pública. "Eu estava no céu dos livros", Naomi escreveu em uma autobiografia não publicada.[19] "As estantes pareciam mais altas que os prédios do Robert Taylor." Enquanto a mãe procurava emprego e um apartamento, Naomi lia para os irmãos mais novos — geralmente Dr. Seuss ou Shel Silverstein — e fingia ser a professora deles. Às vezes, quando estudantes visitavam a biblioteca, Naomi os seguia, imaginando que fazia parte da turma.

Florida finalmente encontrou um apartamento, e Naomi e os irmãos foram matriculados na escola, mas Naomi não se sentiu à vontade lá. Seus colegas caçoavam, chamavam-na de Meia-Noite Negra. Embora quase todos na escola fossem negros, Naomi disse que tinha a pele mais escura da turma. Certa vez, algumas das crianças correram em círculos em volta dela, empunhando varas, com agasalhos amarrados nos quadris como tangas. "Estão vendo alguma coisa ali?", diziam. "Ou será que são só manchas pretas?" Florida tinha empatia com a vergonha da filha; sofrera zombarias pela mesma razão. No ensino médio, tentara se defender, dizendo para um colega que "negro é lindo". E ele retrucou: "Sim, mas em você fica ridículo".

Fazia menos de um ano que estavam em Milwaukee quando Florida decidiu abruptamente voltar para Chicago e morar com o namorado que a espancava. "Pensei: 'Ela está fazendo isso porque é burra'", Naomi disse. O irmão não quis voltar de jeito nenhum e acabou ficando em Milwaukee com uma família adotiva. Natalie mostrou mais compreensão pela decisão da mãe: "Ela não sabia que era bonita", Natalie me disse. "Não sabia que era inteligente. Não sabia que era capaz de criar os filhos sozinha. Ficou com o primeiro que demonstrou interesse e correu para ele." Acrescentou: "Pense na história dela. A criação influencia".

Florida conseguiu um novo apartamento no Robert Taylor e começou a beber com frequência. Com o namorado, também usava cocaína. Sentia que Naomi pensava ao vê-la: "Qualquer mãe é melhor do que a minha". O álcool se tornou cada vez mais uma forma de automedicação, mas na época Florida não pensava assim. Estava desesperançosa e com nojo de si mesma, mas tratamento psicológico parecia um luxo, um capricho. "Pelo que sabíamos, só brancos conseguiam ajuda para coisas assim", Florida comentou. Sua tia lavava pratos imaginários em um beco, mas ninguém jamais a chamara de doente mental. Outros parentes pareciam zangados demais. "Eu compreendia aquilo", Florida disse. "Mas doente mental? Não. Na nossa família, quando a gente se sente meio pra baixo, tira um cochilo. Eis a solução: tirar um cochilo."

As instituições de saúde mental não eram projetadas para tratar os tipos de transtorno que resultam de ser marginalizado ou oprimido por gerações. A psicoterapia raramente é considerada "um lugar de cura útil para afro-americanos", escreveu bell hooks.[20] Para que uma paciente negra revelasse seus medos e fantasias a um terapeuta, especializado em uma área dominada por brancos de classe média, seria preciso um nível de confiança difícil de ser conquistado.[21] "Muitos de nós, negros, receiam que falar sobre nossos traumas por meio da linguagem da doença mental leve a uma interpretação enviesada e a um enfoque da experiência negra como patologia, de modos que poderiam corroborar e sustentar nossa contínua subordinação", defendeu bell hooks.[22]

O tratamento da dor recebe sistematicamente menos atenção em pacientes estadunidenses negros em comparação com brancos, disparidade que se revela inclusive nas crianças. Um estudo no periódico *Proceedings of the National Academy of Sciences* constatou que mais de 40% dos segundanistas de medicina concordaram com a afirmação "A pele negra tem mais colágeno (ou seja, é mais grossa) do que a pele branca".[23] Catorze por cento concordaram com a ideia de que "os terminais nervosos das pessoas negras são menos sensíveis que os das brancas". O sofrimento dos negros é visto como natural, como se seu corpo fosse feito para isso, mito com um longo histórico nos Estados Unidos. O médico Samuel Cartwright, que antes da Guerra de Secessão lecionava na cátedra de Doenças dos Negros na Universidade da Louisiana (atual Universidade Tulane), aventou que a razão de pessoas escravizadas desafiarem seus senhores era sofrerem de "disestesia aethiopica",[24] doença que os levava a ser "indiferentes à punição ou mesmo à vida"[25] e produzia "insensibilidade parcial na pele".[26]

Mitos similares sobre o sofrimento fundamentam a área da psiquiatria, campo em que a depressão em pacientes negros com frequência recebe tratamento insuficiente e é diagnosticada de maneira errônea. Helena Hansen, psiquiatra e antropóloga da Universidade da Califórnia em Los Angeles, que estuda estereótipos raciais na medicina, relatou que "Na estrutura da nossa sociedade está arraigada a ideia de que o papel das mulheres negras é trabalhar, é sofrer, portanto por que nós — os profissionais da área de saúde mental — deveríamos ir atrás delas e perguntar: 'Posso tratar sua tristeza?'".

Em 1996 Florida constatou que não suportava mais os horrores de Chicago. Ela e Natalie, a irmã mais nova de Naomi, pegaram seus pertences e se mudaram para Minnesota, "um estado para mulheres e crianças", segundo Florida ouvira falar. Na época, estadunidenses negros migravam para Minneapolis-Saint Paul, onde os serviços sociais eram melhores e em maior número do que em qualquer outro lugar no norte do país.[27] Naomi não quis sair da cidade, por isso ficou com a família de Nate, seu namorado.

Em um abrigo para pessoas em situação de rua no centro de Saint Paul, Florida e Natalie receberam um quarto e banheiro privativos e uma chave. Ali tinham também direito a café da manhã, almoço e jantar. Em abrigos anteriores, Florida dormira em uma esteira no piso de concreto, segurando a bolsa. O novo alojamento parecia um hotel. "Nunca tinha visto nada parecido em toda a minha vida", Florida me disse. "Era tudo o que eu precisava para pôr a cabeça no lugar. Sem filho cutucando o tempo todo porque está com fome. Dava para pensar. Dava para juntar dinheiro para um apartamento."

Ela conseguiu um emprego como arrumadeira em um hotel de luxo no centro de Saint Paul e alugou um apartamento com vista para a Wabasha Street Bridge. O prédio tinha porteiro. "Aquilo era algo gigante para uma ex-moradora de conjuntos habitacionais do governo", Naomi falou. "Minha mãe estava toda orgulhosa. Nunca antes se sentira bem consigo mesma."

Em 1997, depois de concluir o ensino médio, Naomi decidiu se juntar à mãe em Minnesota. Na época, ela e Nate haviam tido um filho, mas Naomi estava desiludida com o relacionamento. Seguiu o mesmo caminho da mãe: depois de uma temporada em um abrigo, conseguiu o próprio apartamento em Saint Paul. Percebeu, espantada, que em Minnesota "até os guetos têm gramado", disse. Começou a trabalhar como assistente de professora na pré-escola do filho, e à noite estudava no Community and Technical College do estado de Minnesota.* "Lutei com todas as minhas forças para impedir que virasse mais uma vítima das circunstâncias", escreveu mais tarde. "Pensei que eu era uma boa mãe, uma boa pessoa, uma boa funcionária e tudo daria certo."

Naomi entrou para um grupo chamado Vibin' Collective, que se reunia semanalmente nos fundos de um Applebee's em Saint Paul. O grupo compunha poesias e canções sobre pobreza, brutalidade policial e o fracasso na educação das crianças negras. Naomi começou a compor canções de hip-hop sobre mulheres criadas como ela. "Sinto que alguém precisa contar a história das mães periféricas solteiras neste país", disse na época. Ela se apresentava em clubes locais com o nome artístico Pleasant, mas não conseguiu tantos contratos quanto gostaria. Natalie achava que talvez sua música tivesse

* Em um *community college* o aluno estuda dois anos e pode usar os créditos para ingressar em uma universidade tradicional e concluir o curso. (N. T.)

"metáforas demais". Naomi se perguntava se suas letras não seriam "muito controversas — muito fortes".

Procurou textos sobre a história das mulheres negras. "Eu buscava, sei lá, alguma continuidade: me livrar da solidão", ela me falou. "Queria saber que existem pessoas sentindo o que estou sentindo." Leu *In Praise of Black Women* [Em louvor das mulheres negras], série em quatro volumes com canções, poemas, narrativas de viagem e lendas populares que reconstitui a vida de mulheres negras ao longo da história. "As mulheres negras foram totalmente omitidas da historiografia ou seu papel foi tão trivializado que as fazem parecer insignificantes", explica o prefácio do livro.[28] Depois Naomi comprou o livro ilustrado *Without Sanctuary*,[29] coletânea de fotos e cartões-postais retratando linchamentos, originalmente parte de uma exposição na New York Historical Society.[30] Em muitas das imagens, brancos assistem serenamente enquanto adolescentes negros são enforcados em árvores. Naomi olhava as fotos em busca de pistas, de uma explicação para o que a pessoa fizera de errado. "Qual é a história?", perguntou. "Qual foi a justificativa para serem mortas? Eu queria saber o porquê, e por fim comecei a pensar: 'Em que meus filhos seriam diferentes?'."

Pela primeira vez na vida, Naomi sentia dificuldade de sair da cama pela manhã. "Antes acordava com as galinhas", Natalie comentou. Mas certos dias não conseguia parar de chorar. Se antes seu mal era algum tipo de melancolia, um pesar que não podia ser expressado em palavras, ela agora começava a nomear aquilo que perdera. Sentia-se debilitada pelas ressonâncias históricas da própria história de vida. De repente, tinha a linguagem para descrever o tipo de sofrimento que assombrava sua família por gerações.

Em *Hope Draped in Black* [Esperança envolta em preto], o acadêmico Joseph R. Winters remete ao texto "Luto e melancolia" de Freud para descrever o que acontece quando os negros percebem que um ideal, como liberdade ou igualdade, foi negado a eles. A perda se torna internalizada, solapa "qualquer noção de autocoerência", escreve Winters.[31] "A melancolia registra a experiência de ser tornado invisível, de ser assimilado na ordem social e excluído dela."[32] Tendo o pleno reconhecimento barrado, o pesar nunca se resolve.[33] "É isso que torna tudo tão histérico, tão incômodo e tão completamente irrecuperável", disse James Baldwin, usando imagem similar para evocar essa perda não nomeada.[34] "É como se uma ferida muito, muito, muito grande estivesse no corpo inteiro e ninguém ousasse operá-la: fechá-la, examiná-la, suturá-la."

Florida disse que achou bom que Naomi, depois de anos detestando a cor da sua pele, estivesse "se envolvendo na Luta". A bisavó de Florida, que viveu até os 102 anos, fora escravizada no Tennessee, mas "nunca nos interessamos por isso", contou. Florida receava que Naomi tivesse lido em excesso e depressa demais sobre sua história. "Os jovens da idade dela crescem sem conhecer a história", me disse. "E, quando descobrem, isso em si já é traumatizante: pensar que é assim que foram feitos."

Três anos depois de se mudar para Minnesota, Naomi cortou os pulsos. Não queria morrer, disse, mas "a dor que eu sentia era tão grande que eu queria me machucar só para ter alguma outra coisa ocupando minha mente".

Sua família a levou para o hospital, onde foi diagnosticada com "transtorno de adaptação": reação emocional desproporcional a uma fonte identificável de estresse, segundo a classificação do *DSM*. Em seguida ao diagnóstico, o psiquiatra anotou: "Mãe solo com dois empregos". Uma assistente social escreveu: "Ela acredita que sua depressão seja causada por 'todo o ódio no mundo' e pelo desânimo com a discriminação".[35]

Naomi recebeu alta com prescrição do antidepressivo Zoloft, mas parou de tomá-lo depois de algumas semanas porque a medicação a deixava cansada e ela não acreditava que fosse funcionar. Remédios não "mudam a mágoa do mundo", disse ao psiquiatra. Sentia que ser quem era requeria o sofrimento em face de uma realidade racista e violenta.

A família não ficou repisando a tentativa de suicídio. Rezavam para que ela melhorasse. "Confiamos em uma força invisível mais do que nos médicos que, em nossa opinião, não provaram que levam nossos interesses em consideração", Naomi disse. Orgulhava-se de ser arrimo da família — a pessoa com quem todos podiam contar quando um primo tinha alguma emergência e precisava de um sofá para dormir e uma refeição reconfortante. "Todos falavam: 'Menina, você não tem tempo para ficar triste'", ela disse. "'Você é uma mulher negra forte, anime-se, ore e vai ficar tudo bem.'"

HÁ UM MITO MUITO ANTIGO nos Estados Unidos sobre pessoas negras não enlouquecerem. A edição de 1884 do *American Journal of Insanity* informa que, segundo sobreviventes da revolta de escravizados no navio *Amistad*, "a insanidade era muito rara em sua terra de origem. A maioria nunca vira nenhum caso".[36] Assim como havia o mito de que indianos eram imunes à loucura antes de os britânicos chegarem, pensava-se que os negros fossem desajuizados e alegres. "Onde não há civilização, não há nervosismo", declarou o neurologista George Miller Beard no livro *American Nervousness* [Nervosismo estadunidense], publicado em 1881.[37] O superintendente do Manicômio Estadual do Missouri declarou a colegas que "antes da guerra entre os estados, um negro enlouquecido era a ave mais rara do planeta".[38]

Na história da insanidade, o sexto censo nacional dos Estados Unidos, elaborado em 1840, representou uma espécie de marco. Agentes estaduais tentaram registrar o número de "insanos e idiotas" em cada casa do país.[39] Os resultados pareceram reveladores: a insanidade era onze vezes mais comum em negros livres do Norte do que entre os escravizados do Sul. "Eis a prova da necessidade da escravização", disse ao Congresso o secretário de Estado John C. Calhoun. "O africano é incapaz de cuidar de si mesmo e afunda na loucura sob o fardo da liberdade."[40] A revista *Southern Literary Messenger*, que já fora editada por Edgar Allan Poe, declarou que os negros "não só são muito mais felizes em estado de escravização do que em liberdade, mas também acreditamos que sejam a classe mais feliz do continente".[41] Diante dos resultados do censo, afirmou a *Messenger*, abolir a escravização não era uma medida prática: escravizados libertos não forneceriam "muita coisa além de matéria-prima para cadeias, penitenciárias e manicômios".[42]

Dentro de poucos anos ficou claro que o censo estava repleto de erros.[43] Em algumas cidades do Norte, os agentes estaduais haviam classificado quase todas as pessoas negras como insanas. O historiador social Albert Deutsch qualificou o censo de 1840 como "uma das mais espantosas tessituras de falsidades estatísticas e erros já realizadas com a chancela do governo".[44] Entretanto, a ideia de que a emancipação prejudicava a psique dos negros permaneceu profundamente arraigada na psiquiatria estadunidense. Em 1913 Arrah B. Evarts, psiquiatra do Government Hospital for the Insane em Washington, DC — o maior manicômio federal do país — alertou que "civilidade não é uma roupa que se veste".[45] As taxas de insanidade aumentavam entre os pacientes negros — esses "estranhos dentro de nossos portões",[46] como os chamou — porque "requeriam uma adaptação muito mais difícil de conseguir [...] do que qualquer outra raça já foi obrigada a tentar".[47] Dizia-se que a mente dos negros, assim como a dos parses, grupo de indianos que supostamente foi assimilado depressa demais pelo colonialismo britânico,[48] vergava sob o choque da transição.

Os problemas dos negros eram vistos de uma perspectiva sociológica e coletiva. Era-lhes negada a singularidade de suas experiências psicológicas, e eles eram menosprezados como pacientes deficientes. Mary O'Malley, outra médica do Government Hospital for the Insane, lastimou que os pacientes negros não conseguissem fazer um relato linear. "Eles nunca reproduzem aquele efeito intelectual geral que é chamado de experiência", escreveu.[49] "Suas tristezas e angústias não têm natureza permanente e não produzem neles impressão suficientemente duradora a ponto de criar o desejo de dar fim à própria vida."[50] Até o impulso para resolver problemas era visto como deficiente, como se não fossem introspectivos o bastante para desejar morrer.

Durante grande parte dos últimos cem anos, a taxa de suicídios de estadunidenses adultos negros foi aproximadamente metade da observada entre os brancos, mas essa proporção se mostra complexa por dois fatores: estigma e negligência.[51] (Suicídios podem ser classificados como outras formas de morte, por exemplo, overdose ou acidente.)[52] No entanto, historicamente o suicídio foi associado tão estreitamente à população branca[53] que um artigo de 1962 no *International Journal of Social Psychiatry* explicou que "alguns psiquiatras veteranos sulistas que tiveram vasta experiência tratando negros consideram as tentativas sérias de suicídio como evidência prima facie de ancestralidade branca".[54] Em seu livro sobre crenças afro-americanas a respeito do suicídio, publicado em 1992, o sociólogo Kevin Early afirmou que pessoas entrevistadas para seu estudo o repreendiam por nem sequer mencionar o suicídio. "Via de regra, negros não se matam", lhe disse um pastor.[55] "Você já devia saber disso." Early observou que o suicídio era visto como "uma negação quase completa da identidade e cultura negra"[56] porque representava o oposto da capacidade de suportar. Um negro deve "criar coragem, estufar o peito e aguentar firme", uma de suas fontes declarou.[57] "Seria como permitir que as balas ricocheteiem."

Alguns terapeutas achavam que fosse inútil tentar tratar um paciente negro sem levar em conta a doença na sociedade em que estava inserido. "A autoestima dos negros não pode ser recuperada, a autoaversão dos negros não pode ser destruída enquanto o status for quo," escreveram dois psicanalistas brancos em um livro muito citado, *The Mark of Oppression*, publicado em 1951.[58] "Só existe um modo de as consequências da opressão poderem ser dissolvidas: cessar a opressão."[59] Mas essa abordagem também trazia o risco de se tornar mais uma iteração da postura de menosprezar os relatos individuais de sofrimento de pessoas negras.

Declarar de antemão a derrota diante de forças sociais intratáveis dava a impressão de que era inútil examinar os pensamentos mais íntimos de uma pessoa negra — postura condizente com a indiferença de psiquiatras explicitamente racistas. "A psiquiatria moderna se ergueu às custas dos vultosos honorários cobrados de pacientes endinheirados", escreveu o romancista Richard Wright,[60] e por muito tempo desconsiderou uma "necessidade humana crônica, gritante, escandalosa."[61] Em 1946 Wright ajudou a fundar a Lafargue Mental Health Clinic, centro psiquiátrico no porão de uma igreja no Harlem.[62] A clínica tratava gratuitamente pacientes negros pobres — que costumavam ter acesso a tratamento psiquiátrico tanto quanto "os negros do Mississippi, em teoria, têm acesso ao voto!", escreveu Wright em um ensaio sobre a clínica.[63] Ele desejava que a Lafargue incutisse nos pacientes "a vontade de sobreviver em um mundo hostil".[64] Contudo, dentro de três anos a clínica fechou; a prefeitura e o governo estadual rejeitaram os pedidos de subvenção.[65]

O psiquiatra e filósofo Frantz Fanon, natural da Martinica, estabeleceu um objetivo similar: a psiquiatria devia ser exercida com "uma consciência brutal das realidades sociais e econômicas", escreveu.[66] No entanto, a maioria das análises de Fanon se concentrava em homens. Alguns "podem perguntar o que temos a dizer sobre a mulher de cor", reconheceu no livro *Pele negra, máscaras brancas*, publicado em 1961, que analisa como o racismo e o colonialismo afetam a psique masculina.[67] Fosse por escassez de estudos, fosse porque a literatura pertinente era prejudicada por estereótipos, ele dava uma resposta direta: "Não sei nada sobre ela".[68]

Pouco depois da internação, Naomi retomou o relacionamento com Nate, o namorado de Chicago. Ele foi com ela para Minnesota, e os dois tiveram mais um bebê, uma menina chamada Kaylah, mas esse retorno foi breve. Logo Naomi começou a namorar um músico, Khalid, que dizia admirar em Naomi o "modo colorido como ela descrevia o mundo". Khalid, birracial, fazia parte do Five Percent Nation, movimento revisionista que se desmembrara do Nation of Islam.[69] Fundado por um aluno de Malcolm X, o Five Percent Nation ensinava que os negros são as mães e os pais da civilização e que os homens negros são deuses. Naomi permitia que Khalid organizasse reuniões do Nation em seu apartamento e passou a estudar os ensinamentos, o que lhe abriu um mundo de possibilidades. Natalie se lembrou de que Naomi costumava falar: "Estamos dormindo, precisamos acordar. Nossa história não está nesses livros".

Toma, a irmã mais velha, criada em um ambiente socioeconômico diferente e formada na faculdade, não se identificou com essa postura. "Toda aquela história de homens brancos nos oprimindo não me incomodava", disse-me. "Fui criada ouvindo que ninguém nos impede de estudar a não ser nós mesmos. Mesmo que eu acredite, por exemplo, que não posso me tornar a CEO de uma empresa entre as quinhentas da lista da *Fortune* porque darão o cargo a um homem branco — o que pode ser verdade —, não devemos ficar amarrados nisso o dia inteiro, todos os dias."

Às vezes, Naomi olhava para Khalid e dizia: "Sou mais inteligente do que você". "Analisando hoje, talvez ela estivesse começando a adoecer", ele falou. "Mas na época o que parecia era 'Ela está sendo babaca'." Ele rompeu o relacionamento. Algumas semanas depois, Naomi descobriu que estava grávida de gêmeos. Foi ao clube onde Khalid estava se apresentando e mostrou a imagem do ultrassom. Ele prometeu que estaria presente no parto, porém não quis voltar a viver com ela. Naomi sentiu que nunca encontraria alguém que estivesse à altura do que chamava de "ética do amor" — disposição para se devotar ao outro sem limites.

A cesariana de Naomi foi agendada para maio de 2002. A sala de parto parecia metálica e industrial. Ela sentiu que não poderia dar à luz ali, e nem tão abruptamente. Era gelada. Alguém da equipe médica injetou substâncias químicas em sua mão, em suas costas. Khalid, que compareceu como prometera, notou que todos os médicos e enfermeiras eram brancos. "Estávamos no centro da Babilônia", ele disse.

A anestesia pareceu não fazer efeito total. "Sentia que puxavam, empurravam, moviam, cortavam e cutucavam minha carne e meus órgãos", Naomi relata em sua autobiografia. "Alguma coisa estava errada. Bile subiu pela minha garganta. Eu não tinha nada no estômago para pôr para fora, exceto o vazio."

Na doença mental muitas vezes a fronteira entre o eu e o outro parece erodir, mas na gravidez essa confusão adquire forma física. A filósofa Iris Marion Young fala da gravidez como "a mais extrema suspensão da distinção corporal entre interno e externo".[70] Referindo-se ao feto em crescimento, escreve: "Parece de certa forma uma bolha de gás, mas não é: é diferente, em outro lugar, pertence a outro, outro que no entanto é meu corpo".[71]

Naomi se perguntava se os gêmeos não teriam sido implantados em seu útero por alguma força externa sinistra. "Isso é antinatural", escreveu. "Bebês não deviam nascer assim, tão distante de qualquer coisa de humano." Quando Khalid segurou os gêmeos para Naomi vê-los, ela desviou o olhar. Lembrou-se da cadela de uma amiga que precisara ser anestesiada durante o trabalho de parto. Assim que acordou depois da cesariana, a cachorra parecia não entender por que aqueles filhotes estranhos estavam ali, farejando o corpo dela como se tivessem esse direito.

Khalid deu aos bebês os nomes Supreme e Sincere. Naomi entreouviu uma enfermeira perguntar a outra: "Você ouviu como vão se chamar?". Khalid me disse: "Tenho certeza de que os enfermeiros e os médicos não gostaram. Os nomes com os quais batizamos as crianças ergueram uma barreira. Nós os deixamos incomodados. Mal podiam esperar para irmos embora do hospital. Sentimos que não nos queriam lá."

NAOMI LEVOU OS BEBÊS para casa, que ficava no maior conjunto habitacional do governo em Saint Paul, o McDonough Homes,[72] onde mais de seiscentas pessoas viviam em sobrados de dois andares pintados em tons de bege próximo à rodovia. Quatro anos antes, em 1998, Khoua Her, uma jovem de 24 anos da etnia hmong que morava no McDonough, matara os seis filhos no apartamento.[73] "Não sei por quê. Não sei por quê", dissera à polícia.[74] "Não consigo descobrir." Naomi viu a notícia pela televisão com a mãe e a irmã. "Nunca me esqueço, eu me levantei e falei 'Vagabunda estúpida'", Natalie contou. "Ao mencionarem a possibilidade de aquela mãe ser doente mental e coisas do gênero, disse: 'Qual é? Ela estava era cansada daquele monte de criança. Podia pelo menos tê-las deixado na porta de alguém'."

Quando tentei contatar Naomi pela primeira vez, em parte foi porque estranhei a impressionante convergência de duas mulheres que moravam no mesmo conjunto habitacional e, com a mesma idade, haviam cometido um ato igualmente impensável. Isso me lembrava o desenho que Karthik fizera da casa da mãe, mapeando os acontecimentos históricos que assombravam a propriedade.

Entre os moradores do McDonough Homes havia muitas pessoas de cor,[75] em especial refugiados sul-asiáticos que haviam sido realocados para Saint Paul,[76] uma das cidades mais segregadas do país.[77] Um grande grupo de estudo constatou maior incidência de psicose em comunidades com menor "densidade étnica" — proporção de pessoas do mesmo grupo étnico.[78] Entre pessoas de cor, o risco de psicose aumenta em razão direta à parcela de brancos na comunidade.[79] É maior a probabilidade de se sentirem excluídas e sozinhas e de serem alvos de discriminação. Naomi se enfurecia com o que chamava de "gentileza de Minnesota" — o tom cortês, mas passivo-agressivo, e até secretamente temeroso, que ela sentia que sua presença inspirava.

Naomi falou sobre a sensação de levar os gêmeos para casa: "Senti que precisava sair daquele lugar. Não sentia confiança nele".

Os parentes começaram a se revezar no apartamento de Naomi porque viram que ela estava perturbada demais para cuidar dos filhos. Ela ouvia, sem parar, o álbum *Spiritual Minded*, do rapper KRS-One. A capa trazia a imagem de KRS-One em uma cela minúscula, com uma mão em cada parede. "E se Malcolm X voltasse?", ele cantava. "Ou se o dr. King voltasse: me diga, o que aprendemos?" Naomi ficava completamente hipnotizada pela música e não comia; só bebia suco de laranja. "Era como se alguém me batesse com um martelo e abrisse minha mente para coisas às quais eu não tinha acesso", contou. "Poderia chamar aquilo de momento de clareza, mas psicologicamente era muito mais violento do que isso."

Naomi tinha a sensação de haver adquirido um novo tipo de alfabetização, a capacidade de extrair significado simbólico de tudo o que lia ou ouvia. Esforçava-se para traduzir em palavras suas revelações, exceto a de que era responsável pelo destino do mundo. Acreditava que com sua música poderia curar o racismo. "Naomi, você é uma só", Florida disse a ela. Mas a filha replicou: "Ora, a gente precisa começar de algum lugar".

Algumas semanas depois do nascimento dos gêmeos, a prima de Florida que ajudava a cuidar das crianças adormeceu no sofá. Acordou abruptamente de um pesadelo. "Eles estão aqui, os demônios", disse a Florida. "Eles estão aqui. Precisamos orar em cada canto da casa." Elas rezaram por Naomi, mas seu comportamento não mudou.

Um mês depois de dar à luz, Naomi levou os gêmeos para fora, sentou em uma poça e não quis se levantar. Florida ligou para o resgate e pediu socorro. Durante o telefonema, ouvia-se Naomi gritar ao fundo: "Não, mamãe, não, mamãe. Eles vão levar meus bebês!". Uma das primas procurou tranquilizá-la: "Eu mato quem quiser levar seus bebês". Entreouvindo esse comentário e interpretando aquelas palavras como uma ameaça, a equipe de resgate levou dois guardas do Departamento de Polícia de Saint Paul. Quando chegaram, Naomi estava na cama, o rosto parcialmente escondido por cobertores. Perguntaram como era ter quatro filhos e ela respondeu: "É o fedor da injustiça".

Florida persuadiu Naomi a entrar na ambulância, e ela foi levada para o Abbott Northwestern Hospital, em Minneapolis. De início se recusou a falar. Depois começou a gritar e balançar o corpo. "Por que vocês me odeiam?", perguntou a uma assistente social. Foi amarrada à cama pelos tornozelos e pulsos para que pudessem ministrar um sedativo. "Os enfermeiros me rodearam e espetaram uma agulha na minha nádega — eu estava apavorada", Naomi contou. Sentia que estava sendo punida por um crime, mas não sabia qual.

Cinco dias mais tarde teve alta com prescrição de um antipsicótico, Zyprexa, e o diagnóstico de "possível início de sintomas bipolares". Explicaram que o transtorno bipolar era causado por desequilíbrio na química cerebral. Com a medicação, registrou um psiquiatra, Naomi "tornou-se muito menos ressabiada e (segundo a mãe), de modo geral, menos desconfiada dos caucasianos". Mas Naomi não tomou o remédio. Khalid, que às vezes ia visitar Naomi e os gêmeos, comentou com ela que via com ceticismo quaisquer respostas que os psiquiatras pudessem dar. Ele passara períodos da infância em lares adotivos e centros de detenção juvenil: "Éramos um bando de jovens periféricos, e estávamos sendo tratados e castigados por um bando de psiquiatras de bairros ricos que não viam o que nós vemos. Tudo girava em torno daqueles rótulos de problema, tipo 'vamos examinar esse seu problema com autoridades' — e esse rótulo é a única coisa em que vão se concentrar o tempo todo, em vez de ir um pouco mais fundo e descobrir quem é o indivíduo que está diante deles".

Duas semanas depois da alta, Naomi não conseguia parar de chorar. Quando Florida voltou com ela ao hospital, Naomi tirou toda a roupa e desembestou pelos corredores da ala psiquiátrica. Estava aterrorizada, achando que fosse ser detida. "Sentia que precisava tirar a roupa para mostrar a eles: não tenho armas", Naomi falou. "Não tenho nada que possa ser uma ameaça para vocês. Por que têm tanto medo de uma insignificante como eu?" Tempos depois assistiu a um documentário sobre a ativista queniana Wangarĩ Muta Maathai, que liderou uma manifestação na qual mães se despiram em protesto contra o encarceramento injusto dos filhos.[80] Naomi se identificou com aquelas mães e interpretou o impulso de expor o corpo nu sob uma nova luz: "É como se disséssemos: 'Vejam, não temos nada. Não temos nada. Vocês tiraram tudo de nós'".

Dessa vez Naomi foi diagnosticada com "psicose sem outra especificação", embora tivesse apresentado sinais claros de psicose pós-parto, doença que afeta uma em cada mil mães. Quatro dias depois ela saiu do hospital, porque o seguro não cobria uma internação mais demorada. Seu tratamento era dominado pelos princípios do plano de saúde: a mesma filosofia que levara à derrocada do Chestnut Lodge. Na etnografia de uma unidade de emergência psiquiátrica, a antropóloga Lorna Rhodes descreve como o trabalho hospitalar é reformulado pelos ditames dos seguros: diagnosticar os pacientes, prescrever medicação e dar alta dentro de poucos dias. Rhodes observa que a equipe médica raramente "faz especulações diretas quanto às causas econômicas ou políticas dos problemas dos pacientes. Conseguem ignorar o contexto social mais amplo".[81] Seu trabalho "pode ser descrito em termos de uma expectativa implícita: eles precisam produzir leitos vazios", escreveu.[82] Rhodes caracterizou a unidade de emergência psiquiátrica — onde, ao contrário de grande parte da psiquiatria, são tratadas pessoas de todas as origens étnicas e econômicas — como "o 'inconsciente' da psiquiatria".[83]

Um mês depois de ter alta, Naomi saiu do apartamento com todos os filhos no meio da noite. Um policial a parou e indagou o que estava fazendo. Sem ligar para a presença do agente da lei, ela "cantava em um tom muito agudo", relatou um guarda. Foi novamente levada para o hospital. Dessa vez a diagnosticaram como bipolar, e a alta veio após uma semana. "Ela sempre tem recaídas, em ciclos", registrou um médico. "A paciente não tem insight da sua doença."

No Chestnut Lodge o insight psicanalítico muitas vezes era alcançado trazendo à tona a história do paciente: o terapeuta descobria o conflito ou fantasia inconsciente em torno do qual a vida do indivíduo sempre girara secretamente.[84] A visão bioquímica do sofrimento pode funcionar como um choque similar, impelindo a pessoa a abrir mão de uma interpretação do mundo que a joga na desesperança. No entanto, nem sempre é curativo ou produtivo impingir uma nova estrutura explicativa na vida de alguém. Isso pode trazer a sensação de desapreço, ser um golpe em sua identidade e visão de mundo. "Onde está o lado sensível da psiquiatria?", Naomi questionou. "Eles não entenderam. A falta de conhecimento dos médicos sobre quem sou e de onde venho me afastou cada vez mais." Ela disse que não aceitava ser doente mental "porque sentia que me mostravam coisas que estiveram escondidas de mim durante toda a minha vida sobre minha realidade como mulher negra criando filhos nos Estados Unidos".

Segundo Helena Hansen, psiquiatra e antropóloga da Universidade da Califórnia em Los Angeles, pacientes negros tendem a ser menos responsivos à ideia de que "sua biologia é deficiente e você pode consertá-la com conhecimentos científicos" — arranjo concebido em parte para reduzir o estigma. "Na visão de pacientes brancos e ricos, podemos cuidar do sentimento de culpa moral com uma explicação biológica", disse. Muitas dessas famílias se sentem libertas graças à ideia de que uma doença não é culpa de ninguém. "Mas, para pacientes negros, pardos e pobres, essa mesma explicação biológica é usada para desviar a culpa das forças sociais que os levaram aonde estão. Porque *existe* culpa moral: a culpa de desamparar as comunidades fazendo coisas como cortar o investimento em habitação a preços acessíveis ou direitos trabalhistas." Hansen afirmou que seus pacientes acham terapêutico e alentador o fato de ela reconhecer as estruturas sociais que contribuem para seu estado emocional.

Naomi também tentou levar seus médicos a reconhecer a realidade dessas forças sociais, mas ao dizer que "brancos querem me pegar", esse sentimento era descrito nos prontuários como uma de suas "afirmações disparatadas". Quando ela cantou "libertem meu povo", um médico só observou que a paciente "cantava tão alto quanto podia" e reconheceu que ela "reduziu o volume assim que os enfermeiros pediram".

Oito meses depois de ser parada pela polícia — e quatro meses antes de pular da Wabasha Street Bridge com os gêmeos —, Naomi estava mais uma vez no pronto-socorro, com as mesmas queixas. "Ela diz que pode mudar o modo de pensar das pessoas, transformar crenças tradicionais em crenças melhores", relatou um psiquiatra. "Quer converter as pessoas para que não sejam racistas e aceitem seu povo."

Depois de ser resgatada do rio Mississippi, Naomi levou várias semanas para entender a gravidade do que fizera. Passou três dias se recuperando da queda antes de ser enviada para a Penitenciária do Condado de Ramsey, que tem vista para o mesmo rio. Foi posta em uma cela da qual se avistava a ponte. Interpretou o número da cela, 316, como um sinal de que ela era Deus. O versículo 3,16 do Evangelho de João no Novo Testamento diz: "Pois Deus amou tanto o mundo que entregou seu Filho único".

Pediu um lápis a um guarda e escreveu uma carta: "A quem possa interessar. Se olhássemos nossas comunidades como uma árvore, onde estaria a 'raiz', ou melhor, quem seria a 'raiz'? As mães seriam o princípio". E prosseguiu: "Mas a superfície não se sustenta, não pode ser forte e resistir se o 'alicerce' está danificado".

Alguns dias depois despiu-se e desembestou pelos corredores da penitenciária. Queria que as pessoas "vissem minhas cicatrizes", disse a um médico. "A dor da maternidade." Uma assistente social relatou que Naomi "vacilava entre a catatonia total e o grito primal. Seu comportamento parecia encarnar o princípio que Karl Jasper aplicou às pessoas que haviam resvalado para fora da esfera da compreensão humana — a "doutrina do abismo".

Depois de um mês, Naomi foi transferida para o Minnesota Security Hospital, o maior instituto psiquiátrico do estado, onde ficou detida por medida de segurança como "doente mental e perigosa". Um médico registrou: "Seu insight é inexistente". Um juiz ordenou que ela fosse medicada à força.

Naomi tomou o antipsicótico Geodon, junto com o estabilizador de humor Depakote. Algumas semanas depois, comentou com a mãe ao telefone: "Ao tomar esses remédios, perco o medo de que as pessoas estejam se intrometendo na minha vida para poderem me prejudicar". Os remédios lhe davam clareza sobre a razão de estar no hospital. Passava dias chorando na cama. Quando uma enfermeira perguntou como se sentia, ela respondeu, aos prantos: "Não sei quanto você é espiritualizada, mas espero que meu bebê não me odeie". E declarou: "Esta pessoa que está aqui hoje nunca faria mal aos filhos".

NAOMI FOI ACUSADA de homicídio de segundo grau. Quis se declarar inocente por motivo de insanidade, mas o defensor público disse que depois de examinar vinte anos de processos judiciais no condado de Ramsei, que circunda Saint Paul, não encontrou um só caso em que um júri tivesse aceitado esse tipo de alegação. Alertou Naomi de que, a menos que ela pensasse que os bebês eram sacos de batata, era improvável um júri concluir que se encaixava nos requisitos legais. Assim como mais da metade dos estados estadunidenses, Minnesota determina se um réu se qualifica ou não nos parâmetros de insanidade a partir da Regra M'Naghten, critério estabelecido no Reino Unido, em 1843, que requer que "o acusado estivesse agindo sob tal falha da razão, por doença mental, que desconhecia a natureza e a qualidade do ato que cometia, ou, se conhecesse, que não soubesse que o que fazia era errado".[85]

Um dos primeiros usos da Regra M'Naghten nos Estados Unidos foi em 1846, no caso de William Freeman, um homem de Nova York de ascendência negra e indígena que estivera preso por cinco anos depois de ter sido falsamente acusado de roubar o cavalo de um homem branco. Na prisão, um guarda bateu com uma tábua em sua cabeça, e ele sofreu uma lesão cerebral que alterou sua personalidade e destruiu seu juízo. Tornou-se obcecado pela injustiça de seu encarceramento. "A reparação era uma ideia fixa", relatou um médico.[86] Pouco depois de ser libertado, matou uma família de brancos por motivos que nunca soube explicar. Foi condenado à forca.

"Você foi julgado por matar... compreende isso?", perguntou o juiz.[87]

"Não sei", Freeman respondeu.

"Agora vamos proferir sua sentença: o júri disse que você os matou. Entende o que estou dizendo?"

"Não sei", Freeman falou.

"Ouviu o que eu disse? Entende o que quero dizer? Você foi julgado por matá-los; compreende isso? Reconhece isso? O júri diz que você é culpado; que você os matou. Está me entendendo?"

"Não sei", Freeman disse.

"Você sabe quem é o júri? São aqueles homens sentados ali. Eles dizem que você realmente os matou, e agora o condenaremos à forca. Está me entendendo?"

"Sim."

"Tem algo a dizer contra? Algo a respeito disso?"

"Não sei."

O advogado de defesa de Freeman, William Seward, que mais tarde seria secretário de Estado de Abraham Lincoln, disse ao juiz que estava "sem palavras de tão chocado com a cena que presencio aqui, ao julgarem um louco como um malfeitor".[88] O estado admite "em abstrato que a insanidade desculpa o crime", mas "insistem em regras para a regulação da insanidade às quais essa doença nunca pode se amoldar".[89] Enquanto os advogados de Freeman recorriam da sentença, ele morreu na prisão. Seu cérebro foi removido do crânio. "Nunca vi evidência maior nem mais forte de doença crônica cerebral e de suas membranas", registrou um médico-legista.[90]

O conhecimento do cérebro evoluiu, mas a definição legal de insanidade não. Depois da avaliação de Naomi no Minnesota Security Hospital, dois médicos concluíram que ela não se enquadrava nos requisitos para uma defesa baseada na Regra M'Naghten. Salientaram que seus delírios vinham de observações sagazes sobre a sociedade na qual vivia. Naomi disse aos médicos: "Quando os autores da Constituição foram assinar o documento, chamaram um negro: 'Ei, crioulo, arranje uma caneta'".[91] Ela falou que, naquele dia na ponte, sentiu-se apavorada ao pensar nos filhos, pois sabia que "a vida deles seria cheia de inferioridade, indiferença e zombaria". Explicou: "Não queria que eles morressem. Só queria que vivessem melhor".

Também disse sentir que o mundo estava acabando, que todos os que ela amava já tinham sido mortos e que ela havia "caído em outra dimensão", mas ao que parece os avaliadores se deixaram distrair pela verdade de suas percepções sociológicas. Delírios não são tecidos a partir de pura fantasia. Seria impossível dissociar o desejo que Bapu tinha de desposar Krishna de sua consternação com o modo como as esposas eram tratadas nas famílias indianas tradicionais, ou a obsessão de Ray por justificar o fracasso de sua vida e carreira, sua perda de prestígio, de sua expectativa de que homens brancos instruídos não deviam ter de lidar com um destino assim.

A psicose de Naomi também tinha alicerce na realidade, mas pelo visto seus médicos achavam que delírios não podiam fazer sentido em nenhum nível. Concluíram que seu crime não era "baseado em delírio ou distorção psicótica" porque era "significativo dentro de seu sistema de crença religioso e filosófico, e sugere uma jovem em meio a uma crise emocional e espiritual". Pular da ponte fora "uma escolha para desafiar a sociedade percebida por ela como 'opressiva e injusta'", escreveram. Até Naomi cometer o crime, os psiquiatras não pareceram dispostos a lidar com os comentários dela a respeito de raça, exceto como uma patologia "disparatada". Esses médicos reconheceram a validade dos insights de Naomi sobre a sociedade — pela primeira vez, essa perspectiva foi validada em nível institucional —, mas só para usá-los contra ela, como evidência de que merecia ser punida.

Naomi e a família queriam ir a julgamento e argumentar que ela não havia realmente entendido o que estava fazendo na ponte. "A verdade devia ser apresentada", disse sua irmã Natalie. Mas, quando a promotoria ofereceu a Naomi um acordo — a confissão de culpa em troca de uma sentença de dezoito anos, catorze na prisão e quatro em liberdade condicional —, o advogado a incentivou a aceitar.

Naomi concordou porque não queria correr o risco de ficar separada dos filhos pelo restante da vida. "Eu tinha que pagar minha dívida", disse. O pai dos gêmeos, Khalid, também achava que ela devia ser punida. "A gravidade da situação merecia que ela fosse responsabilizada", declarou. "E talvez não só ela. O condado e o estado não precisam ser responsabilizados? Negligenciaram os problemas dela? Precisavam ter prestado mais atenção?"

Na audiência em que a sentença foi dada, o procurador perguntou a Naomi se ela sabia que seus filhos morreriam se ela os jogasse no rio. Ela hesitou e então respondeu serenamente: "Sim".

"Você sabe que isso não é verdade", Natalie disse. Ela se levantou e saiu do tribunal.

NAOMI FOI MANDADA para a Shakopee Correctional Facility, a única penitenciária feminina em Minnesota, a quarenta quilômetros de Saint Paul. Quando chegou, uma psicóloga a descreveu como "hesitante, quieta"; "teme não sobreviver na prisão e sente que não devia estar aqui".[92] Naomi acreditava que um hospital fosse "o único lugar onde poderia ter aquilo de que precisava", a psicóloga acrescentou. Sua prisão por medida de segurança como "doente mental e perigosa" ainda vigorava, e depois de cumprir a sentença criminal ainda teria de provar que estava mentalmente sã para se reintegrar à sociedade. Contudo, primeiro seria punida.

Minnesota já foi líder na reforma da assistência à saúde mental. No fim dos anos 1940, o governador, Luther Youngdahl, visitou os manicômios estaduais e viu homens e mulheres algemados a bancos e cadeiras em instalações imundas e superlotadas.[93] Em média, um quarto daquelas pessoas estava confinado em manicômios públicos por três décadas.[94] O Estado era culpado de *particeps criminis*, ele disse.[95] "Todos participamos de um crime social contra essas pessoas doentes." Em 1949 Youngdahl empenhou-se para aprovar uma nova lei de saúde mental que permitiria a mais pacientes serem dispensados e tratados em suas próprias comunidades. No Halloween ele foi a um manicômio no norte de Minneapolis e acendeu uma fogueira com 359 camisas de força. "As raízes da demonologia são profundas", declarou.[96] "Queimamos uma evidência disso esta noite. Precisamos estar atentos para que não se insinue por outras formas." No ano seguinte, em uma convenção da American Psychiatric Association, Youngdahl afirmou: "Não existe paciente rico ou pobre [...]. Não existe paciente negro ou branco. Só existe um tipo de paciente: o doente".[97]

Sua postura ajudou a universalizar a doença mental, porém também reflete uma falta de curiosidade acerca de como raça e economia moldam experiências. Em 1963 John F. Kennedy aprovou o Community Mental Health Act [Lei de saúde mental da comunidade], destinado a substituir a "fria misericórdia do isolamento custodiado"[98] por uma rede de centros e lares temporários voltados à saúde comportamental — mudança que a psicofarmacologia ajudara a possibilitar. Mas os centros, que recebiam pouca subvenção, acabavam por atender apenas os pacientes mais fáceis, com poucas necessidades sociais e financeiras. Donald G. Langsley, presidente da American Psychiatric Association no começo dos anos 1980, lastimou que as clínicas ofereciam aconselhamento apenas para "problemas previsíveis da vida".[99] Um relatório de 1978 da Comissão de Saúde Mental no mandato do presidente Jimmy Carter concluiu que poucos daqueles centros atendiam pessoas com esquizofrenia. Em vez disso, tratavam as que eram "socialmente desajustadas" ou que não tinham nenhum transtorno mental.[100]

Pessoas vulneráveis tiveram alta dos manicômios e voltaram às suas comunidades, mas foram poucas as tentativas de reintegrá-las. O psiquiatra E. Fuller Torrey escreveu: "O mais abrangente programa de assistência médica dos Estados Unidos no século XX não teve plano mestre, nem coordenação, mecanismo corretivo ou autoridade".[101] Em vez de passarem os dias no hospital, os pacientes acabaram em outras formas de confinamento: abrigos para pessoas em situação de rua, alojamentos de grupos, prisões. E então, nos anos 1980 e 1990, tentando parecer durões com o crime, políticos aprovaram uma legislação que penalizava mais tipos de comportamento. Pessoas que antes teriam sido internadas em manicômios acabaram atrás das grades porque tinham dificuldade de se adaptar a normas sociais ou de se defender quando acusadas. Segundo um estudo do Departamento de Justiça dos Estados Unidos, mais de dois terços das mulheres detidas em cadeias e prisões têm histórico de doença mental.[102] Nas quatro décadas passadas, o número de mulheres presas em Minnesota aumentou mais de mil por cento.[103]

Shakopee era chamada de "prisão café com leite" por alguns que trabalhavam lá. Tinha corredores acarpetados, cadeiras estofadas e uma área de refeição ao ar livre com um jardim. Até 2016 não havia cerca nem muro delimitando seu perímetro — apenas uma sebe na altura dos joelhos. "A liberdade é o teste de uma instituição penal",[104] declarou em 1915 Isabel Higbee Hall, que ajudou a fundar o local.[105] Naomi achava que não havia necessidade de se preocupar com a fuga das mulheres. "Saberiam onde nos procurar. A primeira coisa a fazer era encontrar nossos filhos", disse.

Seu menino mais novo, Supreme, o gêmeo que sobrevivera, morava com Khalid, mas também passava algum tempo com Natalie, a irmã de Naomi que cuidava de seus dois filhos mais velhos. Natalie abrira mão da oportunidade de estudar no Spelman College, a mais antiga faculdade de artes liberais para mulheres negras, para permanecer em Minnesota e criar os filhos da irmã. "Tinha minha raiva", contou-me. "Às vezes não queria falar com ela. Mas mantive as crianças juntas; para mim, era o que importava."

Supreme ansiava por acompanhar os irmãos nas visitas a Naomi na prisão, mas não era autorizado porque o Departamento de Correções proíbe criminosos de ter contato com suas vítimas. A única lembrança que Supreme guardava da mãe era que usava dreadlocks. Ele me contou que quando os irmãos voltavam das visitas "perguntava: 'Como ela é? E a personalidade dela?'". Sua irmã mais velha, Kaylah, me disse: "Eu podia contar coisas a ele: o cheiro dela, como ela agia". E acrescentou: "Sentia que ele era apegado a mim porque eu me parecia com ela".

NAOMI ACHARA QUE NA PRISÃO fosse fazer amizade com outras mães de cor — cerca de 16% das mulheres em Shakopee são negras,[106] mais que o dobro da porcentagem de habitantes negros do estado. No entanto, comentou, "elas me evitavam totalmente. Ao me olhar, pareciam pensar: 'Como ousou surtar e fazer isso com os filhos?'". Achava que os funcionários do presídio pensavam da mesma forma. Em um bilhete para um deles, registrou: "Quando você falou comigo, me senti como uma formiguinha que acabou de ser pisada, mas não morreu". Começou a fazer um diário: "Querido Papel, eu me sinto obsoleta".[107] E prosseguiu: "Preciso de ajuda, mas não daquela que as sessões de terapia áridas e críticas com doutores podem dar".

Já fazia alguns meses que estava presa quando conheceu Khoua Her, a mulher da etnia hmong que morara na mesma rua que ela no McDonough Homes. Khoua, que fora condenada a cinquenta anos na prisão, agora vivia em uma unidade educacional, um pequeno bloco para pessoas com comportamento exemplar. Naomi falou: "Ela se aproximou de mim e disse: 'Oi, não sei se você me conhece, mas se precisar de alguém para conversar, estou aqui. Sei o que está passando. Eu compreendo'".

Khoua vivera boa parte da infância em um campo de refugiados na Tailândia e relatou que aos doze anos fora estuprada pelo homem que depois veio a ser seu marido. "Eu pensava que minha experiência fosse ruim da perspectiva do patriarcado, mas em comparação com aquilo se tornava insignificante", Naomi disse. "Quando ela me contou sua história, foi como um despertar espiritual." Ambas tinham sido jovens mães arrasadas pela ideia de os filhos crescerem em uma sociedade que não considerava seu potencial. "E pensar que um dia eu a julguei."

Em um ensaio em quatro partes publicado no *Hmong Times* em 2000, Khoua relata que, no auge da depressão, quando "os fardos do mundo eram pesados e esmagadores",[108] a fronteira entre o próprio sofrimento e o de seus filhos se dissolveu. "Quanto mais eu sentia a dor deles, mais fraca me tornava", escreveu.[109] "Eu me lembrava de quando era pequena e sofria como eles." Ela exorta os leitores: "Por favor, ouçam seu íntimo e façam perguntas do tipo: 'Como consigo ajuda para resolver meus problemas?'. Ninguém saberá deles se você não falar claramente".[110]

Na comunidade hmong alguns acreditam que depois da morte a alma retorna em um formato diferente e que um indivíduo tem muitas almas, sendo uma delas residente do corpo físico.[111] Naomi se sentiu atraída por esse pensamento. "Comecei a pensar que Khoua e eu talvez fôssemos parte de algo que estava fora da nossa compreensão", me disse. Um jornal local mencionara a "preocupação de habitantes da comunidade hmong de que os espíritos das seis crianças permaneciam na casa".[112]

Naomi assistiu na prisão ao filme *Bem-Amada* e começou a pensar mais sobre o papel de fantasmas em sua história pessoal. Baseado no romance de Toni Morrison, a protagonista, uma escrava, foge de seu senhor e, quando ela e sua família estavam prestes a ser capturadas, mata uma das filhas para impedir que ela crescesse sob domínio. Anos depois, a filha morta volta para a casa da mãe como um fantasma, o que a família acaba considerando parte da ordem da vida. "Não tem uma casa no país que não esteja recheada até o teto com a tristeza de algum negro morto.",[113] explica a avó da bebê morta.

Florida também ficou abalada com o filme. "Vi que a mãe pensava estar protegendo a filha", disse. "Como Naomi." Naomi queria conversar com a mãe sobre como o trauma é transmitido entre as gerações, mas também sentia vergonha porque Florida talvez pensasse que ela estava arrumando desculpas. Uma ocasião, quando se queixou da injustiça de seu processo legal, a mãe a lembrou de que, após a prisão, ela teria uma vida. Seu filho não. "Nunca me esquecerei da dor em sua voz ao dizer isso", Naomi me contou.

Naomi escreveu uma carta ao filho morto, Sincere. "Perdoe-me. Pensei que estava fazendo o certo [...]. Tudo o que aprendi se misturou na minha cabeça como um angu psicológico." Ela pediu perdão por todos os acontecimentos que o fizera perder. "Voltaremos a nos encontrar", prometeu. "Sinto quando você está perto. Os laços entre mãe e filho são os mais fortes que existem."

NAOMI PASSOU O MÁXIMO POSSÍVEL de tempo na biblioteca da prisão, um dos poucos lugares onde era socialmente aceitável discutir ideias. A bibliotecária, Andrea Smith, me contou: "Desde o início, Naomi identificou a si mesma como uma pessoa curiosa, e acho que sentia alguma afinidade comigo. Ela vinha à biblioteca para debater ideias sobre espiritualidade e filosofia, sobre como viver no mundo, sobre como ser vista e como ver os outros".

Naomi lia dois ou três livros por semana. Criava seus próprios marcadores de página. "Eram muito coloridos, personalizados e grandes", Smith contou. "Dava para ver salpicos de glitter." Na cela, guardava uma coleção de pedaços de papel cor-de-rosa, normalmente usados em solicitações de assistência médica, onde anotava o título dos livros que pretendia pegar na biblioteca: *All God's Children* [Todos filhos de Deus], de Fox Butterfield; *The Resurrection of Nat Turner* [A ressurreição de Nat Turner], de Sharon Ewell Foster; *A gente é da hora: Homens negros e masculinidade*, de bell hooks; e *The Silent Cry: Mysticism and Resistance* [O grito silencioso: Misticismo e resistência], de Dorothee Soelle.

Smith deu a Naomi o trabalho de escriturária da biblioteca, um dos mais desejáveis na prisão. (Outras mulheres eram alocadas para costurar roupas para policiais estaduais ou fabricar brinquedos de borracha para cães, por exemplo.) Na lousa atrás de sua mesa, Naomi copiava citações de suas leituras. Deixou ali por bastante tempo a frase: "Prisões não fazem desaparecer problemas, fazem desaparecer seres humanos". Outra detenta disse a ela: "Você não lê para si mesma — lê para outras pessoas". Naomi respondeu: "Amei esse comentário. Nem todos são apaixonados por livros, mas tenho certeza de que consigo disseminar as informações para quem estiver ouvindo".

Naomi sempre achara que sofrer de depressão fosse incompatível com ser uma mulher negra, mas na leitura (e também na música) descobria vidas com as quais se identificava. "Pensava: 'Meu Deus, existe um grupo de pessoas em algum lugar que compreende minha perspectiva'", contou. "Eu respirava o mesmo ar que elas. Era uma forma de irmandade invisível."

Smith comentou que não era raro mulheres negras ou indígenas irem à biblioteca da prisão, lerem sobre sua história e descobrirem o modo como ela as moldara. "A ficha delas caía", disse. Para Naomi, porém, "essas ideias já marcavam presença na mente: a noção de que ela provinha de uma história de escravização, de uma família cujas raízes não eram reconhecidas e havia uma razão por que sua família era desfeita e separada". Smith contou que Naomi com frequência se referia a pessoas "não apenas como indivíduos, mas como peões de um jogo maior". Quando mulheres negras eram detidas com sentenças mais longas que as de mulheres brancas que haviam cometido crimes iguais, "Naomi fazia comentários sobre a orquestra tocando diante de nós".

Smith e Naomi tinham longas conversas sobre como "a dor precisa ir para algum lugar — não pode desaparecer", Smith contou. "Ela não se dissipa simplesmente. Nós a transmitimos."

Naomi queria recriar a experiência da irmandade para outros leitores que se sentiam sozinhos. Começou a escrever uma distopia em que o hip-hop era ilegal. Depois iniciou uma autobiografia na qual tentava transmitir a experiência de carregar o trauma de sua mãe. "Sobrevivi aos aspectos mais sombrios de mim mesma", escreveu. "O que fiz e onde estive não é o que sou."

PESQUISANDO PARA ESCREVER sua autobiografia, Naomi entrevistou Florida. Sempre tivera receio de fazer perguntas sobre o passado da mãe, mas agora, disse, "Eu tinha a desculpa perfeita". Naomi soube que a mãe de Florida, Velma, tivera um colapso nervoso. "Sua doença mental era um segredo vergonhoso em minha família que ninguém queria encarar", Naomi comentou.

Velma bebia muito e ficava ausente de casa por dias seguidos, deixando Florida e os seis irmãos sozinhos. Moravam no Ida B. Wells Homes — conjunto habitacional do governo construído exclusivamente para moradores negros.[114] Os sete filhos de Velma viviam tão famintos que comiam aveia direto da caixa. Quando Florida tinha dois anos, policiais foram ao apartamento depois de alguém ter denunciado que as crianças lá dentro estavam chorando. De início, as irmãs mais velhas não quiseram deixar que os policiais entrassem. Então eles voltaram da padaria trazendo donuts. Elas cederam e abriram a porta.

Florida nunca mais viu sua casa. Uma assistente social a deixou na entrada da casa da sra. Jackson e disse que ali seria seu novo lar. Seus seis irmãos foram levados para diferentes lares adotivos espalhados por Chicago. "Eu tinha medo até de me mexer", Florida contou. Por dois anos, deixou de falar.

Na escola, foi posta em uma turma para alunos que se tornariam operários ou criadas, disse a professora. Ela olhava pela janela ou deitava a cabeça na carteira e dormia. "Não aprendia nada — só estava traumatizada", explicou. "Mas não sabia por que me sentia assim — nem sequer me lembrava de que tinha irmãs e irmãos. A sra. Jackson precisou me contar tudo isso." A sra. Jackson tinha uma filha biológica um ano mais nova do que Florida, e a menina era uma aluna excelente. Florida comentou: "Eu me consolava repetindo: não dá para esperar que ela trate a filha de outra pessoa como se fosse sua. Eu a perdoo, eu a perdoo". No primeiro ano do ensino médio, entrou pela porta da frente da escola e saiu pela dos fundos. Nunca mais voltou.

Florida, mulher tenaz de espírito atilado e voz rouca, conversou informalmente comigo sobre fome, pobreza e maus-tratos em casa. Mas, quando recordou sua educação, começou a chorar. "Tenho sessenta anos e ainda não sei matemática básica", confessou. Periodicamente comprava livros de leitura elementar, mas nunca avançou além do nível da quinta série. "Dói o coração criar os filhos e não ser capaz de ler para eles", desabafou. "Talvez os professores simplesmente tivessem desistido e dito: 'Vejam, não podemos ensiná-la', mas sei lá — parece que nem tentaram."

Por fim, ela teve aulas pelo Job Corps, programa governamental de educação de jovens e adultos, e só então criou coragem para fazer uma pergunta que queria fazer havia anos: quando multiplicamos dois números, por exemplo, dezenove vezes dois, e precisamos subir o um, onde pomos esse um? "Ponha o um em qualquer lugar acima", a professora respondeu. Florida começou a chorar. "Foi incrível — incrível — ouvir alguém me dar a informação", ela disse.

Depois de engravidar de Toma, Florida decidiu procurar sua família. Não tinha contato com eles fazia mais de uma década. "Entrei no trem e fui para a parte norte de Chicago onde me disseram que minhas irmãs moravam", Florida contou. "Bati em portas. Perguntei a pessoas na rua: conhece minha irmã?"

Acabou por encontrar todas elas, inclusive, surpreendentemente, uma que sempre morara a dois quarteirões da sua casa. "Nenhuma de nós compreendia como puderam fazer o que fizeram — levar embora todas aquelas crianças", Florida falou. Também se reuniu com sua mãe, que não via fazia catorze anos. Mas o choque e a humilhação de perder sete filhos pareciam ter exacerbado o mal de Velma — experiência que Florida veio a entender alguns anos depois, quando sua primogênita, Toma, também foi levada. "Quem pensa que não é uma mãe boa o bastante se comporta de modo diferente", comentou.

Todo ano no Quatro de Julho, aniversário da morte do filho, Naomi desmoronava. Procurava se distrair lendo, mas se visse o número onze — o total de sete mais quatro, a data do crime — ou as palavras "caindo" ou "liberdade", ficava paralisada. Parava de comer. Não queria sair do quarto.

Designaram uma terapeuta para Naomi na prisão, Karley Jorgensen, mulher miúda que crescera em uma cidadezinha de Minnesota. Receava que Naomi pensasse: "Lá vem a mocinha branca que não tem experiências como as minhas". Só havia uma terapeuta negra na prisão. Não havia terapeutas indígenas, sendo que indígenas compunham quase um quarto da população ali detida. Jorgensen notou que as mulheres de cor tinham menor probabilidade do que as brancas de contar com assistência médica em saúde mental antes da prisão e, depois de encarceradas, era maior a probabilidade de que suas dificuldades fossem consideradas atos de afronta em vez de sinais de doença.

Quase todas as pacientes de Jorgensen tinham experiências traumáticas: abuso físico ou sexual, incesto, violência doméstica, estupro, abandono. Arthur Blank, um dos primeiros psiquiatras a reconhecer as dificuldades de veteranos da guerra do Vietnã, caracterizou o trauma como uma experiência em que a pessoa não tem "capacidade para integrar, digerir, narrar [...] um corpo estranho na psique".[115] Mas a incapacidade de assimilar o trauma, alertou, também pode afetar o terapeuta. "Como médico, vi muita negação baseada na incapacidade de suportar o fardo de tratar", comentou em uma entrevista. "Muitos, muitos terapeutas conversaram comigo sobre isso: 'Não sei o que fazer; como tratar essas pessoas? Devo tentar, mesmo sem saber como?'." A incapacidade de entrar em sintonia pode ser especialmente aguda quando um médico branco está diante de um paciente negro cujas experiências lhe são estranhas. No livro *Black Rage* [Fúria negra], publicado em 1968 e uma das primeiras obras sobre saúde mental de pessoas negras a chegar ao grande público, os psiquiatras William Grier e Price Cobbs alertaram: "Médicos brancos podem inconscientemente esquivar-se de um conhecimento íntimo da vida de um homem negro porque colocar-se na posição do paciente, mesmo que só mentalmente, é doloroso demais".[116]

É raro detentos terem sessões semanais de terapia, mas houve um período em que Jorgensen recebeu Naomi no consultório durante uma hora por semana. Naomi podia acessar serviços de saúde mental com mais facilidade do que outros porque sua sentença era dupla, criminal e civil. Jorgensen esperava que, ali, nos limites de sua salinha sem janelas, "houvesse uma atmosfera de aceitação. Queria que Naomi soubesse: 'Tenho esperança e acredito em você como pessoa; não me acho superior; considero-a uma mulher incrível que está fazendo todo o possível para progredir'". Jorgensen ouvia Naomi sem julgamentos, procurando fazer com que se sentisse respeitada, não temida. Como escreveu Fromm-Reichmann, a rainha do Lodge: "O paciente precisa de uma experiência, não de uma explicação".[117]

No entanto, o progresso terapêutico era solapado por gatilhos do cotidiano. Tom Vavra, tenente que se tornou amigo de Naomi, relatou que procurava analisar, quando as mulheres de Shakopee esbravejavam com ele, "o que aconteceu com elas quando eram mais novas? Se há trauma sexual e elas estão aqui, enfrentando uma revista corporal despidas, já sei por que estão tendo problemas". E prosseguiu: "Francamente, aqui há muitas mulheres detidas em razão de seu estado mental. Se acho que elas se beneficiariam mais de um ambiente hospitalar? Sim, com certeza".

Naomi detestava a fila do exame médico, onde esperava todos os dias para receber seus remédios. O problema não era tanto o ato de pegá-los, e sim o ritual propriamente dito: ficar em pé durante uma hora numa fila com mulheres de quem não gostava e ser vigiada como uma criança para ver se engolira os comprimidos. Às vezes pessoas passavam e gritavam: "Olha a fila das doidas!". Naomi ficava tentada a ir embora. "Dizem 'Tome seus remédios, tome seus remédios!' como se tudo fosse se resolver", queixou-se, segundo seus registros prisionais. "Não se resolve e não vai 'simplesmente desaparecer'."

Em 2010, por recomendação médica, Naomi deixou aos poucos de tomar o antipsicótico Geodon, "devido ao custo", segundo uma anotação da enfermagem. Dentro de poucos dias, não conseguia dormir. Temia pegar no sono e ser estuprada pelos guardas. "Ela não quer adormecer enquanto se sente 'insegura'", registrou um psicólogo. Naomi vinha tomando Tegretol, medicamento para tratar mania e insônia, mas decidiu interrompê-lo também. Além disso, recusava-se a comer, pois pensava que a comida podia estar envenenada. Uma noite, quando um guarda não lhe permitiu telefonar para a família, atirou uma cadeira de metal na parede e quebrou uma janela. Recebeu ordem de voltar imediatamente para o quarto, não obedeceu, e funcionários borrifaram nela um irritante químico.

Foi escoltada para a unidade de solitárias, que continha 33 celas. Dois guardas postaram-se à porta e ordenaram que se despisse, passasse os dedos pelos cabelos, abrisse a boca, se agachasse, mostrasse a pele atrás das orelhas e da sola dos pés e tossisse três vezes. Para vestir recebeu uma colcha pesada que parecia um saco de dormir de bebê.

Permaneceu na solitária por sessenta dias. Ficava sozinha 23 horas por dia em uma cela de 3 × 3,5 metros. Disse a um psicólogo que se sentia "insana, indesejada e improdutiva". Não tinha acesso a caneta, papel nem livros. As refeições vinham em um saco, passadas por uma pequena abertura na porta. Para ir ao banheiro precisava pedir ao guarda alguns pedaços de papel higiênico. Quando era examinada por algum profissional de saúde mental, ficava algemada a uma mesa. "Ela falou em outra língua e me informou que 'Não falamos a mesma língua'", escreveu um terapeuta.

Outra detenta de Shakopee, Elizabeth Hawes, recentemente entrevistou 51 mulheres sobre suas experiências carcerárias — projeto que enviou aos responsáveis pela elaboração das políticas estaduais. Hawes concluiu que "independente de idade, raça ou orientação sexual, o denominador comum não era uma tendência à violência, mas uma história de trauma".[118] Ela conversou com mulheres que haviam sido confinadas na solitária por um conjunto de infrações, entre elas cantar no momento errado, comer o pedaço de bolo de outra pessoa e violar a proibição de não tocar em ninguém que vigorava na prisão. Às mulheres de Shakopee não era permitido se abraçarem, fazer o "toca aqui", isto é, bater a mão espalmada na mão de outra, unirem-se pelos pés por baixo da mesa ou pentear os cabelos umas das outras. Naomi disse que no pátio, em dias ensolarados, ela e suas companheiras moviam as sombras de modo a ter a ilusão de se abraçarem sem violar as regras.

Várias das mulheres entrevistadas por Hawes haviam sido postas na solitária por tentativa de suicídio. Muitas vezes a punição fora por partir uma lâmina de barbear, algo que era proibido na prisão, a fim de se cortarem. As mulheres disseram a Hawes que a solitária só fez amplificar seus pensamentos sobre a morte. "Botar a pessoa na solitária causa doença mental", uma mulher disse.[119] "As paredes respiram", outra comentou.[120] Uma mulher com anorexia declarou: "Pensei em suicídio assim que a porta da minha cela na solitária se fechou. Depois de quinze dias, tinha alucinações. Ouvia óperas e fanfarras".[121]

Tom Vavra, o tenente, disse que quando visitou Naomi na solitária, ficou chocado com sua deterioração. "Ela parecia falar quase numa língua tribal", contou-me. "Fazia o tempo todo referências a seus ancestrais."

Andrea Smith, a bibliotecária, nunca visitara uma prisioneira na solitária, mas recebeu permissão especial para ver Naomi. Ficou do lado de fora da cela e tentou conversar. "Não conseguia entender o que ela dizia, mas a língua que usava era familiar para mim", Smith falou. "Refletia as conversas que tínhamos sobre suas crenças, sobre as forças maiores que atuavam no mundo. Naomi sente profundamente a dicotomia entre bem e mal." Sem as medicações, o pensamento simbólico de Naomi se intensificara gradualmente e atingira um novo nível. "Acho que era inevitável, ainda mais com a quantidade de noticiário da CNN que ela consumia", Smith disse, "que sua mente a levasse ao lugar onde O Mal vencia.

A Injustiça vencia." Smith falou para Naomi: "Isso me assusta. Estou tentando entendê-la, porém não a reconheço mais."

Smith não sabia se a paciente sequer registrara sua presença. Mas Naomi disse que aquela visita foi decisiva. "A sra. Smith não me tratou como um problema a ser resolvido só com medicação. Entendeu a língua em que eu falava. Ela me compreendeu intelectual, filosófica e até, em certo nível, espiritualmente. Foi um enorme termômetro para medir meu bem-estar e meu mal-estar." Depois dessa visita, Naomi voltou a tomar Tegretol. Talvez se tivesse encontrado esse tipo de compreensão antes — alguém que captasse as diferentes perspectivas para descrever seu sofrimento —, ela pudesse ter seguido uma "carreira" diferente. Quem sabe os delírios não tivessem se apoderado dela com tanta força se não tivesse se sentido tão sozinha.

À medida que ficou melhor, Naomi passou a usar o tempo na solitária fechando os olhos e imaginando as letras de suas músicas favoritas. "Eu ouvia aquelas músicas tão claramente quanto se tivesse um rádio ali comigo", ela me disse. Por fim, começou a cantar em voz alta. Descobriu que a ala das solitárias era a única parte da prisão onde "a acústica era fabulosa". As mulheres nas celas vizinhas a apelidaram de "a Rádio" e pediam músicas. Naomi contou: "A música me fazia sentir que ainda estava viva".

Em abril de 2014, depois de uma década na prisão, Naomi recebeu uma carta de um estranho. "Olá, Naomi, nunca tive oportunidade de me apresentar", escreveu o homem, que chamarei de Carl.[122] "Estive com você no rio naquela noite de julho quando nossas vidas se entrelaçaram."

Carl disse que vinha escrevendo aquela carta fazia dez anos. Todo Natal sentava diante do computador para concluir a mensagem, mas empacava. "Muitos pensamentos vêm juntos depressa demais e parece que as palavras e seus significados querem se embolar bem na ponta de meus dedos", escreveu. Carl contou a Naomi que na época em que mergulhou no rio Mississippi sofria de depressão. "Também enfrentei essa destruidora de esperança e amor. O medo do fracasso, a escuridão e a tristeza que se escondem em todos os corações humanos."

Naomi pediu a Carl que a visitasse na prisão. Alguns meses depois ele foi de carro de sua casa, em um subúrbio de Saint Paul, até a sala de visita em Shakopee. Era um homem branco grandalhão, avô de seis netos. Filho de um oficial subalterno da Marinha, passara seus primeiros anos de vida em lares adotivos, depois que a mãe teve um colapso nervoso e desapareceu. "Minha infância foi assim: sempre de mudança, sem nunca ter amigos de verdade", ele me disse. Carl se lembra de que se escondia sob as cobertas e se perguntava: "O que estou fazendo aqui?".

Nos meses anteriores ao Quatro de Julho de 2003, estava em uma espécie de queda livre. Trabalhava como analista de vibração em uma refinaria de petróleo. Conforme a economia se contraiu e a empresa racionalizou os procedimentos sob a orientação de consultores externos contratados para aumentar a eficiência, sentiu-se marginalizado e rebaixado. "Diziam 'Mudança é bom, mudança é melhor', mas para certas pessoas mudança é uma sentença de morte", comentou. Carl esbravejava quando eram introduzidos novos procedimentos no trabalho e se tornou tão paranoico e irritado que precisou pedir uma licença. "Você pode juntar todos os especialistas para falar sobre depressão, mas enquanto não sofrer disso — viver o espectro completo da depressão —, não vai saber como é", declarou. À noite, deitado ao lado da mulher, não conseguia dormir. "Ia para o andar de baixo e rezava, rezava, rezava", disse. "Precisava gritar, confessar: 'Não passo de um fanfarrão. Sou um fracasso, admito. Essa personalidade bacana que penso que tenho — é mentira'."

Na sala de visita, Naomi se surpreendeu com a afabilidade de Carl. "Entra aquele homem de cabelos grisalhos, os braços abertos", contou. Os dois se abraçaram — um breve contato físico é permitido no início dos encontros — e depois se sentaram a meio metro de distância, como era a regra, defronte para o funcionário de plantão. Carl explicou a Naomi que considerava o tempo em que estiveram juntos no rio como um renascimento, uma "renovação do batismo". Até aquele momento, ele estivera em uma espécie de estado mental no qual cada ponte ou sacada era um convite para pular. "Você me salvou e ninguém pode dizer o contrário", disse, e lhe agradeceu profusamente.

Smith se lembra de que Naomi saiu daquela visita com "um sentimento de assombro e gratidão — acho que se sentiu amada, e acredito que realmente sentiu que podia amá-lo. Eram ambos pessoas tristes e magoadas naquele momento, e creio que a afinidade veio de saber que o mundo é muito maior do que eles".

Anos mais tarde enviei uma carta a Carl e ele me telefonou imediatamente. Disse que durante anos teve vontade de contar sua história, mas seu pastor lhe dissera para aguardar; o momento chegaria. Agora, aos 68 anos, estava com câncer de pulmão em estágio IV. Sabia que morreria em breve, embora sua família não gostasse que ele reconhecesse o fato. Carl começou a relatar o que acontecera no dia em que tirou Naomi do rio, como se tivesse ensaiado os detalhes por anos. "Era uma noite muito, muito linda", disse com a voz rouca. "Íamos ver a queima de fogos. Havia cheiro de comida, som de música e, não sei como, escutei um barulho na água." Ele viu uma criancinha flutuando no rio de olhos abertos.

Carl entregou a carteira para a esposa, pulou uma cerca na margem sob a ponte e correu por uma ribanceira pedregosa. Gritou para Deus: "Preciso da sua ajuda!", e de cima das pedras mergulhou. Nadou na direção da parte do rio onde vira pela última vez uma criança "girando devagar na correnteza, como se estivesse num tambor de lavadora de roupa". Mas, quando chegou lá, o menino não flutuava mais. "Enfiei o braço bem no fundo da água e a primeira coisa que senti foi uma perna", disse. Ele queria fazer respiração boca a boca para reanimar a criança, mas estava exausto demais. Então outro homem bateu em seu ombro. Seguira Carl. Tirou a criança dos seus braços e foi nadando com ela para a margem.

Naomi estava mais adiante, num trecho onde o rio era mais escuro e a correnteza mais rápida. Carl disse que aquele era o tipo de água onde não se sentiria seguro para entrar com um barco. Mesmo assim, pegou-se nadando na direção de Naomi. Pensou no Salmo 69: "Salva-me, ó Deus, pois a água sobe até meu pescoço. Afundo num lodo profundo". Quando alcançou Naomi, ela parecia quase não ter noção da presença dele. Pensou: "Aonde quer que você esteja indo, mocinha, vou com você. Não vou soltá-la".

Durante toda a nossa conversa, Carl usou frequentemente a expressão "caixa de areia". Definiu caixa de areia como o espaço onde as pressões da sociedade oprimem uma pessoa. "Meus problemas vinham da necessidade de permanecer naquela caixa de areia", ele falou. "Eu tinha um medo danado de perder o controle. Dava para ver isso no trabalho, na minha postura corporal, no modo como eu lidava com a família." Carl ficou espantado quando se viu na água — tinha sobrepeso, não nadava bem — e surpreso por estar segurando a mão de uma mulher negra. "Aquilo acendeu alguma coisa em mim — eu me tornei menos preconceituoso", contou-me. "Como é que a gente pode amar uma pessoa que nem conhece?"

Carl me disse que não queria divulgar seu nome verdadeiro porque salvar Naomi e o filho dela era obra de Deus, não dele. "Se quiser, pode chamar de renascimento, sei lá, só sei que é uma sensação maravilhosa, maravilhosa", me disse. "Quando mergulhei de cima da pedra, saí daquela caixa de areia e entrei no nada, no espaço infinito. Abri mão do meu lugar no mundo."

Comentei que o simbolismo do batismo no rio era profundo.

"Não é simbolismo", ele replicou. "É a verdade. É a verdade para mim."

Embora tivesse tomado medicamentos psiquiátricos durante anos — "sei como comprimidos ajudam", ele comentou —, disse que se recuperara da depressão graças ao tempo que passara na água com Naomi. "Encontrei o lugar aonde posso ir à noite quando as luzes estão apagadas, quando estou deitado na cama em pânico, pensando no que vou fazer amanhã", disse. "Eu precisava de um apoio. A experiência com Naomi me ajudou a me controlar, a encontrar esse apoio."

Durante as sessões de quimioterapia, lia o romance de Naomi sobre o hip-hop, que uma editora chamada Page Publishing ajudara a publicar. Ele me pediu para dar seu número de telefone a Naomi. "Diga que quero ouvir sobre a grande autora que ela se revelou", pediu. Os dois haviam perdido o contato depois de algumas visitas, quando Naomi sentiu que seu papel na vida de Carl incomodava a mulher dele. Carl reconheceu que talvez Naomi significasse mais para ele do que o contrário, e não se importava. "Só quis ser alguém que pudesse dar a ela coragem e redenção — não digo que seria capaz de oferecer tudo isso, mas eram tantas as camadas de dúvida que as pessoas estavam jogando em cima dela, e eu queria que ela soubesse que eu não a julgava", me disse. "Não queria ser a lei. Só quis ser alguém que não iria abandoná-la no rio."

A CORRESPONDÊNCIA COM CARL trouxe a Naomi o sentimento de "responsabilidade de seguir respirando", mesmo nas fases em que quis desistir, disse. Também lhe pareceu um sinal de que estava pronta para ser aceita na sociedade. No entanto, em 2016, quando se aproximava a data de sua libertação, soube que o estado não estava disposto a libertá-la. Sua sentença civil de detenção como "doente mental e perigosa" continuava em vigor. Um psiquiatra a entrevistou por três horas e concluiu que: "No presente momento, a sra. Gaines não se mostra capaz de se adaptar adequadamente à sociedade livre. Não atingiu a estabilidade almejada". O psiquiatra relatou que: "Não há nada mais a fazer além daquilo que a sra. Gaines já faz, porém ela precisa de tempo para completar a transição de retorno à comunidade". Treze anos antes ela não conseguira se encaixar nos critérios legais de insanidade, mas agora era considerada doente o bastante para ficar detida por tempo indeterminado.

Em uma audiência perante uma Comissão Especial de Reexame incumbida de determinar sua condição de custódia, Naomi contestou as conclusões da avaliação. "O relatório carece de compreensão da vida e cultura afro-americana", disse à comissão. A avaliação descreveu a preocupação de Naomi com seus ancestrais como evidência de psicose.[123] "Os nativos estadunidenses podem falar sobre ouvirem os parentes mortos, mas os afro-americanos não têm essa mesma liberdade", argumentou. Naomi também objetou o fato de que o psiquiatra citara seu medo de ser atacada com gás como evidência de que ela tinha delírios. Na verdade, como sua psicóloga anotou no prontuário, pouco antes de Naomi ter sido posta na solitária "os funcionários realmente jogaram gás nela".

Na data de libertação de Naomi, ela foi transportada de volta para o Minnesota Security Hospital. "Durante todos aqueles anos ela pedira ajuda — estava disposta a fazer qualquer coisa que a psicóloga dissesse para ficar boa, e isso não pareceu significar coisa alguma", Smith falou. "Realmente ficava difícil não dizer: 'Ora, é porque você é negra'. Lá no fundo, era o que eu pensava, porque acompanho o noticiário. Vejo mulheres brancas cometerem crimes e reparo que elas não vêm se encontrar comigo aqui na prisão — vão para outros lugares."

No Minnesota Security Hospital Naomi disse aos médicos e enfermeiros: "Esta é a etapa final para ver se estou pronta para viver em um espaço aberto". Ela entrou na banda do hospital, os Therapeutics. A banda tinha quinze integrantes, incluindo pacientes, psiquiatras e funcionários de recreação e segurança. "Com médicos e funcionários na banda como meus iguais, tinha uma das raras oportunidades de criticá-los, dizer coisas como: 'Esse não é o acorde certo. Não dá para subir mais?'", contou.[124]

Naomi participou de grupos de terapia intitulados Além da Violência, Autocuidado, Relacionamentos Saudáveis, Leitores Exultantes e Insight.[125] Na turma Insight explicaram a ela que ser doente mental não era culpa sua. Em uma anotação ela definiu esse estado como "uma doença clínica cerebral que perturba o raciocínio normal". Contou o que aprendera a Florida, que disse que essa definição a fez se sentir mais leve. "Eu pensava que fosse a única pessoa com quem isso acontecia, que sofria essa coisa de doença mental", ela disse. "Aquilo fechava o caso com chave de ouro: soube que não estava sozinha."

Às vezes, porém, Naomi se incomodava com a ideia de que os processos biológicos são universais. Tinha vontade de dizer aos médicos: "Os seus colapsos nervosos nunca poderão ser como o meu colapso nervoso. Nossos medos não são os mesmos que os das pessoas brancas, por isso vocês jamais compreenderão". Sua impressão, ela disse, era algo nesta linha: "Vou ao médico porque estou com dor de cabeça e ele examina meu joelho!".

O insight psiquiátrico pode salvar uma vida — uma pessoa prestes a pular de um prédio convicta de que pode voar precisa saber que seu cérebro não está funcionando da maneira adequada. Mas uma visão tacanha de insight também pode cegar médicos e familiares para certas crenças — uma relação com Deus, uma nova compreensão da sociedade e do lugar desse indivíduo nela — que são essenciais para a identidade e a autoestima do indivíduo. Naomi sentia falta da impressão de que tinha acesso a verdades inalcançáveis aos outros. Quando em estado psicótico e sem medicação, ela disse, "sinto que estou em um plano superior, no alto de um arranha-céu, e posso ver o panorama inteiro". Mas tomar os remédios não eliminou a noção do contexto social, como ela outrora temia. Não era um jogo de soma zero. Ela pretendia usar medicamentos pelo restante da vida — "a menos que alguém descubra a cura para a doença mental", ressalvou. Florida não acha que isso vá acontecer. "Deus reservou isso para si mesmo. Deus reservou o cérebro para si mesmo", me disse.

Toda vez que Naomi conseguia falar ao telefone com Supreme — sempre que ele estava na casa de Natalie —, procurava ensinar sobre doença mental. Uma ocasião ele perguntou: "O que significa quando dizem que você é doente? Doente como? Tipo uma dor de cabeça?". Ela contou a história desde o começo, sobre como conheceu o pai dele, até o fim, ao se convencer de que sua família seria morta pelo governo. Depois pediu: "Supreme, meu querido, agora quero que você repita o que acabei de lhe dizer. Diga com suas próprias palavras".

"Nunca senti raiva dela, pois ela me explicou que quando uma pessoa está doente faz coisas que normalmente não faria — não é ela mesma", Supreme me falou.

Naomi tinha pavor de ser forçada a permanecer por prazo indeterminado no Minnesota Security Hospital. Alguns pacientes ficam internados lá a vida toda, mas ela cumpriu todo o programa em menos de um ano. Dezesseis anos depois do crime, no fim de 2019, mudou-se para seu próprio lar, um apartamento de um dormitório. Decorou-o com quadros contendo expressões do tipo "Abraços grátis" e "O amor transforma sua casa em um lar", além de lembretes, como se ainda estivesse em uma instituição: "Favor secar as mãos com o papel-toalha sob a pia".

Encontrei-me com Naomi e sua filha Kaylah no novo apartamento, e de início Kaylah, que estava com dezenove anos, não tirava os olhos dos estudos. Cursava o segundo ano na University of St. Thomas, em Minneapolis, e escrevia um ensaio sobre a revolução haitiana em um notebook apoiado no braço do sofá. Tinha os cabelos presos em um coque no alto da cabeça e se parecia notavelmente com Naomi. Sua personalidade também era similar à da mãe, fato que ensejava frequentes comentários na família. Kaylah disse: "Às vezes eles nos comparavam quando me viam criativa ou introvertida, mas eu tinha a impressão de que em alguns momentos falavam no tom errado. Sentia que não diziam aquilo como um...".

"Um elogio", Naomi sugeriu.

Kaylah assentiu.

Quando, no ensino médio, Kaylah assistiu a uma aula sobre saúde e aprendeu a respeito da genética da doença mental — estudos com gêmeos[126] indicam que a hereditariedade de algumas doenças mentais é de 50% a 80% —, entrou em pânico. "Começou a ficar apavorada", Natalie me contou mais tarde. "Disse: 'Hoje aprendi que a doença mental é hereditária e que posso enlouquecer!'."

Alguns anos antes, o filho mais velho de Naomi ficara hospitalizado durante um breve período devido a um colapso nervoso, mas se recuperara e estava bem. A família esteve presente do modo que ele gostaria que tivesse sido para Naomi: sentavam-se ao lado do seu leito no hospital das seis da manhã às dez da noite, montando quebra-cabeças com ele, assegurando que nunca ficasse sozinho. "Vendo o que meu irmão passou, ando pensando que talvez não seja a única que vai adoecer", Kaylah me revelou. "Talvez meu papel seja ajudar alguém — ser a pessoa próxima, que compreende — em vez de ser quem tem o problema." Como Carl, ela queria ser a pessoa que não abandonaria a outra.

Supreme completou dezoito anos em maio de 2020. Naomi recebeu permissão do funcionário que acompanhava sua reinserção na sociedade para ver o filho, já que ele passaria a ser legalmente adulto. No dia do aniversário se reuniram no apartamento de Florida, em um conjunto habitacional para moradores de baixa renda onde Natalie também vivia. Na última vez que Naomi vira Supreme, ele era um bebê de cabelos curtos e encaracolados que dava os primeiros passos. Agora era magro e mais alto do que ela. Logo se formaria no ensino médio. Naomi abraçou o filho, chorando. Fazia dezessete anos que não o tinha nos braços. "Supreme não se retraiu — caiu logo nos braços dela", Florida contou. "Estava lá como quem pensava: 'Foi por isso que eu tanto esperei'".

O pai dele, Khalid, hoje chef em um restaurante, não fala com Naomi desde que ela foi presa. "Não a odeio", ele me disse, "mas ao mesmo tempo é preciso que saibam que não consigo me livrar do sentimento de ter perdido meu filho." Sobre o encontro de Supreme com Naomi, comentou: "Acho que ele esperava, sei lá, um arco-íris. Pensava que na mesma hora fosse encontrar todas as respostas — tudo fosse se encaixar. Ele queria ser paparicado, protegido e consertado, e não é assim que funciona. Ele caiu na real e viu que também é parte do processo de cura *dela*". Apesar disso, Khalid disse que o reencontro foi "a melhor coisa para Supreme. Já dava para ver: ele estava mais completo, alguns dos vazios não existiam mais".

Pouco depois de conseguir seu apartamento, Naomi fez um treinamento de duas semanas organizado pelo Departamento de Serviços Humanos de Minnesota para tornar-se especialista em pares: o trabalho consistia em visitar em casa pessoas com doença mental e oferecer companhia e apoio. Em julho de 2020, uma semana antes da data marcada para começar no novo emprego, foi informada de que era inelegível devido à natureza de seu crime. "Pagarei a dívida com minha família e meu filho pelo restante da vida", ela me falou. "Mas pensava que minha dívida com a sociedade já estava paga." Acabou arranjando um emprego na rede de varejo Dollar Tree. Depois de alguns meses, foi promovida a gerente. Mas, quando apresentou os documentos para o novo posto, foi informada de que, por seu registro criminal, também não era elegível para o cargo.

Toda vez que Naomi tem um pensamento desestabilizador — por exemplo, que sua missão é salvar o mundo do racismo —, ela se pergunta o que aconteceria se entrevistasse cem pessoas: será que chamariam esse pensamento de delírio? Se a resposta for sim, tenta dar menos importância à ideia. Ela me disse: "Ainda acredito em certas coisas a respeito de quem sou e do meu destino — ainda existem alguns mistérios, algumas questões na minha mente —, mas consigo guardar essas ideias lá no fundo da cabeça para poder ser uma boa irmã, filha e mãe; para poder tomar um banho, ter conversas normais; para poder trabalhar. Só que remédios não somem com tudo: há certos pensamentos que trago comigo."

Na estante de casa Naomi guardava alguns de seus livros favoritos da prisão, além de outros novos, entre eles *A Guide to Starting a Business in Minnesota* [Guia para abrir uma empresa em Minnesota] e *Music Marketing for the DIY Musician* [Marketing para o músico DIY]. Trabalhava em um álbum de canções, muitas das quais compusera ainda na prisão. Recentemente enviara por e-mail o link de seu canal no YouTube para a bibliotecária Andrea Smith. "Quando penso no tempo que passei em Shakopee, me pergunto se lá está agora alguma mulher como eu", ela escreveu. "Não que tenha cometido o mesmo crime, ou que esteja cumprindo o mesmo tempo de sentença, mas alguém que ninguém espera que seja maior do que seu passado e que não consiga necessariamente provar isso agora, nem sequer para si mesma."

Uma canção, dedicada a todas as famílias separadas pela prisão, descreve um sonho no qual, em Shakopee, ela segura as mãos de alguém. Outra é sobre João 3,16, o versículo da Bíblia que a obcecava quando foi presa. Uma terceira é dedicada a Khoua Her, a mãe hmong que morou no McDonough Homes na mesma época que Naomi. Nessa canção, Naomi recorda que em 1998 assistira à reportagem sobre o crime de Her e a amaldiçoara.

Chego à prisão e adivinha quem me estende a mão?
Adivinha quem diz: "Se precisar de alguém, sou uma amiga"?
Adivinha quem compreende o que nenhuma mãe perfeita compreende?
A mesma mãe que em 1998
Eu condenei
Minha amiga

Laura: "Foi como se ele pudesse ler minha mente, como se eu não precisasse explicar nada"

Laura Delano pensava que fosse "excelente em tudo, mas isso não significava nada".[1] Cresceu em Greenwich, Connecticut, uma das comunidades mais ricas dos Estados Unidos. Seu pai descendia de Franklin Delano Roosevelt, e sua mãe foi apresentada à sociedade em um baile de debutantes no Waldorf Astoria, um dos mais antigos hotéis de Manhattan. Na oitava série, em 1996, foi presidente da turma em seu colégio particular — defendeu um programa de plantio de narcisos — e uma das melhores jogadoras de squash de sua faixa etária no país. Ainda assim, receava não atender às expectativas das pessoas. "Havia o melhor e havia o restante", ela disse.

Era a mais velha de três irmãs e sentia que vivia duas vidas à parte, uma no palco e outra na plateia, reagindo ao espetáculo. Sentia-se exausta pelo esforço, e isso lhe dava a impressão de ter um "núcleo vazio". Não queria seguir o que chamava de "modelo de vida da boa moça", obedecendo aos ideais meticulosamente corretos da sociedade de Greenwich. Era malcriada com a mãe e se trancava no quarto. Tinha duas amigas que se cortavam com lâmina de barbear e se fascinava com o que lhe parecia ser marcas de individualidade e afronta. Tentou se cortar também. "A dor foi muito real, pura e minha."

Seus pais a levaram a um terapeuta familiar, e este, depois de vários meses, encaminhou Laura para um psiquiatra, a quem ela confessou ter pensamentos suicidas. O psiquiatra a diagnosticou com transtorno bipolar, que só recentemente começara a ser diagnosticado em crianças. Alguns anos antes, um influente pesquisador de Harvard aventara que a irritabilidade na juventude — "tempestades afetivas", em suas palavras — podia ser sinal de mania.[2] Entre 1995 e 2003, o número de crianças e adolescentes diagnosticados aumentou em quase quatro mil por cento.[3] Foi prescrito para Laura o estabilizador de humor Depakote, que acabara de ser aprovado para o tratamento de transtorno bipolar, mas ela escondia os comprimidos em um porta-joias no armário. Depois os descartava na pia.

Laura não se preocupava com seu diagnóstico e se concentrava na vida social. Uma colega a descreveu como "uma figura de destaque de nossa classe, supersociável, uma garota descolada e influente" que se entrosava maravilhosamente em qualquer turma do colégio. Mas Laura duvidava que tivesse "um eu verdadeiro por dentro", segundo ela mesma disse.[4]

Esperava talvez encontrar esse eu em Harvard, aonde chegou como caloura em 2001. Sua companheira de quarto, Bree Tse, disse: "Laura me impressionou — era uma garota sensacional, vibrante, atenta, sintonizada com as pessoas". Na primeira noite em Harvard, Laura perambulou pelo campus e pensou: "Foi por isto que me empenhei. Finalmente estou aqui".

Experimentou novas identidades. Às vezes bebia até amanhecer e era elogiada por rapazes como uma garota legal. Outras vezes era niilista, desiludida porque todos os seus pares competiam por um objetivo essencialmente sem sentido. "Eu me lembro de conversar muito com ela sobre superfícies", contou um colega, Patrick Bensen. "Era um tema recorrente: a superfície das pessoas pode ou não se harmonizar com o que elas têm dentro da mente?"

Também havia noites em que ela não conseguia sustentar uma conversa. "Por que tenho essas camadas extras de pensamento que outros não têm e que me puxam cada vez mais para longe de ser humana?", escreveu em seu diário.[5] Cada dia lhe parecia uma nova performance. "De manhã precisava me motivar o suficiente para tomar banho, me vestir e ser a Laura Delano", disse.

Durante as férias de inverno passou uma semana em Manhattan preparando-se para dois bailes de debutante, um no Waldorf Astoria e outro no Plaza Hotel. Os bailes eram outrora a ocasião em que as moças faziam sua estreia na sociedade em meio a possíveis pretendentes — Eleanor Roosevelt, de quem Laura era parente, descrevera seu baile de debutante como "uma agonia terrível"—,[6] e, embora essas festas não sejam mais direcionadas explicitamente para o casamento, a pompa e ostentação desses eventos permanecem em grande medida inalteradas. Laura foi a uma loja de noivas e escolheu um vestido branco longo e sem alças desenhado por Vera Wang e luvas brancas de cetim que cobriam os braços até acima dos cotovelos. Ela e suas colegas debutantes passaram os dias anteriores ao baile sendo ensinadas a girar, fazer mesuras e andar graciosamente de salto alto, em preparação para sua entrada formal na sociedade.

No primeiro baile, Laura e as outras moças foram apresentadas em ordem alfabética pelo alto-falante; na vez de Laura, ela entrou no palco e fez um giro e uma mesura segurando a mão de seu acompanhante, um amigo do colégio. "Eu me recordo de ter pensado que Laura se encaixava perfeitamente naquilo tudo — tinha entrado na onda", contou sua irmã Nina. "Todas estávamos ali tentando corresponder às expectativas de ser bonitas, bem-vestidas, divertidas e enturmadas."

Contudo, nas fotos tiradas antes da segunda festa, Laura aparece ligeiramente curvada, como se tentasse minimizar os ombros musculosos. Usa um colar de pérolas e cabelos presos em um coque elaborado. Seu sorriso é espremido e ensaiado. Ela executou os movimentos requeridos, subiu no palco, fez a mesura. Mas no fim da noite, embriagada com champanhe, chorava tanto que seu acompanhante precisou lhe chamar um táxi. Sentia "solidão pura e absoluta", disse. Pela manhã, Laura declarou à família que não queria estar viva. Interpretou literalmente o simbolismo das festas: marcaram sua entrada na vida adulta. Mas não punha fé na adulta que esperavam que ela fosse. "Estava presa na vida de uma estranha", me contou.

QUANDO LAURA VOLTOU A HARVARD para o semestre seguinte, os pais a ajudaram a marcar uma consulta no McLean Hospital, a mais antiga instituição psiquiátrica da Nova Inglaterra, construído no terreno onde antes havia uma grande propriedade. Menos utópico que o Chestnut Lodge, o McLean tem sido modelo de estabelecimento médico há mais de um século; lá foram tratadas celebridades como Robert Lowell, James Taylor e Sylvia Plath, que o qualificaram como "o melhor hospital psiquiátrico dos Estados Unidos".[7] A socialite

Marian Hooper Adams comentou que o McLean "parece ser o objetivo de todo bostoniano bom e consciente".[8] Assim que Laura entrou pelos portões de ferro de folha dupla e subiu a colina para ter sua consulta, o lugar lhe pareceu "um ser vivo, pulsante, de força mítica".

O psiquiatra tinha vários diplomas de prestigiosas universidades estadunidenses, e Laura sentiu-se grata por sua atenção. Em suas anotações ele a descreveu como "uma jovem simpática, extrovertida e inteligente" que "cresceu com altas expectativas de conformidade social" e foi "reprimida pelos valores de sua criação". Na sala de espera, Laura conversava com tanta desenvoltura com outros pacientes que ele escreveu: "De início não pensei que fosse ela, pois parecia já ter estado naquele lugar muitas vezes".

O psiquiatra confirmou o diagnóstico anterior, classificando-a como bipolar II, forma menos grave do transtorno. Esse diagnóstico é dado a pacientes que tiveram no mínimo um episódio de depressão e um episódio de hipomania, estado no qual a pessoa pode apresentar menos necessidade de dormir, excesso de autoestima e energia inquebrantável. Em contraste com a mania, a hipomania (significa "menos do que mania") não necessariamente prejudica as funções da pessoa — às vezes até as melhora por algum tempo.

Dessa vez Laura sentiu alívio ao ser informada de que tinha uma doença. "Foi como se me dissessem: 'Não é sua culpa. Você não é preguiçosa. Não é irresponsável'." Após sair do hospital, sentiu-se quase atordoada. "O psiquiatra me disse quem eu era de um modo que pareceu mais concreto do que eu jamais concebera", comentou. "Foi como se ele pudesse ler minha mente, como se eu não precisasse explicar nada porque ele já sabia o que eu diria. Eu tinha transtorno bipolar. Sempre tivera." Laura ligou para o pai, chorando. "Tenho uma boa notícia. Ele descobriu meu problema", contou.

Ela começou a tomar vinte miligramas de Prozac. Mas não se sentiu melhor, por isso a dose foi aumentada para quarenta miligramas e, como também não funcionou, para sessenta miligramas. Quando Laura se queixou de se sentir pouco à vontade em Harvard, a mais cobiçada das conquistas, talvez tenha sido difícil para seus médicos, imersos nas mesmas expectativas culturais, imaginar como aquele contexto poderia ser profundamente desconfortável e dissonante. A vida dela parecia tão livre de obstáculos que qualquer tipo de sofrimento era atribuído à patologia.

Laura via cada prescrição como sinal de que seu sofrimento era levado a sério. Nem mesmo tinha certeza se o Prozac estava mesmo melhorando seu humor — aproximadamente um terço dos pacientes que tomam antidepressivos não respondem à medicação —,[9] mas suas emoções lhe pareciam menos urgentes e esmagadoras, e ela estava mais produtiva. Concentrou toda a sua atenção nos estudos, no tratamento e no squash. Parou de sair com os amigos, vendo isso como frivolidade, e considerava uma vitória quando passava um dia inteiro sem falar com mais de quatro pessoas. Seus amigos agora lhe pareciam "emocionalmente sôfregos" — zumbiam por toda parte como insetos, divertindo-se, atitude que lhe parecia exibicionismo.

Vez ou outra Laura bebia o suficiente para que a ideia de ter uma vida social e até de namorar se tornasse novamente atrativa. Mas até 65% das pessoas que tomam antidepressivos relatam que a medicação embota sua sexualidade,[10] efeito colateral que Laura sentia, mas tinha vergonha de mencionar a seu farmacologista. "Supunha que ele visse a sexualidade como um luxo", ela me disse. "Ele pensaria: 'Veja só, você tem uma doença grave e se preocupa com *isso*?'." Nas festas ela gostava de flertar, mas assim que se via nua com um parceiro na cama, contou, "Me vinha a sensação de que eu estava fisicamente desconectada. E então sentia que ele estava se aproveitando de mim, aí eu me virava e começava a chorar, e ele questionava: 'Qual é?'".

O psiquiatra prescreveu então a dose máxima de Prozac, oitenta miligramas. Como o remédio causava sonolência, ele receitou quatrocentas miligramas de Provigil, medicamento para narcolepsia usado com frequência por soldados e caminhoneiros para se manterem despertos durante longos turnos. O Provigil dava a Laura tanta energia que, segundo ela, "Eu era apenas uma máquina". Jogava squash melhor do que nunca. Ficava tão alerta que se achava capaz de "adivinhar as pessoas", desvendar sua linguagem corporal e descobrir que tipo de infância tiveram. Gostava de ficar até altas horas sentada nos degraus do Pit, área em torno da estação Harvard Square T, onde se reuniam adolescentes em situação de rua. Bree, a caloura que dividia o quarto com Laura e se tornou sua melhor amiga, contou que "Ela voltava para o quarto às duas da manhã e eu perguntava: 'Você estava falando sobre a vida com estranhos de novo?'. Ela achava aquelas conversas muito interessantes, e eu pensava: 'Então tá, bom pra ela'".

Quando o Provigil passou a dificultar seu sono, o farmacologista prescreveu Ambien, que ela tomava todas as noites. Ao longo de um ano, os médicos haviam criado o que se chama de cascata iatrogênica: os efeitos colaterais de uma medicação são diagnosticados como sintomas de outro transtorno, levando a uma sucessão de novas prescrições. Isso geralmente decorre de negligência; é um modo como psiquiatras sobrecarregados dão conta de atender numerosos pacientes a cada dia de trabalho. No caso de Laura, porém, seus médicos pareciam se sentir no dever de preservar a capacidade daquela paciente para funcionar nos níveis mais elevados, quase tratando um desempenho inferior ao de seus pares como um sintoma em si. Experimentavam novas medicações e dosagens para ela como se um dia, enfim, fossem conseguir levá-la a um estado emocional correspondente às vantagens que lhe tinham sido dadas. Miranda Fricker reflete sobre os modos como os "bens epistêmicos" (por exemplo, educação e acesso a orientação especializada) são distribuídos desigualmente.[11] Algumas pessoas, como Naomi, recebem pouquíssimo, enquanto outras, como Laura, talvez recebam em excesso.

Laura gastou 121 dólares no próprio exemplar do *DSM*. Conseguia reconhecer quando seus impulsos eram "típicos" — por exemplo, comprar três vestidos de uma vez; no entanto, ter o insight não impedia o comportamento. Seu pai, Lyman, gestor financeiro, recomendou que ela tentasse algo novo: trancar a faculdade por um semestre e passar três meses em alguma região selvagem. Laura gostou da ideia de recriar o experimento de Henry David Thoreau no lago Walden e viver com simplicidade na natureza, história que ela lera no ensino médio. Inscreveu-se em uma excursão pelo rio Grande organizada pela ONG Outward Bound e não levou seus medicamentos.

Durante o voo para o Texas ela anotou no caderno sua lista de objetivos para a viagem: "Excesso de análise tem que desaparecer; conectar-me gradualmente com pessoas; superar esse vício intenso do êxtase ao expor o íntimo aos outros"; "ter fé em alguma coisa, em qualquer coisa".

Seu diário alternava entre descrições líricas de vastas extensões de terra (ela queria ser como "o vento, forte e avassalador em seu nada") e o medo de não estar mudando realmente. Repreendia a si mesma por comer granola demais e temia o momento em que sua família visse sua nova silhueta e percebesse que suas esperanças ("ela voltará esguia e sarada", "será feliz", "será curada") não se materializaram. Deitada sob um encerado azul, a cabeça apoiada na sacola de roupas, escreveu uma carta a seu futuro eu: "Você consegue se identificar com o fato de que neste exato momento, em 15 de março, fim da tarde, você sente tanta vergonha do seu corpo e dos seus pensamentos que nem mesmo sabe o que fazer?".

Quando Laura regressou da viagem, a ideia de voltar para Harvard induziu tamanho pânico que ela pensou em suicídio. A pedido dela mesma, os pais a levaram para um hospital no condado de Westchester, Nova York, onde ficou internada por duas semanas. Nos prontuários foi descrita como "simpática e sociável", "cooperativa e motivada" — uma paciente com bom insight. Para ela, foi fácil assimilar a perspectiva de seus médicos. Mas Laura parou de confiar na própria visão de si mesma e do mundo. Necessitava da confirmação de especialistas para fazer com que sua infelicidade parecesse real. O psiquiatra que a atendeu no hospital prescreveu uma nova combinação de comprimidos: Lamictal, estabilizador do humor; Lexapro, antidepressivo; e Seroquel, antipsicótico que foi orientada a usar para ajudar no sono. No entanto, seu pai, Lyman, comentou: "Não tinha certeza de que os remédios estavam ajudando. Ou de que não estavam".

Laura voltou para Harvard e conseguiu se formar, realização que atribuiu à memória muscular. Considerava-se o tipo de estudante capaz de regurgitar informação sem absorvê-la. Depois da formatura, passou por vários empregos — por exemplo, em uma repartição pública que emitia alvarás de construção — que, em sua opinião, não a levariam a seguir carreira. Bebia quase todas as noites e às vezes se envolvia sexualmente com homens de maneiras que lhe davam a impressão de estar sendo usada. Interpretava cada decepção como o começo de um estado de infelicidade que nunca teria fim. Parecia presa em um círculo vicioso, deprimida pelo fato de estar entrando em uma fase de depressão. O diagnóstico refletia seu estado de espírito, mas também influenciava suas expectativas sobre si mesma.

Um amigo dos torneios de squash, Justin Cambria, surpreendeu-se quando Laura contou que tomaria remédios pelo restante da vida. "Tínhamos afinidade porque vínhamos de culturas socialmente pretensiosas, e eu não me dera conta da gravidade da situação", disse. "Pensava apenas que ela estivesse com dificuldade de descobrir o que queria ser."

Por alguns meses Laura se consultou com um psiquiatra que também era psicanalista, e ele contestou a maneira como ela contou sua história. Por carta, ele explicou que não sabia muito bem como interpretar o diagnóstico de transtorno bipolar que lhe fora atribuído antes, pois "muitas depressões recebem um nome 'médico' por um psiquiatra, que atribui o problema à 'química' e desconsidera o contexto e a particularidade da razão pela qual a pessoa está passando por esses problemas específicos da vida nesse momento específico". E lembrou-lhe: "Você disse que detestou quando se tornou adulta". Ela parou de ir às consultas. Suas explicações não correspondiam às dela, e Laura decidiu que "ele não era legal".

Começou a frequentar uma nova psiquiatra, a quem chamarei de dra. Roth. Nas consultas, falava sobre seus medicamentos como instrumentos precisos que eliminariam seu sofrimento assim que a médica descobrisse a combinação certa. Se ela tomasse um café com alguém e ficasse agitada e tagarela demais, pensava: "Ai meu Deus, talvez eu esteja hipomaníaca agora". Se acordasse com o pensamento acelerado, concluía: "Meus sintomas de ansiedade estão aumentando. Preciso prestar atenção nisso. Se durarem mais de um dia, a dra. Roth talvez tenha que aumentar meus remédios". Ela disse que se tornou tão hábil em diagnosticar seus sintomas que "Chegava para a consulta com minha análise pronta e só precisava da receita". Durante os quatro anos seguintes, sua dose de antidepressivo triplicou. A de Lamictal quadruplicou. E ela começou a tomar Klonopin, benzodiazepina que tem efeitos sedativos.

Laura acabou parecida com o tipo de paciente descrito em *Amor nas ruínas*, romance de Walker Percy, publicado em 1971, sobre o psiquiatra de uma cidade pequena. "Todo médico conhece o tipo", Percy escreve.[12] "O jovem esbelto e desenvolto que recita seus sintomas com precisão e objetividade — tão objetivo que parecem ser sintomas de outra pessoa — e sobretudo com aquela sofreguidão, você sabe, como se nada lhe desse mais prazer do que se seus sintomas, seu sonho, se revelassem *interessantes*, um exemplo didático. Permita que eu tenha uma doença adequada, doutor, parece me pedir." Um paciente assim, segundo Percy, "abstraiu-se tanto de si mesmo e do mundo a sua volta, vendo as coisas como teorias e a si mesmo como uma sombra, que não consegue, digamos assim, voltar ao adorável mundo comum".

A vida de Laura era cada vez mais carente de interesses. Quando Barack Obama foi eleito presidente em 2008, ela declarou: "Não tive opinião nem emoção quanto a isso". Sentia-se desconectada dos amigos. "Chegou um ponto em que só o que sabíamos dizer sobre ela era 'Ah, meu deus, Laura Delano, ela é doente'", contou uma amiga do ensino médio. Laura ganhou quase vinte quilos, o que atribuiu aos remédios. Ao se olhar no espelho, não se identificava com a imagem refletida. "Só queria ficar deitada na cama, abraçada a meu cachorro, lendo livros de autores com a mente parecida com a minha", escreveu a um psiquiatra. Identificava-se bastante com Sylvia Plath, outra jovem brilhante, privilegiada e carismática que, em um de seus diários, acusa-se de ser só mais uma "FÊMEA EGOÍSTA EGOCÊNTRICA INVEJOSA E SEM IMAGINAÇÃO".[13] Para evitar a loucura, Plath se pergunta se deveria dedicar "o restante da minha vida a uma causa — andar nua para mandar roupas aos necessitados, fugir para um convento, na hipocondria, em misticismo religioso, nas ondas".[14]

NA VÉSPERA DO DIA DE AÇÃO DE GRAÇAS, na época com 25 anos, Laura foi de carro para o litoral sul do Maine, onde seus falecidos avós tinham uma casa. Sua família estava lá para celebrar a ocasião. Notou que os parentes ficavam tensos ao falarem com ela. "Laura estava calada e retraída", disse sua prima Anna. Quando andava pela casa e as velhas tábuas do assoalho rangiam sob seus pés, sentia vergonha de estar tão pesada.

No terceiro dia do encontro, os pais a levaram para a sala, fecharam a porta e comentaram que ela parecia encurralada. Os dois choraram. Laura sentou-se num sofá com vista para o mar e assentiu, mas não ouvia. "A primeira coisa que me veio à mente foi: já fiz todos passarem maus bocados o suficiente."

Disse aos pais que iria lá para fora escrever. Foi até o quarto e despejou numa luva o conteúdo dos frascos de Klonopin, Lexapro e Lamictal. Depois entrou furtivamente na despensa e pegou uma garrafa de merlot e a guardou na mochila junto com o notebook. Suas irmãs e primos estavam se aprontando para ir a uma aula de ioga. Chase, a irmã mais nova, convidou-a para ir junto, mas ela recusou. "Seu olhar parecia morto", Chase contou. "Não havia expressão. Não havia nada ali, na verdade. Me lembro de ter posto as mãos nos ombros dela e dizer: 'Vai ficar tudo bem'". A outra irmã, Nina, se irritou porque Laura não quis ir à aula de ioga. "Eu me recordo de ter pensado: 'Por que não faz nada para se sentir melhor? O que há de tão difícil na vida? Por que tudo é tão difícil para você?'", disse.

Ao sair da casa, Laura deu graças por sua avó não estar mais viva. Imaginou-a dizendo: "Credo, Laura, pare com isso. Não seja ridícula". Havia duas trilhas para o mar, uma que levava a uma enseada arenosa e a outra ao litoral rochoso, onde Laura e as irmãs pescavam robalo-riscado. Ela escolheu a trilha até as rochas, passando por um enorme penedo sobre o qual Nina, que fez faculdade de geologia, escrevera sua tese. A maré estava baixa, ventava e fazia frio. Ela se recostou em uma rocha, pegou o notebook e começou. "Não vou tentar escrever nada poético, pois não deve ser", declarou. "É um constrangedor lugar-comum pressupor que alguém deve escrever uma carta a seus entes queridos quando vai pôr fim à vida."

Refletiu sobre um estudo que mostrava ser menor a probabilidade de suicídio entre pessoas que redigiam mensagens sobre o ato que pretendiam cometer. Apesar disso, continuou: "Em todas as análises que tenho feito mentalmente (durante anos, mas hoje em especial), percebo que, no longo prazo, será melhor para todos vocês". Prosseguiu: "Nunca terei uma vida na normalidade".

Engoliu com vinho três punhados grandes de comprimidos, mais de trinta. "Sinto a incoerência chegando, por isso erros de grafia e palavras talvez incompreensíveis virão", escreveu. Percebeu que estava cada vez mais difícil permanecer sentada, e sua visão começou a se estreitar. Estava grata por terminar a vida naquele lugar tão bonito. Caiu para a frente e bateu a cabeça numa rocha. Ouviu o som, mas não sentiu dor.

Ao anoitecer, como Laura não voltara para casa, seu pai foi até a beira do mar com uma lanterna. Depois de vinte minutos caminhando pela costa, viu o laptop da filha apoiado em uma pedra grande. Deu a volta na pedra. "Ela estava ali, o corpo dobrado para a frente", contou. "Pulei lá, sacudi-a, dei tapas em seu rosto, tentando acordá-la, mas era impossível." Voltou correndo para casa e chamou uma ambulância.

Laura foi levada de helicóptero para o Massachusetts General Hospital. Os médicos disseram que não sabiam se ela chegaria a recobrar a consciência. Estava com hipotermia, a temperatura corporal caíra para quase 34 graus. "Nos disseram que, mesmo se ela sobrevivesse, poderia ficar com algum dano cerebral", Lyman contou. "E nos deram a opção de simplesmente deixar que ela partisse."

Depois de dois dias na UTI, ela acordou. Suas irmãs e pais viram quando abriu os olhos. Lágrimas escorriam por seu rosto. "Por que ainda estou aqui?", perguntou. Nina me disse: "Acho que eu tinha uma ideia espiritualizada de que ela talvez tivesse passado por um portal e alguém do outro lado disse a ela para voltar. Mas não foi isso. Foi pura ciência. Fazia tanto frio nas rochas que seu corpo entrara numa espécie de hibernação. Ela não teria sobrevivido se o corpo estivesse mais quente".

Alguns dias mais tarde Laura foi transferida para o McLean Hospital, onde dera entrada tão animada sete anos antes. Agora estava fraca, atordoada, suando profusamente e anêmica. Tinha dores no corpo em decorrência de rabdomiólise, doença que resulta da liberação de fibras musculares esqueléticas na corrente sanguínea. E um olho roxo devido ao choque contra a pedra.

Apesar disso, um médico escreveu que "seu contato visual e comportamento social estão intactos". Embora estivesse decepcionada com o fracasso de sua tentativa de suicídio — disse aos médicos que tomara os comprimidos depois de fazer uma "análise de custo-benefício" —, também se sentia culpada pela preocupação causada à família. Ela relatou que tinha "necessidade de seguir regras", um médico escreveu. Outro mencionou que ela não parecia se encaixar nos critérios para depressão, apesar de quase ter morrido por suicídio. O médico supôs que ela tivesse transtorno de personalidade borderline, condição caracterizada por relacionamentos e autoimagem instáveis e uma sensação crônica de vazio. Segundo seus prontuários, Laura concordou. "Talvez eu seja borderline", disse.

Pouco depois de ter alta, ela começou uma carta à equipe médica de sua ala: "Não sei nem como expressar em palavras a gratidão que sinto por tudo o que vocês fizeram para me ajudar. Fazia muitos anos que eu não sentia as emoções positivas que me inundaram — esperança, principalmente". Não convencida do próprio sentimento, interrompeu a carta no meio de uma frase e nunca a enviou.

Laura começou a se consultar com um novo psiquiatra no McLean, e ele confirmou que seu problema principal era transtorno de personalidade borderline. "Não está claro se ela tem ou não transtorno bipolar (como diagnosticado no passado)", escreveu.

O conceito de personalidade borderline surgiu na literatura médica nos anos 1930, aplicado a pacientes cujos sintomas não se encaixavam em nenhum outro diagnóstico. Harold Searles, psiquiatra do Chestnut Lodge, referiu-se a esses pacientes como "orientados para a plateia":[15] moldavam o senso de identidade com base nas expectativas de outras pessoas. Em 1980 o diagnóstico foi adicionado ao *DSM*, com a observação de que "o transtorno é mais comumente diagnosticado em mulheres".[16] Suas características definidoras, que incluem emoções exacerbadas, falta de autocontrole e um sentido de self fragmentado, parecem considerar patológicos certos atributos estereotipadamente femininos. A socióloga Janet Wirth-Cauchon mencionou o transtorno de personalidade borderline como "a nova 'doença feminina' da sociedade moderna recente".[17]

Em 2010, aos 27 anos, Laura foi morar com uma tia que vivia nas imediações de Boston, e lá participou de um programa de tratamento ambulatorial para transtorno de personalidade borderline. "Era outra oferta de um possível tratamento, e eu ainda não havia tentado", disse. Na entrevista de admissão, o diretor do programa comentou: "Vejo que você estudou em Harvard. Aposto que nunca pensou que acabaria num lugar como este". Laura caiu no choro, embora soubesse que a reação fosse ser interpretada como "labilidade emocional", um sintoma do transtorno de personalidade borderline. Um médico do programa observou que "Laura demonstra ter insight sobre sua condição, mas isso não lhe traz alívio". Ela disse ao médico que tinha "desistido de tentar controlar minhas ações e suas consequências".

Um dia, Laura encontrou uma espécie de alívio ao se render à doença. Realinhara sua vida, conscientemente ou não, de modo a expressar de maneira mais pura o diagnóstico que recebera. Mas agora se sentia traída, ao ver que a narrativa que supostamente explicava sua vida não oferecia o tipo de clareza ou de cura que pensava ter sido prometida. Desenvolvera o insight sobre a doença errada.

Aceitara-se como bipolar. "Eu me encaixo perfeitamente nos critérios do *DSM*", afirmou. Já o transtorno de personalidade borderline não lhe parecia isento de censura. Quase todos os pacientes no grupo de Laura eram mulheres, e muitas tinham antecedentes de uso de drogas, abuso sexual e relacionamentos tóxicos. Laura, que na época bebia muito, disse que interpretou o diagnóstico como um julgamento dos médicos: "Você é uma pessoa devassa, manipuladora, beberrona".

Seu farmacologista prescreveu naltrexona, medicamento para bloquear o desejo por álcool. Pela primeira vez Laura ficou ofendida com o que foi receitado. Se fosse para largar a bebida, queria sentir que conseguira sozinha. Já tomava Effexor (antidepressivo), Lamictal, Seroquel, Abilify, Ativan, lítio e Synthroid, remédio para tratar hipotireoidismo, efeito colateral do lítio. As medicações causavam tamanha sedação que às vezes ela dormia catorze horas por noite.

Alguns meses depois de começar o tratamento na clínica para transtorno borderline, entrou numa livraria, embora raramente lesse na época. Na mesa dos lançamentos havia um com a imagem de um rosto repleto de nomes de vários medicamentos que ela tomara. Laura o comprou, *The Anatomy of an Epidemic* [Anatomia de uma epidemia], de Robert Whitaker, jornalista laureado com o prêmio Pulitzer que se tornou influente entre os críticos da psiquiatria.[18] A obra examina por que, entre 1987 e 2007, apesar do surgimento de novos medicamentos psiquiátricos como o Prozac, o número de solicitações de benefício por invalidez ao órgão de seguridade social dos Estados Unidos duplicou, sendo as doenças mentais responsáveis por grande parte desse aumento. Whitaker argumenta que essas medicações, tomadas em excesso ao longo da vida, poderiam estar transformando alguns transtornos episódicos, que sem os remédios talvez se resolvessem sozinhos, em doenças crônicas. (Whitaker desconsidera em grande medida as razões sociais e econômicas — por exemplo, cortes em programas de assistência social e falta de emprego para pessoas sem ensino superior —, as quais contribuem para os números crescentes de estadunidenses que deixam a força de trabalho e passam a receber benefícios por invalidez.)[19]

O livro inspirou Laura a ler sobre a história da psiquiatria. Ela não percebera que a ideia de a depressão ser causada por desequilíbrio químico era apenas uma teoria — "na melhor das hipóteses, uma supersimplificação reducionista", nas palavras de Schildkraut, cientista do National Institute of Mental Health.[20] Nathan Kline, que foi médico de Ray, garantiu que "encontraremos um teste ou uma série de testes bioquímicos que vão se mostrar altamente específicos de uma condição depressiva".[21] No entanto, algo assim nunca foi alcançado. Por mais de cinquenta anos, ao custo de bilhões de dólares em pesquisas, cientistas procuraram as origens genéticas ou neurobiológicas da doença mental, mas não conseguiram localizar um marcador biológico ou genético específico associado a qualquer diagnóstico.[22] Ainda não está claro como os antidepressivos funcionam. A teoria do desequilíbrio químico, que se difundira amplamente nos anos 1990, sobrevive há tanto tempo talvez porque a realidade — a doença mental é causada por uma interação de fatores biológicos, genéticos, psicológicos e ambientais — seja mais difícil de conceituar, por isso nada tomou seu lugar. Em 2022, Thomas Insel, diretor do National Institute of Mental Health por treze anos, publicou um livro no qual lamenta que, apesar de grandes avanços na neurociência, quando deixou o cargo em 2015 percebeu que "Nada do que meus colegas e eu fazíamos dava conta da urgência ou da magnitude cada vez maior do sofrimento — ou morte — de milhões de estadunidenses".[23]

Laura escreveu um e-mail a Whitaker com o assunto "Psicofármacos e a condição do self" e enumerou os muitos medicamentos que tomara. "Cresci em uma cidade rica onde se enfatizava a crença de que a felicidade vem de parecer perfeita para os outros, de que tristeza e raiva não são sentimentos legítimos e devem ser guardadas para si", declarou.[24] Em certo sentido, ser a paciente perfeita tinha sido uma forma de se esquivar, um modo de cuidar de um conjunto reduzido de sintomas em vez de lidar com as insatisfações sobre seu mundo social — os objetivos pelos quais se esperava que competisse, a pessoa pura que se esperava que se tornasse. Teorias sobre a mente haviam mascarado o que ela realmente vivenciava. Mesmo nas conversas comigo, Laura evitava falar sobre detalhes específicos de sua criação porque não queria ofender a família.

Whitaker comentou comigo que Laura lhe trazia à lembrança muitos jovens que o procuraram depois de ler o livro. "Prescreveram um medicamento a eles, depois um segundo, um terceiro, e foram postos em outra trajetória na qual sua autoidentidade muda de ser normal para ser anormal — disseram a eles, basicamente, que seu cérebro tem algo errado e que não é temporário —, o que altera seu senso de resiliência e o modo como se apresentam aos outros."

Nas consultas com o farmacologista, Laura começou a mencionar a ideia de parar com a medicação. Em catorze anos, tomara dezenove medicamentos diferentes. "Nunca tivera uma noção básica de mim mesma, de quais eram minhas capacidades", disse. Ela queria, de algum modo, desvencilhar-se da moldura que fora imposta a sua identidade.

Os médicos da clínica de transtorno de personalidade borderline de início resistiram a seu pedido de interromper a medicação, mas, em contrapartida, pareciam reconhecer que as dificuldades de Laura não podiam ser curadas com conhecimentos científicos. Alguns meses antes, um médico escrevera em uma receita: "Pratique a autocompreensão" e, como quantidade de doses, registrara "Infinitas".

SEGUINDO A RECOMENDAÇÃO DO FARMACOLOGISTA, o primeiro medicamento que Laura parou de tomar foi a benzodiazepina. Algumas semanas depois, ela interrompeu o antipsicótico. Depois que parou de usar esses dois remédios, as luzes de casa de repente lhe pareceram fortes demais. Começou a suar tanto que parou de vestir roupas coloridas, apenas pretas. Se virasse a cabeça de repente, sentia-se aturdida. Seu corpo doía, e às vezes era dominada por ondas de náusea. A pele pulsava com um tipo estranho de energia. "Nunca me sentia quieta no meu corpo", me contou. "Sentia que havia algum tipo de corrente sob minha pele e que eu estava presa naquele invólucro que não parava de zumbir."

Receava que nunca mais fosse ser capaz de dormir outra vez. Cores e sons a estimulavam em excesso. "Era como se eu não conseguisse me proteger de toda aquela vida que era vivida à minha volta", disse. Raramente saía de casa. Quando sua tia Sara deu notícias à família, brincou que Laura agora fazia parte do sofá. A família aprendeu a contornar a situação.

Um mês depois ela parou de tomar o antidepressivo. Dentro de uma semana, passou a se sentir desproporcionalmente afetada por pequenas frustrações ou negligências. Quando um caixa no supermercado falou com ela, Laura achou que ele só fingia ser simpático — que na verdade queria dizer: "Você é um ser humano repulsivo, repugnante e patético". Suas reações pareciam artificiais e fora de contexto. "Era como se eu estivesse possuída. As emoções me ocupavam e eu estava à mercê delas, mas na verdade, em certo nível, sabia que não era eu."

Mais tarde descobriu uma comunidade na internet empenhada em parar de tomar remédios psiquiátricos e que já inventara um termo para designar a experiência: "neuroemoção", sentimento exagerado sem base na realidade. O fórum on-line Surviving Antidepressants, com milhares de acessos por semana, enumerava as muitas variedades de neuroemoção: neuromedo, neurorraiva, neuroculpa, neurovergonha, neuroarrependimento. Outra palavra que os membros usavam era "distalgia", onda de desesperança pela futilidade da vida.

Para muitos participantes, era impossível expressar em palavras a experiência de parar com os medicamentos. "Os efeitos dos remédios chegam tão perto dos meus 'polos básicos do ser' que é extremamente difícil descrevê-los de modo confiável", relatou um usuário.[25] Outra mencionou: "Esse processo de abstinência está me despindo lentamente de tudo aquilo em que eu acreditava a respeito de mim mesma e da vida. Uma a uma, partes de 'mim' estão se desprendendo, deixando-me completamente vazia de qualquer senso de ser alguém".[26]

No passado, quando Laura tinha sintomas de depressão ou mania, sabia o que fazer: memorizava os detalhes e relatava ao médico. Agora esse ritual parecia menos deliberado. "A bipolaridade fora o caminho por onde eu seguira", ela me disse. "E de repente eu não estava mais nele." Sentia-se entrando em um vazio.

A PSICANÁLISE JÁ FOI UM PROCESSO para a vida toda. Agora, quase duas décadas depois do fim do Chestnut Lodge, era a psicofarmacologia que entrava em um modo similarmente crônico. Hoje uma em cada oito pessoas nos Estados Unidos toma antidepressivos — um quarto delas há mais de uma década.[27] Já em 1964 Nathan Kline alertava sobre esse problema. "É relativamente simples determinar quando começar o tratamento, porém muito mais difícil saber quando parar", escreveu.[28]

Assim que a teoria do desequilíbrio químico se tornou bem aceita, saúde mental passou a ser sinônimo de ausência de sintomas, e não de retorno da pessoa a sua condição basal, a seu humor ou personalidade antes dos períodos de crise ou entre um período de crise e outro. Dorian Deshauer, psiquiatra e historiador da Universidade de Toronto, disse-me que "Quando abandonamos a ideia da condição basal da pessoa, passa a ser possível pensar no sofrimento emocional como uma recaída — em vez de algo a ser esperado em razão do modo de ser desse indivíduo no mundo". Há também a possibilidade de que a saúde mental seja determinada não apenas por sintomas, mas por aspirações, por exemplo, a de experimentar o "sentimento oceânico" ou outras formas de pertencimento. Adolescentes que são medicados quando ainda estão aprendendo o que significa dar o melhor de si talvez nunca venham a saber que têm uma condição basal, nem qual ela é. "A questão não é 'O que conhecimentos científicos podem fazer?', e sim 'O que queremos com eles?'."

Quando rejeitaram a autoridade da psicanálise, os psiquiatras esperavam se livrar da influência da cultura e da subjetividade preliminar que ela implicava. Mas a história da psiquiatria biológica é marcada por vieses de gênero e raça, exatamente como foi a psicanálise. As benzodiazepinas, classe de tranquilizante celebrada como substituta da psicanálise, marcou os anos 1970 especialmente para as mulheres porque lhes dava personalidades convenientes aos maridos. Em anúncios intitulados "35 e solteira" nos *Archives of General Psychiatry* de 1970, a farmacêutica Roche incitava os médicos a prescrever Valium para o tipo de paciente nervosa que "percebe estar em um caminho perdedor — e que talvez *nunca* se case".[29] Entre 1969 e 1982, o Valium foi o medicamento mais prescrito nos Estados Unidos, e cerca de três quartos dos usuários foram mulheres.[30] Em um editorial da revista francesa *L'Encéphale*, dois médicos do maior hospital psiquiátrico de Paris alertaram: "As benzodiazepinas perderam sua função medicamentosa [...] e se tornaram simples auxiliares domésticos".[31]

Os inibidores da recaptação de serotonina (ISRS), com destaque para o Prozac e o Zoloft, foram criados nos anos 1980 e preencheram uma lacuna no mercado aberta pelo receio de que as benzodiazepinas viciassem.[32] Logo passaram a ser prescritos não só para depressão, mas também para os tipos de ansiedade que antes eram tratados com benzodiazepinas. Hoje mais de uma em cada cinco mulheres brancas nos Estados Unidos toma antidepressivos.[33] Peter Kramer, autor de *Ouvindo o Prozac*, disse-me que os ISRS eram "estranhamente consonantes com o que a cultura requeria das mulheres: menos fragilidade, mais malabarismos fora de casa". Um dos primeiros anúncios do Zoloft mostrava uma mulher branca vestida com um terninho, de mãos dadas com os dois filhos e a frase "Poder que fala com suavidade".[34] Uma propaganda do Prozac veiculada por dois anos e meio mostrava outra mulher branca, com a aliança de casamento visível e o slogan "Para noites repousantes e dias produtivos".[35]

Enquanto as mulheres negras têm maior probabilidade de não serem medicadas adequadamente para a depressão, muitas mulheres brancas, em especial as ambiciosas, são medicadas em excesso para "dar conta de tudo": filhos e uma carreira bem-sucedida. No entanto, um efeito comum dos remédios é a perda de libido, experiência talvez mais compatível com papéis de gênero contemporâneos do que gostaríamos de imaginar. Allen Frances, professor emérito de psiquiatria na Universidade Duke que chefiou a força-tarefa para a quarta edição do *DSM* em 1994, disse-me que "Logo se evidenciou que os ISRS têm impacto substancial no interesse e desempenho sexual. Sempre me intrigou que esse não fosse um aspecto desabonador de sua grande aceitação".

Audrey Bahrick, psicóloga do Serviço de Aconselhamento da Universidade de Iowa que publicou artigos sobre o modo como os ISRS afetam a sexualidade, contou que atende milhares de estudantes universitários por ano, muitos dos quais tomam a medicação desde a adolescência. "Esperava que os jovens fossem se afligir com os efeitos colaterais sobre a libido, mas clinicamente observo que eles ainda não sabem o que de fato é a sexualidade ou por que ela é uma força tão importante. Ficam um pouco atrás de seus pares no que diz respeito a se apaixonar ou a estar sexualmente motivado", relatou.

Laura nunca simpatizara com mulheres da sua idade que se vestiam bem. Pareciam "muito satisfeitas com seu corpo", comentou. Nunca se masturbara, atividade que a deixava perplexa. "Eu me perguntava: 'Por que as pessoas fazem isso?'. Não fazia sentido."

Oito meses depois de parar de tomar remédios, andava por uma rua de Boston quando sentiu uma centelha de desejo. "Foi tão desconfortável e estranho para mim que não soube o que fazer com aquilo", falou. Sentiu-se exposta, como se sua sexualidade fosse visível para as pessoas. Essa sensação começou a ocorrer em momentos aleatórios do dia, frequentemente em público e na ausência de um objeto atrativo. "Era como se toda aquela parte do meu corpo estivesse sendo religada, e eu não tinha ideia de como canalizá-la", comentou.

Um ano depois, aos trinta e um, começou um relacionamento a distância com um jornalista de Victoria, no Canadá, chamado Rob Wipond, que escreve sobre o sistema de saúde mental canadense. Laura e Rob se emocionaram quando falaram comigo sobre a sexualidade de Laura. "Me senti como uma recém-nascida. Nunca percebera o que meu corpo tinha sido feito para ser", ela confessou. "De repente se tornou franca, desperta, encarando a sexualidade de uma perspectiva adulta. Tudo era novo para ela. A conversa era mais ou menos assim: 'Uau, o que a gente vai fazer com esse negócio de sexualidade?'", contou Rob.

Durante anos Laura fora incapaz de ter relacionamentos estáveis, sintoma que ela supunha ser causado pelo transtorno de personalidade borderline. "Pensava mesmo que, por ter uma doença mental, aquela insensibilidade simplesmente era parte de mim", ela me disse. "Via lindas cenas de sexo nos filmes e nunca me passava pela cabeça que aquilo era acessível a mim." Agora se perguntava se sua incapacidade de se relacionar não seria, em parte, consequência dos muitos remédios que tomava. "Naquele nível muito sensorial, somático, eu não conseguia criar laços com outro ser humano", relatou. "Não parecia real. Parecia sintético."

Laura comprou um livro sobre sexualidade feminina e, aos 31 anos, aprendeu a ter um orgasmo por conta própria. "Demorou tanto, e eu finalmente descobri. Caí no choro, liguei para Rob e contei: 'Consegui! Consegui! Consegui!'."

LAURA ESCREVEU À DRA. ROTH, que fora sua psiquiatra, e pediu para ver seu prontuário. Queria saber como a médica interpretava sua insensibilidade emocional e sexual. "A perda da minha sexualidade é a parte mais difícil de aceitar", ela me disse. "A sensação é de traição."

Como não obteve resposta, foi até o consultório entregar em mãos uma solicitação para ver seu prontuário. A caminho da porta de entrada, viu a dra. Roth passeando com o cachorro. "Foi constrangedor", Laura contou. "Disse: 'Oi, sou a Laura Delano'. Nos abraçamos, veja só. Falei para ela: 'Eu só queria tranquilizar você, não guardo nenhum ressentimento. Só estou tentando entender o que diabos aconteceu'."

A dra. Roth sugeriu marcarem um encontro. Laura se preparou durante horas. No dia combinado, enquanto aguardava na sala de espera, tentou se concentrar nas perguntas que faria. Pretendia começar dizendo: "Estou sentada aqui, na sua frente, sem tomar todos aqueles remédios, e nunca me senti mais vibrante, mais viva e capaz, e no entanto tive aquela doença mental grave. Como você explicaria isso?".

Mas acabou se perdendo em recordações: o familiar zumbido da máquina de ruído branco, o som do ar sendo puxado quando a dra. Roth abriu a porta. Laura sempre gostara da presença da dra. Roth — o modo como se sentava de pernas cruzadas numa poltrona segurando uma caneca de café, as unhas caprichosamente pintadas. Quando a médica abriu a porta da sala de espera, Laura chorava.

Abraçaram-se. Depois assumiram suas posições habituais no consultório. Mas Laura disse que a dra. Roth parecia tão nervosa que falou durante todo o encontro, resumindo as conversas anteriores que tiveram. Só quando foi embora Laura percebeu que não perguntara o que queria.

Laura criou um blog sobre sua experiência com a psicofarmacologia, descrevendo como ao longo de uma década perdera a noção de que tinha controle sobre o que acontecia consigo. Pusera tamanha fé em "comprimidinhos e cápsulas", escreveu, que se via como "um meio vivo e respirando através do qual faziam seu trabalho".[36] Logo surgiram leitores pedindo conselhos sobre como parar de tomar doses excessivas de vários medicamentos. Alguns tentavam se abster fazia anos. Haviam elaborado métodos meticulosamente lentos para retirar os medicamentos aos poucos, como usar um contador de grãos para dosar glóbulos individuais nas cápsulas.

Medicamentos psiquiátricos são lançados no mercado depois de testes clínicos que costumam durar menos de doze semanas. Poucos estudos acompanham por mais de um ano pacientes que fazem uso desses remédios. A área negligencia questões relacionadas à retirada gradual da medicação — prática conhecida como "desmame".[37] Alguns dos estudos mais antigos sobre esse problema envolveram grávidas que foram aconselhadas a descontinuar o tratamento porque as substâncias afetariam o feto. Nos anos 1990, os *Annals of Pharmacotherapy* e o *The British Journal of Psychiatry* publicaram estudos de caso de gestantes, uma que tomava Prozac e outra Luvox, um ISRS, que tentaram o desmame dos remédios, mas não conseguiram.[38] Uma delas "teve sintomas de agressividade grave".[39] A outra foi "incapaz de interromper" a medicação porque "toda vez que tentava era dominada por fortes sintomas de agressividade (sentia que 'podia assassinar alguém')".[40]

Guy Chouinard, professor emérito de psiquiatria da Universidade McGill, que por dez anos foi consultor da empresa farmacêutica Eli Lilly, fabricante do Prozac, disse-me que quando os ISRS entraram no mercado ele ficou emocionado ao ver seus pacientes, antes paralisados por insegurança e medo, levando uma vida razoável e gratificante. Chouinard é considerado um dos fundadores da psicofarmacologia no Canadá; chefiou os primeiros estudos clínicos de quatro antidepressivos. No começo dos anos 2000 começaram a lhe encaminhar pacientes que, depois de tomar antidepressivos por anos, haviam interrompido a medicação e agora sofriam o que ele chamava de crises de ansiedade e pânico do "tipo crescente", que duravam semanas e, em alguns casos, meses. Só quando voltou a administrar-lhes os remédios os sintomas começaram a regredir, em geral dentro de dois dias.

Muitas pessoas que param de tomar antidepressivos não sofrem com a abstinência por mais de alguns dias. Algumas não têm problema algum. "A literatura médica sobre isso é uma confusão", Chouinard relatou. "Os psiquiatras não conhecem bem seus pacientes — não os acompanham por um longo período —, por isso não sabem se acreditam ou não na pessoa quando ela diz: 'Nunca passei por isso na vida'." Ele acha que, em muitos casos, sintomas de abstinência mal diagnosticados e sem tempo hábil para regressão possam criar uma falsa impressão de que os pacientes não conseguem dar conta de suas atividades cotidianas sem voltar aos medicamentos.

Laura imergiu no que chamava de "comunidade leiga abstinente", uma constelação de fóruns na internet e grupos no Facebook na qual pessoas que estão tentando o desmame dos remédios aconselham umas às outras: Surviving Antidepressants, International Antidepressant Withdrawal Project, Benzo Buddies, Paxil Progress, Cymbalta Hurts Worse.* Os grupos ensinam como reduzir os remédios aos poucos e oferecem um lugar para compartilhar experiências emocionais que não têm um nome. Esses sites atraem pessoas que, no passado, talvez se deixassem seduzir pela antipsiquiatria — movimento que culminou nos anos 1970, quando

---

* Sobrevivendo aos Antidepressivos, Projeto Internacional de Abstinência de Antidepressivos, Amigos da Benzô (benzodiazepina), Progresso com Paxil, Cymbalta Dói Mais. (N. T.)

médicos como R. D. Laing e Thomas Szasz aventaram que a insanidade era uma resposta natural à loucura da vida contemporânea. Mas essa questão — "Eu que sou insano ou é a sociedade?" — menospreza a realidade da doença mental e pressupõe o impossível: que o self pode se desligar da sociedade que o molda.

Um tema comum nos fóruns era a sensação de ter ficado incapacitado depois de tomar inúmeros medicamentos durante anos e agora não saber mais se isso decorria de seu transtorno preliminar, dos remédios ou da reação da família e da comunidade — processo que às vezes coincidia com a pressão de precisar provar a incapacidade para receber benefícios de seguridade social. Swapnil Gupta, professora da Faculdade de Medicina de Yale, disse-me que, quando seus pacientes expressam medo de parar com os remédios, com frequência o receio está relacionado não só a problemas médicos, mas também a problemas sociais e financeiros. "Algumas pessoas temem perder seus benefícios por invalidez porque o uso de medicação se tornou um emblema da doença", explicou. Para outros, "os comprimidos representam um vínculo com um médico, e tirá-los significa que perderão esse laço". Ela prosseguiu: "É uma perda de identidade, um modo de vida diferente: de repente tudo o que a pessoa faz é proveniente dela, não necessariamente da medicação".

Gupta também tenta recalibrar a forma de compreender a vida emocional de seus pacientes. "Tendemos a vê-los como lineares — não como pessoas que têm altos e baixos como todos nós —, e pode ser desconcertante quando de repente um deles diz: 'Veja, estou chorando: volte a me dar os remédios'." Gupta contou: "Preciso acalmar a pessoa e dizer:

'Não tem problema chorar, pessoas normais choram'. Hoje mesmo alguém me perguntou: 'Você chora?', e eu respondi: 'Choro, sim'."

Descobri o blog de Laura numa época em que eu tentava entender a relação entre medicação e minha autoestima. A psiquiatria que moldara meus primeiros anos de vida, no fim dos anos 1980, quase não lembrava em nada o campo que Laura encontrou uma década mais tarde. Minha internação precedeu a era em que se tornou norma medicar crianças. Eu, em vez disso, aprendera a ver minha doença como uma espécie de reação ao estresse. "A anorexia parece ser uma forma de lidar com as pressões que ela sente", escrevera minha psiquiatra. Em certo sentido, Laura e eu éramos espelhos onde se refletiam diferentes faces da psiquiatria.

Minha amiga Anna, que concluíra havia pouco a faculdade de medicina, me ajudou a reciclar os conhecimentos sobre essa área. Eu tinha a impressão de ser eternamente inadequada no trabalho, tendência que Anna (tentando me ajudar a perceber minha irracionalidade) chamou de "anoréxica". Recomendou que eu marcasse uma consulta com um psiquiatra que ela admirava e fora seu professor. Na época eu passava por um período de ansiedade social, desencadeado por certo sucesso profissional que demandou mais interações com pessoas que eu achava intimidadoras. Anna e eu costumávamos brincar dizendo que nossa mente era cheia de "lixo", o nome que usávamos para categorizar pensamentos circulares sobre pequenos lapsos sociais ou e-mails lamentáveis. Em meu diário da época eu descrevera meu problema como "pensar constantemente no que falo e em como sou vista — e não *me comunicar*". Ao voltar de uma festa, escrevi: "45% do que eu disse foi descartável". Exortei a mim mesma a ser mais "humana" em vez de "hipercontida", "impenetrável".

Na primeira consulta com o psiquiatra, que chamarei de dr. Hall, ele perguntou por que o procurei. Eu não tinha uma boa resposta. Disse que às vezes, depois de enviar um e-mail, ficava tão envergonhada por alguma frase minha — assim que clicava em "enviar" o erro se evidenciava — que reescrevia o texto todo no Word para avaliar a magnitude do deslize. Ele observou que talvez eu me sentisse isolada, e escrever e-mails imaginários fosse um modo de me sentir conectada. Concordei e me referi depreciativamente a mim mesma como "um poço de preocupação" — expressão que sempre me trazia à mente a imagem de gente preocupada enchendo um poço de água. Só quando trocamos ideias sobre essa expressão me dei conta de que ele a compreendia de maneira diferente.* Ele propôs que eu tomasse antidepressivos por um período breve — menos de seis meses. Os remédios, explicou, me ajudariam a adquirir uma espécie de "capacidade negativa", isto é, eu deveria aprender a aceitar que não posso controlar, nem saber, qual impressão produzo em outra pessoa. O poeta John Keats descreveu a capacidade negativa como o estado em que "um homem é capaz de estar em meio a incertezas, mistérios, dúvidas, sem nenhuma busca irritante por fato e razão".[41] Saí da consulta com uma prescrição de dez miligramas de Lexapro, um ISRS.

---

* A expressão em inglês para "poço de preocupação", "worried well" também poderia ser interpretada como "bem, mas preocupada". (N. T.)

Na época eu estava escrevendo uma matéria para a *New Yorker* sobre adolescentes em situação de rua na cidade de Nova York. Por meses vinha lutando com o texto, receosa de que as entrevistas não estivessem levando a lugar algum. O que estava em jogo me parecia importante de uma maneira incômoda, em parte porque eu ansiava por algum senso de comunidade, um mundo profissional ou social que me permitisse sentir menos solidão, e não sei por que tinha a impressão de que se o meu próximo artigo fosse bom o bastante eu talvez alcançasse aquela sensação. Me lembro do momento em que o Lexapro pareceu fazer efeito: ocorreu-me que tudo bem eu escrever apenas uma matéria informativa. Não tinha de ser o artigo ideal. Só precisava obedecer aos requisitos. E contudo, naquele momento, o assunto de repente se tornou muito mais interessante. Ouvindo as entrevistas que antes eu supunha não permitirem chegar a nenhuma conclusão, percebi que aquelas pessoas diziam coisas fascinantes. Era como se antes eu estivesse à procura de algo restrito demais. A moldura da minha curiosidade se ampliara.

Meus primeiros seis meses tomando Lexapro provavelmente foram o melhor semestre da minha vida. Eu era o tipo de paciente que os psiquiatras chamam de "bom respondedor".[42] Meu cérebro de repente me pareceu um lugar divertido e novo. "Hoje: nada me faz sentir vergonha", registrei no diário. Comecei a escrever e-mails engraçados simplesmente porque transbordava de afeto pelas pessoas. Uma noite, na cozinha, tentei imitar o jeito de dançar de alguns dos jovens que eu entrevistara. Meu namorado, com quem me relacionava fazia cinco anos, disse: "Essa é a coisa mais boba que já vi você fazer". Sempre me considerara uma pessoa boba, mas parece que essa verdade não tinha sido óbvia. Quando fizemos uma viagem a Portugal, senti que finalmente entendera o que eram férias — por que as pessoas gostam tanto delas.

Incentivei amigas a tomar o Lexapro. Sofriam formas similares de insegurança sobre si mesmas, e algumas seguiram minha sugestão. Duas semanas depois de começar com a medicação, minha amiga Helen, que é romancista, disse-me por e-mail: "O remédio está me deixando mais gentil com minha família". Um dia, no metrô, ela percebeu que gostaria de ter um bebê. "Mas detesto bebês", escreveu. Outra amiga contou que com o Lexapro estava mais moderada: "O remédio põe freios depois de quatro ou cinco horas de trabalho, quando antes eu teria continuado, mesmo improdutiva, por nove ou dez". Helen e eu, com outras duas amigas, saímos para jantar em intervalos de poucas semanas, e essas noites pareceram elétricas. Contribuí para as conversas com tanta exuberância que às vezes me perguntava se não estaria gritando sem querer. Desfrutei da companhia delas sem reservas, fenômeno que me faz lembrar a observação de um colega de Nathan Kline em um artigo de 1958 no *Journal of Clinical and Experimental Psychopathology*. Depois de prescrever iproniazida a um paciente, ele relatou: "Pela primeira vez em quinze anos [o paciente] conseguiu aproveitar os intervalos do café e conversar despreocupadamente com os colegas sem receio de estar perdendo tempo".[43]

Helen e eu continuamos a descobrir outros usuários do Lexapro entre colegas e amigos. Foi perturbador ver quantos de nós — a maioria mulheres brancas — tomavam o mesmo remédio. "Cada vez mais isso está parecendo um comprimido para Tornar Mulheres Ambiciosas Mais Toleráveis", Helen me escreveu. Quando contei ao dr. Hall que quase todas as minhas amigas tomavam Lexapro e se deram muito bem, fato que me levou a pensar que tínhamos sido arrastadas para um fenômeno cultural em vez de estarmos sofrendo da mesma doença, ele fez graça dizendo que eu estava preocupada com ser relegada ao que ele chamou de "tenda vermelha" — referência à tenda onde as mulheres da tribo de Jacó encontram alívio e sororidade quando menstruam e dão à luz. O dr. Hall pareceu reconhecer que o medicamento estava sendo útil particularmente às mulheres, mas pelo visto não tinha curiosidade de saber o porquê. Lembro-me de ter dito a ele, antes de o Lexapro fazer efeito total, que muitas vezes receava ter sido inadvertidamente "estridente" — temia que por alguma razão partes secretas de mim (algumas que nem meu namorado conhecia) estivessem explodindo alto demais, sem cuidado, de modo agressivo. Recentemente perguntei a Helen como ela entendia a fonte da nossa ansiedade, e ela escreveu: "Somos todas 'boas moças' no amplo sentido do termo (mas também moças más)".

Anna, a amiga que recomendara o dr. Hall, também tomava Lexapro e me ajudou a justificar em termos existenciais meu uso do remédio. Teorizou que mesmo se eu nunca tivesse estado clinicamente deprimida, talvez houvesse algum descompasso entre minha mente e os ritmos da vida contemporânea. O bioeticista Carl Elliott escreveu que para algumas pessoas os antidepressivos não tratam um estado psíquico interno, e sim "uma incongruência entre o self e estruturas externas de significado — um desajuste entre o modo como você é e o modo como esperam que você seja". Elliott imagina que talvez "ao menos parte da irritante preocupação com o Prozac e afins venha do fato de que, apesar de todo o bem que eles fazem, as doenças que tratam são indissociáveis do lugar solitário, esquecido e insuportavelmente triste onde vivemos".[44]

Mas claro que há diferença entre uma solidão melancólica e os tipos de privação que definiram a história de Naomi — e a dissonância cognitiva quando esses erros não são corrigidos, a sensação de que não se pode confiar na realidade. No entanto, a psiquiatria se propõe a tratar desse conjunto de problemas do mesmo modo, adotando uma posição de neutralidade que pode parecer violenta. O que um psiquiatra poderia dizer, Elliott indaga, a "um Sísifo alienado enquanto ele empurra a pedra para o alto da montanha? Que ele empurraria a pedra com mais entusiasmo, mais criatividade, mais insight, se tomasse Prozac?".[45]

Em certa medida o Lexapro tem sido um medicamento social, uma experiência coletiva. Depois da sensação de melhora impressionante por vários meses, minhas amigas e eu começamos a nos perguntar se não deveríamos parar. Helen foi a primeira, e sentiu o efeito em poucos dias. "Fiquei irritadiça e raivosa praticamente desde o momento em que parei", ela me contou por e-mail, acrescentando (com certo ar de superioridade, desconfio) "enquanto você pareceu mais descontraída do que eu jamais vira". Agora que não tomava mais o Lexapro, ela contou, "Não sinto mais vontade de sair com as pessoas. E, quando saio (por exemplo, com a família, que pede que eu volte a me medicar), sinto um ímpeto terrível de voltar para casa e fazer algo que valha a pena".

Quando Helen parou, não sei por que senti que deveria fazer o mesmo. Minha experiência de seis meses havia passado, e a medicação funcionara — eu tinha saído do impasse. Ao longo de uma semana, reduzi gradualmente a dosagem. Duas semanas depois, pela primeira vez na vida sofri de depressão como ela é descrita na literatura médica: incapacidade de me mover ou de agir. Toda ilusão que eventualmente pudesse fundamentar a crença de que meu trabalho tinha sentido e importância evaporou. Experimentei uma camada de autopercepção que era nova para mim: às vezes, quando falava, me distraía com a sensação dos meus lábios em movimento. Num dia de sol, depois de passar a tarde ao ar livre com uma amiga, anotei todas as coisas na vida pelas quais eu devia ser grata. "Mas sem o Lexapro me torno cobiçosa e não consigo apreciar nada disso", escrevi.

Voltei a tomar o remédio e melhorei dentro de duas semanas. Nos dois anos seguintes, tentei parar mais três vezes, mas sempre me sentia imobilizada e desconectada, como se tivesse perdido meu centro motivacional. O dr. Hall nunca aventou que essas experiências poderiam estar relacionadas à abstinência, e eu nunca fiquei sem tomar o medicamento por mais de seis semanas para descobrir. Receava que meu eu original não fosse quem eu tinha sido antes do Lexapro, e sim o eu mais disfuncional que havia aflorado algumas vezes — mais visível quando eu tinha seis anos e fui hospitalizada. Ou talvez a medicação tivesse operado uma mudança tão grande em mim que meu eu original não era mais meu, portanto não poderia ser recuperado. O sociólogo Alain Ehrenberg escreveu que o tratamento de longo prazo com antidepressivos se tornou uma cura para pessoas que se sentem inadequadas. Os medicamentos criam uma "situação paradoxal: a medicação é investida de poderes mágicos enquanto a patologia se torna crônica".[46] Helen, que permaneceu livre do Lexapro, acreditava que houvera algo de falso em seu desejo súbito, enquanto estava medicada, de fazer parte do mundo. Eu também senti estranheza. Porém achei que era verdadeiro. "É uma alegria estar escondido", escreveu o psicanalista britânico D. W. Winnicott, "mas é um desastre não ser encontrado."

O neurofarmacologista sueco Arvid Carlsson observou que quando pessoas tomavam Zimelidina, um precursor do Prozac, sua renda aumentava.[47] Comigo foi assim. O Lexapro segue paralelo ao avanço da minha carreira. Também corresponde ao período em que meu namorado e eu decidimos nos casar. Talvez eu tivesse chegado a esses marcos na vida mesmo sem o remédio, mas não consigo separá-los nitidamente da medicação. Em *Ouvindo o Prozac*, Peter Kramer escreve: "Ao ver como os pacientes se saíam mal quando eram cautelosos e inibidos e quanto essas mesmas pessoas prosperaram assim que a medicação as tornou assertivas e flexíveis, adquiri uma forte impressão de que nossa cultura favorece um estilo interpessoal em detrimento de outro".[48]

Três anos depois de começar o Lexapro, engravidei. Apesar das dificuldades para deixar de tomar o remédio, parei imediatamente, pois tinha medo de que fizesse mal ao feto. Dentro de duas semanas perdi o acesso às razões que tinham me levado a querer ser mãe. De repente, minha gravidez pareceu acidental, ainda que tivesse sido planejada. Lembro-me de folhear um livro sobre recém-nascidos e descobrir que, nas primeiras semanas de vida, o bebê não sabe diferenciar entre ele mesmo e a mãe. Isso me assustou. Comentei com amigas que estava com medo de não amar meu filho. Quando sou honesta comigo mesma, percebo que temia o oposto: que meu amor fosse tão imenso a ponto de me tornar irreconhecível para mim mesma. No ensino médio e no começo da faculdade, tivera um namorado a quem minha devoção quase eclipsava todos os meus outros interesses e objetivos. Imaginava que, como mãe, acabaria consumida da mesma maneira. O psicanalista Adam Phillips disse que "todos estão lidando com quanto da própria vivacidade são capazes de suportar".[49] Era como se o Lexapro agisse diretamente sobre essa capacidade. Sem o remédio, não tinha coragem de tentar algo novo.[50] Nas palavras de Roland Kuhn, eu perdera o "poder de experienciar".[51]

Depois de uma consulta na sexta semana de gravidez, quando eu já tinha parado com a medicação, o dr. Hall perguntou se eu estava cogitando fazer um aborto. A ideia me ocorrera, mas meu corpo parecia tão inabitável que eu achava que um aborto espontâneo fosse resolver a questão. Alguns dias mais tarde, o dr. Hall disse que discutira meu caso com o chefe de psiquiatria infantil na faculdade de medicina: "Descrevi o quadro clínico", escreveu, "e ele disse que, se fosse com sua esposa, ele reintroduziria o medicamento". Fiquei perplexa com a ideia de dois homens discutindo sobre quais remédios diriam para suas mulheres tomarem, mas segui o conselho. Voltei a usar o Lexapro. Em três semanas me senti novamente sintonizada com minhas razões para ter um bebê.

Quando conheci Laura, disse a ela que talvez eu tivesse passado por algo na linha de um "neuroaborto": o falso desejo de terminar uma gravidez. Um artigo no *Journal of Psychiatry and Neuroscience*, publicado em 2001, relatou o caso de 36 mulheres que tomavam antidepressivos, benzodiazepinas ou uma combinação dos dois e os interromperam abruptamente ao engravidarem. Um terço das pacientes disseram que pensaram em suicídio, e quatro foram hospitalizadas. Uma fez um aborto porque "sentia que não seria capaz de levar adiante a gestação de tanto mal-estar", embora "a gravidez fosse desejada".[52] Os autores não acompanharam posteriormente a mulher, mas suponho que ela talvez tenha interrompido a medicação depressa demais. Se voltasse a tomar seus comprimidos, será que não iria querer o bebê?

Meus seis meses de experiência com o Lexapro já se prolongaram por mais de uma década. Há anos venho reduzindo a dose lentamente, de um modo não sistemático, pois temo que se não fizer isso terei que tomá-lo pelo restante da vida. Eu me preocupo com efeitos colaterais em idade mais avançada, mas não o suficiente para abrir mão do medicamento. Tive mais um filho e também nessa gravidez permaneci tomando o Lexapro. Ao longo de alguns anos reduzi para 2,5 miligramas, um quarto da minha dosagem inicial. Não tive depressão, mas passei a ser menos sociável, flexível e espontânea. Parecia ter chegado a minha personalidade original. Notei que era bem parecida com a do meu pai — sempre foi claro que herdei seu temperamento — e imaginei que ele teria lidado melhor com certos momentos da nossa vida se estivesse tomando o remédio. Decidi aumentar novamente a dose, pois quis evitar os mesmos erros com a próxima geração.

Em *Ouvindo o Prozac*, Kramer especula se algumas pessoas talvez se sintam pressionadas a se medicar ao ver colegas e amigos tomarem remédios e se tornarem mais capazes de progredir nos campos social e emocional.[53] Comentei com Laura que eu estava às voltas com um dilema um pouco diferente: precisar de um remédio para continuar a ser a pessoa que eu tinha me tornado. Queria que meus filhos se lembrassem da versão de mim que tomava o Lexapro. Com o remédio conseguia dar a meu marido o tipo de retorno necessário para um relacionamento duradouro. Ficava menos propensa a me irritar por coisas secundárias, por exemplo, quando meu filho, por mais que eu protestasse, usava minha cabeça como uma espécie de corrimão para se equilibrar no momento em que o ajudava a calçar as meias. "Com 7,5 miligramas sou um membro da família melhor", disse a ela.

"Será que na verdade isso é uma abstinência e talvez você precise ir mais devagar?", Laura perguntou.

Achei a pergunta reducionista e um tanto insultante. Ocorreu-me que Laura ainda era devota da mesma ideia — a resposta para o problema do indivíduo pode ser encontrada em medicações — só que pelo ângulo oposto. Se medicações são a questão — tomar ou não —, então novamente temos permissão para desconsiderar o contexto, os tipos de sociedade que criam e perpetuam incapacidades. Uma explicação que ainda exercia poder demais.

Em seu livro *Depression: A Public Feeling* [Depressão: Um sentimento público], a acadêmica Ann Cvetkovich escreve que se a depressão pode ser "concebida como um bloqueio ou impasse, ou como um beco sem saída, então sua cura talvez esteja mais em formas de flexibilidade ou criatividade do que em comprimidos". Simpatizo com essa ideia, embora não ache que as duas estratégias sejam opostas. Também tenho consciência de que dotei meu comprimido eleito de capacidades místicas — ele contém as coisas que não sou, mas gostaria de ser —, e a mera ideia de engolir algo assim já tem poder curativo. Gostaria de ter uma atitude mais flexível diante dos meus sentimentos de inadequação ("Quero ser alguém melhor do que eu", escrevi no meu diário na segunda série), mas também me sinto mais próxima desse espaço de flexibilidade quando tomo Lexapro; ele parece amenizar a rigidez cognitiva que frequentemente acompanha a ansiedade e a depressão — a impressão de que a minha vida só pode seguir um caminho.

OS MÉDICOS DO CHESTNUT LODGE compararam o hospital a um farol que se choca com o avanço da maré.[54] A história da psiquiatria é uma crônica desses tipos de embate: um modelo de tratamento, uma fonte de promessa dando lugar a outra. Com o tempo, percebi que discordava do modo como Laura parecia ver sua história — a ideia de se livrar dos medicamentos como uma luz no fim do túnel. Ocorreu-me que talvez não fosse a abstinência de medicação que criasse as condições para a recuperação de Laura, e sim algo que não era novidade: uma nova narrativa sobre o que a afligia, uma narrativa sem a ilusão de que uma vida sem percalços é possível, uma comunidade que pudesse afirmar que tudo bem, não tem problema chorar. Ela descobrira que a "verdadeira solidão",[55] como escreveu Fromm-Reichmann, é "potencialmente uma experiência comunicável, que pode ser compartilhada".

Eu já vinha me encontrando com Laura fazia quase um ano quando sua irmã Nina me mandou uma mensagem de texto: "Faz dez anos, e Laura tem uma novidade que talvez seja um bom final para a sua história". Laura se mudara pouco tempo antes para Hartford, e seu apartamento ficava a um quarteirão de distância da casa de um novo namorado, Cooper, que trabalhava em uma agência de apoio a pessoas com problemas psiquiátricos e dependentes químicos. Tinham se conhecido em uma conferência sobre saúde mental. Cooper se recuperara da dependência de Adderall, que lhe fora prescrito aos dezessete anos. Ele contou que na adolescência fora levado a acreditar que "não fui feito para este mundo. Preciso de regulagem, preciso de ajuste".

Um dia, na cozinha dele, Laura explicou que utensílios de madeira e plástico fino não podiam ir na lava-louça. Cooper perguntou se vários artigos eram seguros para serem postos na lava-louça antes de fazer uma última pergunta. Tirou um anel de noivado do bolso. Ele vinha planejando pedi-la em casamento fazia várias semanas e não percebera que o momento escolhido era precisamente uma década depois da tentativa de suicídio de Laura.

Pouco depois do noivado, uma jovem de 23 anos chamada Bianca Gutman foi de Montreal a Hartford para passar o fim de semana com Laura. A mãe de Bianca, Susan, descobrira o blog dois anos antes e imediatamente lhe mandara um e-mail. "Parece que ouvi a história da minha filha", ela escreveu. Susan pagara a Laura por conversas pelo Skype para que pudesse orientar a filha durante o processo de desmame. Por fim, Laura pediu que parasse de pagar — agora pensava em Bianca, que fora diagnosticada com depressão aos doze anos, como uma irmã mais nova.

Laura e Bianca passaram o fim de semana fazendo caminhadas em um frio cortante. Bianca, que tinha pouco mais de 1,80 metro, movia-se e falava mais devagar do que Laura, como se precisasse ponderar muito antes de converter um pensamento em palavras. Tomara quarenta miligramas de Lexapro — o dobro da dose máxima recomendada — por quase nove anos. Durante seis anos fora medicada com o antipsicótico Abilify. Depois de conversar com Laura, o pai de Bianca, médico emergencista, encontrara uma farmácia de manipulação em Montreal capaz de preparar quantidades decrescentes de sua medicação, diminuindo um miligrama por mês. Bianca, que trabalhava como auxiliar em uma escola de educação infantil, agora tomava cinco miligramas. Sua mãe comentou: "Costumo dizer a Bianca: 'Vejo que você está indo bem', e ela responde: 'Calma aí, mamãe. Não pense que ficar sem remédio vai me deixar limpa e você vai ter de volta a filha que teve um dia'" — a esperança que ela acalentava desde que Bianca começara a ser medicada.

Como Laura, Bianca sempre gostara quando seus psiquiatras aumentavam a dosagem. Ela disse: "Era como se estivessem apenas fazendo a regulagem de acordo com o meu sofrimento" — sofrimento que não era capaz de especificar. Falou da sua depressão como "um sofrimento sem sentido. Não tem forma, é nebuloso. Foge de qualquer linguagem". Contou que, na primeira conversa com Laura, algo no modo como ela dizia "uhum" fez com que se sentisse compreendida. "Tinha muito tempo que eu não sentia esperança. Esperança de quê? Sei lá. Só esperança, acho, porque senti afinidade com uma pessoa." Ela disse a Laura: "Saber que você sabe que não existem palavras — já basta para mim".

A meu pedido, Laura resgatou vários álbuns de fotos da infância, e nós três nos sentamos no chão para vê-los. Ela parecia radicalmente diferente de um ano para outro. Não havia continuidade. Passara por uma fase em que vestia camisetas polo de tons pastel pequenas demais para ela, e Bianca e eu tivemos dificuldade de distingui-la nas imagens desse período em que aparecia junto com amigas. Não que ela fosse mais gorda ou mais magra; seu rosto parecia ter outra estrutura. Nas fotos de debutante, parecia estar usando os traços de outra pessoa. Bianca dizia: "Não estou vendo você".

Desde que conheço Laura, ela sempre teve certo brilho, mas nesse dia parecia quase luminosa. Adquirira um novo interesse por roupas, e usava a camiseta por dentro da calça de um jeito que acentuava sua cintura. Quando Cooper voltou ao apartamento depois de passar a tarde com a família, ela exclamou: "Ah! Cooper chegou!". Então ficou meio sem graça e riu de si mesma.

Comentei com Laura que não sabia se sua irmã tinha razão em achar que o casamento era o fim da sua história, como se a única forma de vínculo curativo fosse um marido — convenção que moldou os primeiros tempos da psiquiatria. Em seus estudos de caso sobre mulheres, Freud declarou vitória terapêutica quando resolveu um deles com um casamento. "Anos se passaram novamente desde sua visita", conclui seu estudo sobre Dora. "Nesse meio-tempo, a moça casou-se."[56] No relato do caso de Elisabeth von R., Freud escreve que a última vez que a viu foi em um baile privado no qual, ele disse, "Não deixei escapar a oportunidade de ver minha ex-paciente passar rodopiando em uma dança animada. Desde então, por inclinação dela mesma, casou-se com alguém que não conheço".[57]

Laura também não validava a ideia do casamento como desfecho. "Não é que 'Laura finalmente conseguiu'", ela disse. "Na verdade, as armadilhas disso que chamamos de... sei lá — vida?... tornam as coisas mais assustadoras." Ela ainda se sentia assoberbada pela rotina diária, por exemplo, o acúmulo de e-mails, e chorava umas cinco vezes por semana. Era sensível demais. Permitia que situações se agravassem. Cooper disse que ele próprio, em momentos de tensão, tinha inclinação a se retrair, o que exacerbava o impulso de Laura para resolver o problema imediatamente. Ela não se consultava com um terapeuta desde que deixara a clínica para transtorno de personalidade borderline, mas disse: "Se me sentasse diante de um psiquiatra e fizesse uma avaliação, me encaixaria completamente nos critérios de alguns transtornos". No entanto, o sistema de diagnóstico já não fazia sentido para ela.

Bianca, que ainda tinha dificuldade para abandonar a ideia de que a depressão explicava quem ela era, comentou: "É como se a escuridão ainda estivesse aqui, só que praticamente a meu lado, e não como se fosse todo o meu ser". Acrescentou: "Mas sei que ainda não a atravessei e saí do outro lado".

Laura concordou: "Não é como se agora eu funcionasse a todo vapor. Literalmente, todos os dias ainda me pergunto como ser uma adulta neste mundo".

Epílogo
Hava: “Estranha a mim mesma”

ALGUNS ANOS ATRÁS mandei um e-mail para Thomas Koepke, o psicólogo que me tratou da anorexia no Hospital Infantil de Michigan há três décadas. Não tivéramos mais contato desde aquele tempo. Pedi uma entrevista, e ele propôs que eu também me encontrasse com três colegas seus, psicólogos que me conheceram quando eu tinha seis anos e estava internada. Nos anos 1980 e 1990 faziam parte de um grupo de pesquisa financiado pelo National Institute of Mental Health para testar tratamentos em adolescentes anoréxicos. Eu era nova demais para participar do estudo, mas meu tratamento se baseou no mesmo protocolo. “O prognóstico é positivo se o transtorno alimentar do adolescente for tratado logo no início”, escreveram. “Do contrário, pode se tornar uma condição crônica.”[1]

Conversamos num consultório em Bloomfield Hills, subúrbio de Detroit, onde um dos psicólogos trabalhava. Todos os médicos se levantaram e me cumprimentaram calorosamente, como professores do colégio orgulhosos e curiosos para ver como uma ex-aluna, de volta para uma visita à velha escola, estava se saindo no mundo lá fora. Koepke nos serviu bolo de café feito por sua mulher para a ocasião.

Por recomendação de Koepke, levei uma fotografia minha aos seis anos, para ajudar a avivar sua memória. Eu estava usando um maiô roxo que parecia um tanto largo, e meus cabelos lembravam uma juba esfiapada. "Ah, sim", Koepke disse. "Sim, sim, sim." Ele passou a foto para os colegas. "Seus pais estavam com problemas sérios, eu me recordo", comentou. Lembrava-se de que minha mãe era professora de inglês e parecia estar sempre corrigindo provas ou escrevendo em um diário. "Você ganhou peso muito bem. Não discutia comigo, pelo que eu me lembro." Falou que a anorexia era um modo de "desviar a pressão que você sentia sobre sua família e sobre si mesma. Talvez achasse que aquilo traria algum equilíbrio para sua vida familiar porque seus pais estavam separados e confusos".

Curiosamente, percebi que não estava tão interessada naquela conversa. A todo momento me vinha uma preocupação porque o filho de Ray Osheroff, Joe, com quem eu deveria me encontrar no dia seguinte em Ann Arbor, onde ele mora, não me dera retorno. Quando ouvi o som de uma mensagem de texto, tive esperança de que a entrevista aconteceria. Mas era só minha irmã Sari querendo saber como estava indo a conversa com meus antigos médicos. O que aqueles psicólogos diziam parecia verdadeiro e correto, mas ao mesmo tempo genérico. Se aquela era minha história, por alguma razão não sentia uma ligação pessoal com ela.

"O que vou dizer é só uma ideia de um velho terapeuta que não trabalha faz um bom tempo e talvez não perceba muito bem as coisas", disse-me um dos psicólogos, que estava aposentado. "Mas sinto que na verdade você não gostou do que passou lá com nossa intervenção."

"Também acho isso", disse Koepke.

"Outras pessoas dizem que a experiência foi boa?", perguntei.

"Não, não", falou uma psicóloga chamada Ann Moye. "Antes de tudo, a anorexia é vista como uma amiga. 'Ela me ajuda, e você está tentando tirá-la de mim.'"

Comentei que não tinha certeza de ter sido anoréxica, pelo menos não de início; parecia que eu tinha sido ensinada a ter a doença. "Ainda me lembro de admirar uma menina chamada Hava", falei. "Queria ser como ela. Achava-a linda."

Eles ficaram em silêncio. "Será que é apropriado contar sobre Hava?", perguntou Moye. "É apropriado?"

"Não, acho que não", Koepke respondeu.

Moye não prolongou o assunto. Mas, no fim do encontro, quando eu estava de saída, ele me disse: "Sabe, você e ela eram muito parecidas. Você poderia ser uma irmã mais nova de Hava".

Assim que voltei para casa, busquei por Hava na internet e encontrei seu obituário. Morrera fazia dez semanas. Depois de ter conversado tão despreocupada sobre minha anorexia, percebi o erro. O transtorno mental pode parecer incerto e liminar, mas também mais direto, uma desgraça que destrói a capacidade da pessoa de pensar e se comunicar.[2] "Era uma tragédia anunciada fazia muito tempo", comentou o pai de Hava, David, durante o funeral, que foi transmitido pela internet. "Sabíamos que os dias estavam contados."

Sete meses depois telefonei para David, oncologista e intensivista que não estava mais na ativa. Quando expliquei quem eu era, ele me fez algumas perguntas para se assegurar de que eu não fora enviada em alguma missão sinistra por sua ex-mulher. "Tenho alguma ideia de quem você é", ele me disse depois de eu falar sobre minha temporada no hospital. "Deixe ver se adivinho: sua mãe devia ser razoavelmente inteligente, mas frustrada na vida acadêmica e intelectual. Não conseguia alcançar aquilo que esperava."

Concordei.

"E seu pai era um profissional altamente especializado e exigente."

"Isso mesmo."

"E havia uma tremenda discórdia."

"Como sabe?", perguntei.

"Não é uma história incomum", respondeu.

Minha mãe me contara que um médico do Hospital Infantil escrevera um estudo de caso sobre mim e, embora não haja nenhuma evidência publicada, por um segundo imaginei que um texto assim pudesse mesmo existir. Foi meio decepcionante saber que o resumidíssimo esboço que David fizera da minha infância não se aplicava exclusivamente ao meu caso. Eu pertencia a uma numerosa classe de meninas que buscavam a mesma solução equivocada para o mesmo tipo de tensão, muitas vezes em circunstâncias sociais similares. Ao longo dos últimos quarenta anos, David se tornara especialista em transtornos alimentares. "Andei lendo um pouquinho", disse, rindo.

Assim que se assegurou de que eu telefonara por iniciativa própria, me contou que Hava lera alguns de meus trabalhos. "Você foi mencionada no contexto de 'Olha aqui alguém que adoeceu, foi hospitalizada, era mais nova do que eu e, por fim, ficou boa'", disse. "Hava não era invejosa. Sentia respeito e um prazer legítimo com os outros. Se pudesse fazer o que gostaria, teria dado destaque a sua luta e ao estigma da doença."

"Vou contar uma história", prosseguiu. No fim da adolescência, depois de ter passado grande parte dessa fase da vida internada, Hava foi a uma festa e viu uma amiga de uma de suas temporadas no hospital. Essa amiga também tivera problemas de transtorno alimentar. "Hava procurou a garota", contou. "Estava se sentindo deslocada e queria relembrar coisas que haviam acontecido quando as duas estiveram internadas. Só que a garota estava tentando escapar. Ela disse a Hava: 'Estou melhor agora. Venho assimilando o que gosto de pensar que seja uma existência normal. E não quero contato com a vida anterior. Você me deixa vulnerável'." David continuou: "Não acho errado o que essa garota disse — não é algo inapropriado do ponto de vista de um psicólogo —, mas foi devastador para Hava. Ela ficou inconsolável".

Senti certa afinidade com essa história e perguntei qual aspecto do episódio fora o mais doloroso para Hava. "Crianças com doenças psiquiátricas significativas são toleradas por algum tempo, quando são pequenas, engraçadinhas e fofas", respondeu. "Mas passada essa fase, perturbam tremendamente os mais velhos porque despertam suas próprias ansiedades. E então, em algum momento mágico — não sei se dá para prever —, essas crianças, em vez de gerarem empatia, tornam-se monstrinhos incômodos."

"Prezado presidente Clinton", Hava escreveu em 1993, quando tinha dezessete anos. "Sei que não está sobrando dinheiro no país, mas não corte as verbas para a saúde mental!" Ela contou: "Passei cinco anos internada em vários hospitais para tratar um transtorno alimentar. Mas todos estavam caindo aos pedaços!". Nos anos 1990, o governador de Michigan, John Engler, defensor do conservadorismo fiscal para quem o governo não devia se envolver com saúde mental, fechou abruptamente dez hospitais psiquiátricos.[3] Hava escreveu ao presidente na época em que estava internada no Hawthorn Center, a única instituição psiquiátrica infantil remanescente no estado, onde quinze profissionais acabavam de ser demitidos. "Esses profissionais que trabalham conosco dia após dia são pessoas em quem aprendemos a confiar", escreveu. "Pela primeira vez em nossa vida, [temos] alguém em quem podemos nos apoiar e com quem podemos contar."

Pouco depois de escrever essa carta, Hava foi dispensada do Hawthorn Center porque excedera a cobertura do seguro-saúde para internação por saúde mental. A anorexia é a mais fatal de todas as doenças mentais,[4] mas as seguradoras tendem a ver os anoréxicos como pacientes "errados", escreveu a antropóloga Rebecca Lester.[5] Essas pessoas requerem longos períodos de tratamento e mesmo assim muitas não melhoram. "São maus investimentos econômicos", Lester explicou. Segundo um levantamento, 97% dos especialistas em transtorno alimentar disseram que pacientes seus foram deixados em risco de vida porque a seguradora se recusou a manter os custos do tratamento,[6] e um em cada cinco especialistas relatou que a seguradora foi culpada pela morte de um paciente.[7] As seguradoras talvez achem ter razão para adotar essa postura,

Lester escreveu, porque "na imaginação popular os transtornos alimentares continuam a ocupar um espaço de algo que é uma escolha", uma doença pela qual o paciente é responsável.[8]

Muitas vezes, Hava começava a escrever em cadernos novos com o compromisso de se tornar uma pessoa diferente. "Um novo começo!", escreveu aos vinte anos. Passou a trabalhar meio período cuidando de três crianças. "Acho que podem me chamar de baby-sitter profissional ou babá, se for preciso", escreveu. Percebeu que precisava tomar uma decisão: "Ou lidar com a dor inicial da solidão e o vazio e começar a construir uma vida a partir do zero, ou voltar à familiaridade do meu transtorno alimentar". Mas ao ganhar peso sentia-se deslocada. "Daria qualquer coisa para ter minha identidade de volta!", escreveu. "Minha identidade como anoréxica dependente." Acreditava que as pessoas a achassem mais interessante e agradável quando estava visivelmente famélica. Ansiava por um novo modo de interpretar seu sentimento de alienação, dar-lhe algum sentido, e zangava-se com Deus por ser "um objeto intangível em vez de algo em que eu poderia me segurar fisicamente".

Afastou-se aos poucos do irmão e da irmã. Seu irmão comentou comigo: "Não a culpei. Não fiquei bravo. Simplesmente não sabia mais como conversar com ela". Na casa dos vinte anos, Hava se tornou bulímica. Os diários tinham novas anotações: longas listas dos alimentos que ela consumira em uma espécie de estado alterado antes de vomitar. "Cheguei a um ponto no qual a única coisa em que consigo me concentrar é comida", escreveu. "Comida o tempo todo!"

Em um laboratório de simulação da inanição organizado no fim da Segunda Guerra Mundial, pesquisadores da Universidade de Minnesota, na esperança de orientar o tratamento de vítimas da fome coletiva, estudaram como 36 homens, submetidos a uma dieta severa por 24 semanas, adquiriram neurose de semi-inanição.[9] Comer tornou-se o assunto principal de suas conversas, mesmo depois que o experimento terminou. Os homens liam cardápios, colecionavam receitas e sentiam prazer em ver os outros comerem. No ensaio "The Ascetic Anorexic", a antropóloga Nonja Peters observa que os anoréxicos também percebem que seus interesses vão se estreitando, mas nunca lhes dizem que "essas imagens e obsessões por comida são involuntárias, produzidas pelo instinto de sobrevivência do corpo".[10]

Uma ocasião, quando Hava foi brevemente hospitalizada depois de tomar laxantes em excesso, ficou chocada quando viu uma paciente de 39 anos a quem reconheceu porque ficara internada com ela mais de uma década antes. Depois de uma sessão de terapia em grupo no hospital, escreveu: "Que beleza, trinta moças na mesma sala comigo, e todas no mesmo barco naufragando. Para onde iremos depois daqui? Conversar é a parte mais fácil. Onde é que vou pôr os pés? Pareço suspensa no ar". Manteve contato com amigas de internações prévias, e ficava perturbada por perceber que "todas que estão indo bem atribuem a Deus a vida nova que encontraram". Ao que parecia, aquelas pessoas conseguiram seguir em frente porque haviam reorientado a vida em torno de uma nova história.

A PRIMEIRA VEZ QUE VI a mãe de Hava, Gail, eu estava no sétimo mês de gravidez, e ela começou imediatamente a falar sobre seu desejo de ter netos. Fiquei constrangida com a ideia de aparecer de repente em sua vida como um lembrete daquilo que poderia ter sido. Nos encontramos em seu quarto de hotel no Brooklyn — seu filho morava no bairro, e ela viera de Michigan para visitá-lo. Sentou-se na cama, as costas apoiadas em almofadas decorativas rígidas, com três cadernos de Hava ao lado. Contou que guardava dezenas dos diários da filha na despensa, no porão de casa. Nunca os lera. Apenas folheara muito rápido, por tempo suficiente para ver uma referência a uma menina de seis anos ("de cabelos emaranhados por cima de ombros caídos") que achava que fosse eu. Imaginei que ela quisesse proteger as palavras deixadas pela filha, mas parecia exausta só de pensar nelas. "Escrever era parte da sua doença", Gail revelou.

Nos diários, Hava esboçara planos de exercício, tabelas do que e quando comer e contratos assinados e datados. "Eu, Hava", escreveu, "comerei só quando tiver fome, muito raramente e na menor quantidade possível." Havia também relatos vívidos, quase antropológicos, da ala do hospital onde ficamos internadas quando eu tinha seis anos. Na época eu sentia um ar de coletividade — as outras meninas pareciam ser minhas amigas e mentoras —, mas hoje percebo a máquina por trás da estrutura dos nossos dias. Havia algo de implacável, uma espécie de individualismo estadunidense perverso no modo como as meninas comparavam seus dados: peso, pressão arterial, frequência cardíaca. Os números de Hava não pareciam bons o bastante, ela escreveu, "se alguém tivesse conseguido fazer igual".

Ela aparentava ter dois modos bem distintos de escrever, dependendo do peso. Quando se sentia gorda, a linguagem se tornava repetitiva e cheia de lugares-comuns. Repreendia-se constantemente por não ser disciplinada e parecia perder outras maneiras de interpretar a vida. Como Ray, que percorria sem parar os corredores do Chestnut Lodge fantasiando sobre o grande homem que fora, Hava se referia à perda de peso como meio de agarrar-se a uma versão ideal e impossível de si mesma.

Porém, quando se aproximava do ideal — ser magra era entrar em "um estado de euforia total e completo" —, parecia reavaliar: o que era mesmo aquilo pelo que vinha se empenhando até ali? "Minha vida está passando, e eu sacrifico tudo que já teve alguma importância para mim", escreveu.

Aos 25 anos, Hava engravidou sem ter planejado. Esperava que seu namorado, que era personal trainer, formasse uma família com ela, mas ele não se interessou e ela não se sentiu capaz de criar um filho sozinha. Então, junto com sua mãe, começou a procurar pais adotivos na Adoption.com. Encontraram um casal sem filhos em Nova York que pareceu gente boa e compreensiva, e Hava decidiu dar seu bebê para eles. Mas quando mencionou detalhes de sua doença mental, "Disseram: 'Ah, esqueça'", Gail me contou. "Eles se preocupavam com genética e não quiseram nada com o bebê dela."

Hava encontrou outro casal, Ann e Larry, que morava na Virgínia. Ann contou que "Durante nossa primeira conversa, Hava me disse: 'Preciso saber que vocês amarão essa criança quer ela tenha ou não doença mental'". Prometeram que a amariam.

Concordaram com uma adoção aberta que permitiria a Hava participar da vida da criança. Como parte do acordo, ela poderia ficar com o bebê nos primeiros dias após dar à luz para poder se despedir. Em um artigo de 2007 do *Washington Post* sobre adoções abertas, Hava relatou que Ann e Larry quiseram ir ao hospital para o nascimento, mas ela não permitiu. "Meu sentimento era: não me peçam isso. De jeito nenhum vocês vão tirar de mim a única coisa que é minha."[11]

Ela deu à luz seu filho Jonathan em 2002. Menos de uma semana depois, foi com a mãe entregar o bebê a sua nova família. "Nos sentamos no chão e choramos, choramos, choramos", Gail contou. "Foi a coisa mais dolorosa que já fiz: dar aquele bebê." Mais tarde, Hava se referiu à adoção como "a única coisa boa que sinto que fiz na face da Terra".

Nos primeiros anos de Jonathan, Hava visitou a família adotiva na Virgínia algumas vezes por ano, hospedando-se na casa deles. O *Washington Post* conta que Jonathan cresceu vendo Hava como "uma mulher-gato mítica". Ela usava brincos de gato, meias com gatos bordados e sua caneca de café trazia a palavra "CATfeinado". Mas, à medida que Jonathan foi gravitando cada vez mais em torno da mãe adotiva, as visitas se tornaram mais penosas. Jonathan sofria de atraso na fala, e Hava se culpava por não ser capaz de decifrar suas palavras.

Quando Jonathan estava com onze anos, a família se mudou para Christchurch, na Nova Zelândia, onde Larry foi trabalhar. Anos depois, conversei com os pais de Jonathan por vídeo e perguntei se viam Hava em seu filho.

"Ah, sim", os dois responderam ao mesmo tempo.

"A genética funciona", Larry disse.

"Ele é muito meigo, como ela", Ann comentou. "E pensa fora da caixa. Pensa diferente."

"Ele é ansioso", Larry comentou. "Bastante."

"Ansioso e perfeccionista", Ann prosseguiu. "E muito gentil. Amoroso. Achamos que grande parte disso sem dúvida vem de Hava."

Jonathan, então com dezoito anos, estava na sala ao lado. "Jonathan, quer vir aqui dar um alô?", Ann perguntou.

Ele tinha as bochechas coradas, óculos de aro retangular preto e cabelos louro-escuros caindo nos olhos. Era de manhã na Nova Zelândia, e ele acabara de acordar. "Rachel conheceu Hava quando era menina", Ann disse. Incentivou-o a falar sobre suas lembranças.

Jonathan fitou a tela do computador, claramente constrangido. Depois de alguns segundos, virou-se para a mãe e disse em voz baixa: "Não quero falar".

"Ela brincava de trenzinho com você", Ann sugeriu. Lembrou-o dos gatos.

"Eu sei que ela é da família", ele disse com voz surpreendentemente grave. "Mas não sei o que falar. Não passei tempo suficiente com ela."

Quando Jonathan se afastou, Ann começou a chorar. "Sinto uma empatia enorme pela mãe biológica", disse. "Tomar a decisão de ser separada do filho porque sabe, racionalmente, que é o melhor para ele."

A poeta Louise Glück, que era anoréxica, escreveu: "A tragédia da anorexia, ao que me parece, é que sua intenção não é autodestrutiva, embora o resultado seja com frequência. Sua intenção é construir, do único modo possível quando os meios são tão limitados, um eu plausível".[12] Segundo essas linhas, talvez minha experiência possa ser vista como um sucesso. Depois que saí do hospital, meus pais ficaram com certo medo de mim. Submetiam-se a minhas opiniões, e todos estabelecemos limites mais claros. Ao mesmo tempo, ganhei liberdade para me comportar de modos estranhos tanto quanto eu quisesse sem ser julgada, por exemplo, permanecer em pé na sala de aula e à mesa do jantar — quando fomos à casa de uma amiga da minha mãe no Dia de Ação de Graças, ela nem se deu o trabalho de pôr uma cadeira diante do meu prato. Talvez eu fosse jovem demais para interpretar como as pessoas à mesa trocavam olhares, mas nunca me senti presa numa história específica que outros tinham criado para mim. Tive liberdade para me aborrecer com meu comportamento e partir para outra.

Só no fim do ensino fundamental, quando tive amigas que fizeram seus experimentos em anorexia, é que fui compreender os tipos de significado que o diagnóstico trazia. Mas àquela altura a doença já não me parecia atraente. Construíra uma vida na qual encontrara importância em outros lugares. "Querido Diário", escrevi na segunda série, em letras grandes, cabendo só poucas palavras em cada página.

Coizas que são inportantes:
patinar no gelo
me divertir
Stuart little
Matilda Todas as partes
do meu corpo
Árvores

Eu me lembro de que tentava decidir se toparia viver toda a minha infância outra vez se com isso pudesse evitar a parte em que tive anorexia, para que minha história pessoal ficasse limpa desse constrangimento. No entanto, aquilo me permitiu ter contato com uma categoria de experiência que eu talvez não reconhecesse se não tivesse passado por ela. No hospital, houve um momento que até hoje me assombra porque nunca fui capaz de explicá-lo. Estava em pé, perto da porta do quarto, quando ouvi uma voz. Fiquei prestando atenção e o som foi enfraquecendo, como se fosse se dobrando sobre si mesmo. Havia uma espécie de eco, como o que ouvimos ao encostarmos uma concha na orelha. Era um barulho definitivamente diferente de qualquer coisa que eu já tinha ouvido e que jamais tornei a ouvir. Era o que William James, em seu ensaio sobre o "resíduo não classificado", poderia ter descrito como um daqueles "fatos descabidos, sem compartimento ou escaninho".[13]

Quando tento formar uma ideia clara sobre essa experiência, o que me vem à cabeça é o que me disse uma jovem que entrevistei anos atrás sobre sua tentativa de traduzir sintomas de psicose em palavras: "É como tentar explicar o som de um latido para alguém que não tem a menor ideia do que é um cachorro".[14]

Às vezes penso naquela voz como uma possível entrada para uma esfera de experiência diferente, um caminho alternativo que, por alguma razão que nunca cheguei a compreender totalmente, não segui. Talvez fosse porque eu era jovem demais para que o comportamento anoréxico aderisse a mim. Eu estava atravessando fases do desenvolvimento muito depressa. Se fosse um pouco mais velha, é possível que houvesse mais reforço social e eu desenvolvesse uma "carreira" anoréxica. A diferença entre minha doença e a de Hava talvez tenha sido apenas alguns anos. Fico impressionada com a singeleza desse fato.

Sinto que sou ligada a Hava, mas também a todas as pessoas sobre quem escrevi neste livro, nas páginas que deixei para trás: "Aqui quero explicar uma coisa sobre mim", anotei em um diário quando tinha oito anos. "Tive uma doenssa chamada anexexia." Ray, Bapu, Naomi e Laura também se sentiram impelidos a escrever sobre suas doenças, apesar de perceberem que a linguagem de que dispunham não servia muito bem. Descreveram suas experiências psicológicas com profunda autopercepção, mas também precisaram de alguém para confirmar se o que sentiam era real. Independente de acreditarem que haviam casado com Deus ou que salvariam o mundo do racismo, ainda procuraram autoridades (místicos no caso de Bapu, médicos nos demais) que lhes dissessem como e por que se sentiam daquele modo. Seu sofrimento assumiu uma forma que foi criada em diálogos com os outros, processo que alterou o caminho de seu sofrimento e também suas identidades.

Aos 31 anos Hava foi morar no condomínio de seu pai. "Não havia mais para onde ir", ele me disse. "O seguro dela estava vencido." Antes morava em alojamentos subsidiados, mas depois de uma tentativa de suicídio que a deixou em coma por várias semanas precisou de mais atenção. Às vezes não se levantava da cama por um dia inteiro. David tratou a filha como uma paciente e manteve registros minuciosos de sua assistência médica. Na prática, manteve uma UTI em casa.

Para compreender sua vida com Hava, David recomendou que eu lesse *O estranho caso do cachorro morto*, romance sobre um garoto com transtornos comportamentais que é criado pelo pai. "Ele destrói sua vida em sacrifício pelo filho doente. Busca alcançar a santidade para compensar o que vê como crimes do passado."

Em seus diários, Hava enquadrou o problema pelo ângulo oposto. Era ela quem cuidava do pai que se afastara do restante da família. Não sendo mais um médico na ativa, David encontrara um propósito ao cuidar dela. "Sou a única com poder para tirá-lo de seu mundo por algum tempo", ela relatou. "Ele parece tão mais feliz que eu simplesmente entro no jogo e o incentivo."

Morou no condomínio por doze anos. "Falo sobre mim mesma como se eu fosse um estudo de caso", escreveu. Era capaz de enumerar os fatores que contribuíram para desencadear sua doença ("agitando meu desequilíbrio químico", em suas palavras), mas não sabia para onde ir a partir dali. Apesar do profundo conhecimento sobre seu transtorno, ainda se sentia desconhecida. "Acho que sou uma daquelas pessoas que se autocompreendem totalmente e, ao mesmo tempo, sou uma estranha a mim mesma", registrou. "Não estou plenamente convencida de que desejo ser salva. Talvez seja apenas porque não sei muito bem quem sou e que tipo de pessoa serei."

Em um ensaio sobre a natureza da recuperação da saúde, a psicóloga Pat Deegan, que foi diagnosticada com esquizofrenia aos dezessete anos, criticou a mensagem de uma conhecida campanha publicitária de antidepressivos. Em um anúncio veiculado no fim dos anos 1990, uma menina sorridente sobe correndo a escada para encontrar a mãe. "Tenho minha mamãe de volta",[15] diz um bilhete escrito com lápis de cera. Deegan contesta a ideia de que depois da ruptura causada pela doença mental uma pessoa pode retornar aos poucos a sua identidade anterior. "Para aqueles entre nós que lutam há anos, essa narrativa da restituição não soa verdadeira", escreveu.[16] Em outro ensaio, comparando-se a um amigo que estava paralisado do pescoço para baixo, Deegan comentou: "A recuperação não se refere a um produto ou resultado final. Não significa que o paralítico e eu fomos 'curados'. Na verdade, nossa recuperação é marcada por uma aceitação cada vez mais profunda de nossas limitações".[17] Ela afirma que "a transformação, e não a restauração, passa a ser o caminho".[18]

Deegan reconhece que algumas fases da recuperação requerem planejamento e trabalho, mas nem todas as partes do processo podem ser orquestradas conscientemente. "Toda a polêmica e conhecimentos da psiquiatria, psicologia, assistência social e ciência não conseguem explicar o fenômeno da esperança", escreveu.[19] "Mas aqueles entre nós que se recuperaram sabem que essa graça é real. Nós vivemos isso. É nosso segredo compartilhado."

Quando Hava tinha 41 anos, foi de carro da casa do pai até uma lanchonete para se encontrar com um analista financeiro chamado Tim. Conheceram-se pela internet. Ela pediu um bagel e conversou durante três horas, contando a história de sua doença. "Da perspectiva dela isso era estratégico, pois queria revelar tudo logo de cara", Tim me contou. "Como se dissesse é assim que eu sou: é pegar ou largar." Ele também passara por períodos difíceis. No ensino médio a ideia de ir para a escola requeria tanta energia que durante um mês ele raramente saiu da cama. Quando adulto, sofreu acessos similares a paralisia. "Entrei no relacionamento sabendo muito bem quanto é difícil a gente se expor", ele me disse. "Dava para ver que ela estava com os nervos em frangalhos. Ficara empacada no condomínio do pai por anos e anos e queria mais."

Começaram a namorar e, assim que o relacionamento ficou mais sério, Hava levou Tim para ver seu psiquiatra, que ela conhecia desde os catorze anos. "Você entende o grau do transtorno alimentar dela?", perguntou o médico.

"A melhor palavra que me ocorre é 'muito'", respondeu.

Tim anotou as datas de todas as hospitalizações de Hava em uma planilha do Excel. Ela falava de modo circular, tangencial, e ele queria visualizar claramente sua vida. Acrescentou datas toda vez que ela contou um novo caso. A anotação final foi "Nos conhecemos".

Às vezes, depois de fazerem uma refeição juntos, Hava ia para o banheiro e vomitava. "Sim, eu perguntava: por que faz isso com você mesma?", Tim contou. Talvez haja um estigma exclusivo da mulher adulta anoréxica, como se ela criasse todo o problema por vaidade. Ele pareceu surpreso quando indaguei se alguma vez julgara Hava por vomitar. "Nunca me ocorreu criticar", respondeu. "Andei lendo sobre bulimia e cheguei à conclusão de que era assim que ela tinha de lidar com suas ansiedades. Era uma rotina, infelizmente. Não há nenhuma crítica nisso. Do mesmo modo que eu não gostaria que alguém me criticasse por ficar ansioso e não querer sair de casa." Ele parecia encarnar a capacidade negativa — o estado de "estar em meio a incertezas" descrito por Keats. Conforme o relacionamento dos dois progrediu, Hava passou a ter mais tolerância com sentimentos de desconforto. Convivia com as emoções em vez de dispensá-las imediatamente.

Começou a dormir no apartamento de Tim quase todas as noites. Uma ocasião, quando ele voltou do trabalho no fim do dia e ela ainda estava na cama, nove horas mais tarde, ele delicadamente sugeriu que no dia seguinte ela tentasse ir para o sofá. "Falei das minhas próprias dificuldades e contei que mesmo quando não quero fazer nada o dia todo troco de roupa", ele disse. "Preparo comida — é o mínimo, são as menores coisinhas. Nunca vamos ter um avanço enorme. Mas há uma porção de pequenos avanços, e eles se somam."

Anos antes, durante um período em que se recuperara parcialmente, Hava escrevera no diário que se sentia como a tartaruga que tenta atravessar uma estrada em *As vinhas da ira*. Com "velhos olhos jocosos e franzidos",[20] a tartaruga se arrasta pelo asfalto quente, mesmo depois que sua carapaça é atingida por um caminhão que passa veloz e a joga para fora da estrada de pernas para o ar. A tartaruga se endireita e, em sua morosidade, continua a avançar. "Como seria bom absorver um pouco de chuva ou mesmo uma garoa", Hava escreveu. "Mas por enquanto ela segue andando."

A família e os amigos de Hava disseram que com Tim ela parecia mais feliz do que jamais fora na vida. Os pais de Jonathan, com quem ela conversava frequentemente por telefone, atribuíram seu bem-estar à ligação que se formara entre Tim e ela por meio das vulnerabilidades comuns aos dois. "Todos nos esforçamos para nos restabelecer sozinhos, mas muitas vezes não conseguimos", Larry comentou. Hava sustentava-se com auxílio invalidez e fazia trabalho voluntário em uma organização que oferecia abrigo para pessoas em situação de rua, e "estava indo muito bem", Ann disse. Décadas de doença haviam transformado seus valores, sua compreensão do que podia ser uma vida boa. Tim me contou: "Ela não usava a palavra 'recuperação'. Não empregava nenhum termo técnico, mas disse: 'Estou em um ponto melhor do que jamais estive'".

No ensaio "Remarks on the Philosophy of Mental Disorder", Fromm-Reichmann, psiquiatra do Lodge, conta que uma paciente chorou em seu consultório porque estava prestes a ter alta e temia voltar para junto de seus parentes e amigos. A médica procurou tranquilizá-la: "Durante esses anos você acumulou uma quantidade imensa de experiências humanas, teve oportunidade de observar praticamente todos os tipos de experiência emocional em outros pacientes e em você mesma. E o que são essas experiências emocionais das pessoas mentalmente perturbadas senão experiências humanas como as que todos nós temos, só que vistas através de uma lente de aumento?".[21]

EM 11 DE ABRIL DE 2019, Tim fez café, se vestiu para trabalhar e então, como de costume, foi até a cama dar um beijo de despedida em Hava. Ela não respondeu. Parecia não respirar. Tim ligou para o atendimento de emergência enquanto tentava fazer a reanimação cardiorrespiratória. Os paramédicos chegaram e também não conseguiram reanimá-la. Aparentemente Hava vomitara enquanto dormia e se asfixiara. Após anos de bulimia, os músculos do esôfago estavam distendidos. "Sei que meu transtorno alimentar é um 'suicídio lento'", Hava escrevera uma ocasião. Mas durante essa fase de sua vida vinha fazendo planos para o futuro. Ela e Tim haviam acabado de assinar o contrato de aluguel de um apartamento e pretendiam se mudar dentro de duas semanas. Seus pertences já estavam encaixotados. Hava estava economizando para uma viagem à Nova Zelândia a fim de visitar o filho pela primeira vez. Sempre que sobrava algum dinheiro no fim do mês, guardava em um pé-de-meia. "Falava no filho todos os dias", Tim contou.

Quando Tim e eu conversamos pelo Zoom, ele estava sentado no porão da casa dos pais, para onde se mudara. As paredes eram revestidas de linóleo pintado com cor de madeira. Atrás dele havia um pôster dos Beatles e uma natureza-morta com um bastão e uma luva de beisebol. Ele era bonito, tinha a pele muito clara, rosto retangular e cabelos quase raspados. Tomava pequenos goles de uma bebida energética. Me contou que depois da morte da Hava passara pela pior depressão de sua vida. "Quem conversa comigo agora não percebe", ele disse. "Penso no sofrimento dela — no modo como lidou com a vida —, e isso é o que me faz atravessar o dia."

Depois de seu primeiro período de depressão, na adolescência, Tim, católico, começara a fazer uma oração à noite: "Ajude-me a usar meus sofrimentos para auxiliar outras pessoas. Que meu sofrimento não seja desperdiçado". No último ano emendara a oração pela primeira vez em mais de duas décadas: "Eu peço a Deus 'Ajude-me a ser forte como Hava'", ele disse. "Ajude-me a saber perdoar como Hava — essa é a parte mais difícil." Embora no papel parecesse que o diagnóstico determinara a trajetória de Hava, Tim admirava o modo como ela resistira à história que lhe contaram sobre sua vida. O fim foi diferente do que os outros imaginaram.

Ele começou a chorar e me desculpei por pedir que relembrasse acontecimentos ainda tão recentes. "E espero que nunca os esqueça", disse. "Muitas vezes nosso próprio sofrimento — a maneira como lidamos com ele — ajuda as pessoas. Mais do que você pode imaginar."

Vi minha imagem no canto da tela e me senti constrangida por rondar uma vida que não era a minha. Meus cabelos ondulados e meio rebeldes eram como os de Hava, e me perguntei se Tim também me via como irmã dela.

Agradecimentos

Agradeço a Bhargavi, Karthik, Naomi, Laura e à família de Hava — e também a seus amigos e parentes — pelas conversas e pela confiança.

A Eric Chinski, que de alguma maneira sempre soube o que eu tinha em mente como ideal; a PJ Mark por estar sendo tão paciente e animador que me esqueci há muito tempo como era temer seu julgamento; a David Remnick pela generosidade e confiança nesta última década; e a Willing Davidson, cuja perspectiva é tão vinculada a minha ideia de escrever bem que nem sei se meus textos existiriam antes que ele os lesse.

A Rachael Bedard, Anna Goldman, Alice Gregory e Tanya Luhrmann por lerem tão atentamente os capítulos que entenderam muito antes de mim o que eu tentava dizer. Também sou grata pelo feedback e pelo insight incríveis (sobre o manuscrito e além dele) de Yelena Akhtiorskaya, Kate Axelrod, Carla Blumenkranz, Gareth Cook, Emily Cooke, Chloe Cooper-Jones, Brian Goldstone, Jiayang Fan, zakia henderson-brown, Patrick Radden Keefe, Gideon Lewis-Kraus, Rose Lichter-Marck, Sarah Goldstein, Amy Herzog, George Makari e do grupo de pesquisa Psiquiatria, Psicanálise e Sociedade da Universidade Cornell, Cleuci de Oliveira (que sagazmente me sugeriu escrever sobre Naomi), Ed Park, Kate Rodemann, Christine Smallwood e — uma dádiva da idade adulta — minhas irmãs, Sari, Stephanie e Lizzie (e Alex Kane). Minhas conversas com Nev Jones há mais de uma década inspiraram muitas das questões exploradas neste livro.

À New America Fondation por me ajudar a iniciar este trabalho e à Whiting Foundation por me ajudar a terminá-lo. David Kortava, Teresa Matthews e Alejandra Dechet foram companheiros ideais na checagem de fatos; Vidya Mohan e Tyler Richard ajudaram a traduzir as cartas de Bapu e deram novo significado ao mundo social onde ela vivia. Na FSG, minha gratidão a Tara Sharma e seus talentos secretos para subtítulos, entre muitos outros, e a Carrie Hsieh e Brian Gittis. Eugene Lancaric gentilmente me cedeu seu apartamento vazio, a primeira vez que tive um "escritório".

A Alex por ser minha inspiração (mesmo quando não estou à altura) para buscar a coragem de viver novos tipos de experiência, como este livro. Escrevê-lo me deu um novo tipo de respeito por minha mãe e meu pai, e por Linda e David, que fizeram tanta coisa parecer possível. Espero que um dia nossos filhos, Rafael e Sonia, sejam capazes de dizer o mesmo.

Notas

Prólogo: Rachel [pp. 9-36]

1. Abigail Bray, "The Anorexic Body: Reading Disorders". *Cultural Studies*, v. 10, n. 3, p. 413, 1996.
2. Takayo Mukai, "A Call for Our Language: Anorexia from Within". *Women's Studies International Forum*, v. 12, n. 6, p. 613, 1989.
3. Elaine Showalter, *Hystories: Hysterical Epidemics and Modern Media*. Nova York: Columbia University Press, 1997, p. 20.
4. Hilde Bruch, *The Golden Cage: The Enigma of Anorexia Nervosa*. Cambridge, MA: Harvard University Press, 1978, p. xxii.
5. A mãe de Hava me mostrou mais de uma dezena de cadernos com anotações manuscritas da filha feitas a partir de 1988, além de cartas e e-mails, centenas dos quais ela imprimiu e arquivou em pastas. Tudo foi guardado em caixas no porão.
6. T. Mukai, "A Call for Our Language", p. 634.
7. Nonja Peters, "The Ascetic Anorexic". *Social Analysis: The International Journal of Social and Cultural Practices*, n. 37, pp. 44-66, abr. 1995.
8. T. Mukai, "A Call for Our Language", p. 620.
9. N. Peters, "The Ascetic Anorexic", pp. 51-2.
10. Rudolph M. Bell, *Holy Anorexia*. Chicago: University of Chicago Press, 1985, p. xii.
11. René Girard, "Eating Disorders and Mimetic Desire". *Contagion*, n. 3, p. 16, primavera 1996.
12. Ibid., p. 9. Sobre anorexia e santidade: um artigo publicado na *Case Reports in Psychiatry*, em 2014, relata a história de uma menina criada em um bairro rico de Chicago que queria ser santa e se recusava a comer no convento católico onde estudava. "Embora seja um caso do nosso tempo, as razões que levaram a jovem a passar fome por vontade própria e o contexto cultural em que foi criada são similares aos dos indivíduos descritos na história como porta-

dores de anorexia mirabilis", escreveram os autores. Ela não tinha acesso a um espelho que mostrasse o corpo todo — apenas a um espelho pequeno usado para ajustar o hábito que vestia. Também nunca subira em uma balança. Quando as supervisoras do convento disseram-lhe para procurar um psiquiatra, "a menina não compreendeu por que precisaria fazer isso, pois pensava estar em devoção ao se privar de alimento". Ver Amelia A. Davis e Mathew Nguyen, "A Case Study of Anorexia Nervosa Driven by Religious Sacrifice", *Case Reports in Psychiatry*, pp. 512-764, 2014.

13. Rachel Aviv, "The Trauma of Facing Deportation". *The New Yorker*, 17 mar. 2017.
14. Ian Hacking, *The Social Construction of What?*. Cambridge, MA: Harvard University Press, 1999, p. 34.
15. Id., "Making Up People". In: Thomas C. Heller e Morton Sosna (Orgs.), *Reconstructing Individualism: Autonomy, Individuality and the Self in Western Thought*. Stanford, CA: Stanford University Press, 1987, p. 229.
16. Id., "Kinds of People: Moving Targets". *Proceedings of the British Academy*, n. 151, 2007, p. 305.
17. Id., "Pathological Withdrawal of Refugee Children Seeking Asylum in Sweden". *Studies in History and Philosophy of Biological and Biomedical Sciences*, n. 41, p. 317, dez. 2010.
18. Joan Jacobs Brumberg, *Fasting Girls: The History of Anorexia Nervosa*. Nova York: Vintage Books, 2000, p. 40.
19. Ibid., p. 41.
20. Aubrey Lewis, "The Psychopathology of Insight". *The British Journal of Medical Psychology*, n. 14, pp. 332-48, dez. 1934.
21. Laurence J. Kirmayer, Ellen Corin e G. Eric Jarvis, "Inside Knowledge: Cultural Constructions of Insight in Psychosis". In: Xavier F. Amador e Anthony S. David (Orgs.), *Insight and Psychosis: Awareness of Illness in Schizophrenia and Related Disorders*. Nova York: Oxford University Press, pp. 197-232, jul. 2004.
22. Department of Health and Human Services, *Mental Health: A Report of the Surgeon General*. National Institute of Mental Health, 1999, p. 6.
23. David Satcher, "Statement at Release of the Mental Health Report", 13 dez. 1999. Ver também: Colleen L. Barry e Richard G. Frank, "Economic Grand Rounds: Economics and the Surgeon General's

Report on Mental Health". *Psychiatric Services*, v. 53, n. 4, 1 abr. 2002. Disponível em: <ps.psychiatryonline.org/doi/full/10.1176/appi.ps.53.4.409>.

24. Elyn Saks, *The Center Cannot Hold: My Journey Through Madness*. Nova York: Hyperion, 2007, p. 168.
25. Devo a formulação dessa ideia a Tanya Luhrmann, que leu o rascunho do prólogo. Sou grata a Rachel Bedard, Anna Goldman e Alice Gregory, que também me ajudaram a perceber, com muito mais clareza, o que tentava dizer nesses parágrafos.
26. William James, *Essays in Psychology*. Cambridge, MA: Harvard University Press, 1984, p. 247. No ensaio James também escreve: "Sobre todos os fatos oficialmente reconhecidos e ordenados de qualquer ciência sempre paira uma espécie de nuvem de poeira de observações excepcionais, de ocorrências diminutas e irregulares e raramente encontradas, que sempre se mostram menos fáceis de contemplar do que de desconsiderar".

Ray [pp. 37-79]

1. Este capítulo se baseia nas cerca de 250 páginas de prontuários que Philip J. Hirschkop, ex-advogado de Ray, me permitiu consultar. Esses documentos estão guardados na garagem de sua casa. Também recebi prontuários de Joan Narad, psiquiatra de Ray no Silver Hill.
2. Este capítulo se baseia também nas mais de 1500 páginas dos rascunhos da autobiografia não publicada de Ray, e em centenas de cartas, e-mails, memorandos e transcrições das gravações de Ray falando consigo mesmo. Às vezes, ele usava um gravador para registrar suas ideias e depois pedia a uma secretária que transcrevesse as gravações. Algumas dessas páginas obtive de Hirschkop, outras de Henry Kellerman, um amigo de Ray do ensino médio e psicanalista em Manhattan. Alguns excertos da autobiografia me foram entregues por Andy Seewald, amigo de Ray e advogado em New Jersey.
3. Walter Freeman, *The Psychiatrist: Personalities and Patterns*. Nova York: Grune & Statton, 1968, pp. 243-52.
4. Citado em David McK. Rioch, "Dexter Bullard, Sr. and Chestnut Lodge". *Psychiatry*, n. 47, pp. 2-3, fev. 1984.

5. W. Freeman, *The Psychiatrist*, pp. 243-52.
6. Dexter M. Bullard, "The Organization of Psychoanalytic Procedure in the Hospital". *The Journal of Nervous and Mental Disease*, v. 91, n. 6, pp. 697-703, jun. 1940.
7. Alfred H. Stanton e Morris S. Schwartz, *The Mental Hospital: A Study of Institutional Participation in Psychiatric Illness and Treatment*. Nova York: Basic Books, 1954, p. 44.
8. Ibid., p.194.
9. Ibid., p. 149.
10. Ibid., p. 193. Os autores também observaram que os psiquiatras do Lodge restringiam sua "atenção à interpretação 'profunda'", muitas vezes desconsiderando os significados literais — tendência "tão frequente que era quase uma doença ocupacional". Regras formais eram tidas como "impostas pelas demandas de uma sociedade que temia a 'realidade vitalmente humana' e se defendia dela".
11. Dexter M. Bullard, entrevistado por Robert Butler em 17 de janeiro de 1963, p. 23, transcrição, American Psychiatric Association Foundation: Melvin Sabshin, M.D., Library and Archives.
12. Citado em Paul A. Offit, *Pandora's Lab: Seven Stories of Science Gone Wrong*. Washington, DC: National Geographic, 2017, p. 142.
13. Gail A. Hornstein, *To Redeem One Person is to Redeem the World: The Life of Frieda Fromm-Reichmann*. Nova York: Other Press, 2000, p. 278. O livro de Hornstein traz um retrato vívido e rigoroso do intuito do Lodge durante e depois da gestão de Reichmann.
14. Citado em *Psychoanalisis and Psychotherapy: Selected Papers of Frieda Fromm-Reichmann*. Org. de Dexter M. Bullard. Chicago: University of Chicago Press, 1959, p. 335.
15. Frieda Fromm-Reichmann, "Loneliness". *Contemporary Psychoanalysis*, n. 26, p. 306, 1990. Publicado originalmente em *Psychiatry: Journal for the Study of Interpersonal Processes*, n. 22, 1959.
16. Ibid., p. 310.
17. Ibid., p. 318. Ela se refere à definição de solidão formulada em Ludwig Binswanger, *Grundformen und Erkenntnis Menschlichen Daseins* (Zurique: Niehans, 1942), p. 130.
18. Ann-Louise S. Silver, "A Personal Response to Gail Hornstein's *To Redeem One Person Is to Redeem the World: The Life of Frieda Fromm-Reichmann*". *Psychiatry*, v. 65, n. 1, p. 9, primavera 2002. Pouco antes de morrer, Silver também compartilhou comigo suas memórias sobre o Lodge em uma conversa.

19. Id., "Thorns in the Rose Garden: Failures at Chestnut Lodge". In: Joseph Reppen e Martin A. Schulman (Orgs.), *Failures in Psychoanalytic Treatment*. Madison, CT: International University Press, 2003, pp 37-63.
20. Citado em Richard M. Waugaman, "The Loss of an Institution: Mourning Chestnut Lodge". In: Anne J. Adelman e Kerry L. Malawista (Orgs.), *The Therapist in Mourning: From the Faraway Nearby*. Nova York: Columbia University Press, 2013, p. 162.
21. Citado em Ran Zwigenberg, "Healing a Sick World: Psychiatric Medicine and the Atomic Age". *Medical History*, v. 62, n. 1, p. 28, jan. 2018.
22. Citado em Anne Harrington, *Mind Fixers: Psychiatry's Troubled Search for the Biology of Mental Illness*. Nova York: W. W. Norton, 2019, p. 119.
23. Citado em R. Zwigenberg, "Healing a Sick World", p. 28.
24. Peter D. Kramer, *Ordinarily Well: The Case for Antidepressants*. Nova York: Farrar, Straus and Giroux, 2016, p. 46.
25. Citado em James L. Knoll IV, "The Humanities and Psychiatry: The Rebirth of Mind". *Psychiatric Times*, v. 30, n. 4, abr. 2013, p. 29. Originalmente publicado em M. Robertson, "Power and Knowledge in Psychiatry and the Troubling Case of Dr. Osheroff". *Australasian Psychiatry*, v. 13, n. 4, pp. 343-50, 2005.
26. Essa citação é do testemunho de Dotty Smith na audiência de Ray perante a Câmara de Arbitragem de Litígio do Estado de Maryland. A audiência foi gravada em vídeo e arquivada no escritório de um dos ex-advogados de Ray, David J. Fudala. Este capítulo se baseia em mais de vinte gravações em fita VHS das duas semanas de audiência, cedidas a mim por Fudala.
27. Nathan S. Kline, *From Sad to Glad: Kline on Depression*. Nova York: Ballantine Books, 1974, p. 2.
28. Ibid., p. 157.
29. Mark Caldwell, *The Last Crusade: The War on Consumption, 1862-1954*. Nova York: Atheneum, 1988, pp. 242-7.
30. Citado em Maggie Scarf, "From Joy to Depression: New Insights into the Chemistry of Moods". *The New York Times*, 24 abr. 1977.
31. Nathan S. Kline, "Clinical Experience with Iproniazid (Marsilid)". *Journal of Clinical and Experimental Psychopathology & Quarterly Review of Psychiatry and Neurology*, n. 19, p. 73, 1958.

32. Ibid., p. 75.
33. N. S. Kline, *From Sad to Glad*, p. 57.
34. Solomon Snyder, *Brainstorming: The Science and Politics of Opiate Research*. Cambridge, MA: Harvard University Press, 1989, p. 10.
35. Citado em N. S. Kline, *From Sad to Glad*, epígrafe.
36. Citado em Meredith Plath, *Storming the Gates of Bedlam: How Dr. Nathan Kline Transformed the Treatment of Mental Illness*. Nova York: DePew Publishing, 2012, p. 104.
37. Nathan S. Kline, "The Challenge of the Psychopharmaceuticals". *Proceedings of the American Philosophical Society*, v. 103, n. 3, p. 458, jun. 1959.
38. Citado em Summary of Transcript of James L. Wellhouse Deposition, Raphael J. Osheroff, M.D. v. Chestnut Lodge, Inc. et al. (doravante citado como *Osheroff v. Chestnut Lodge*), 490 A.2d 720. Circuit Court for Montgomery County, Maryland, 10 abr. 1985.
39. Testemunho de Raphael Osheroff, *Osheroff v. Chestnut Lodge*, 26 nov. 1986. Todas as citações nos próximos dois parágrafos são de fitas VHS da audiência, que me foram cedidas por David J. Fudala, ex-advogado de Ray.
40. Johanne Greenberg, *I Never Promised You a Rose Garden*. Nova York: Henry Holt, 1964, p. 209.
41. Testemunho de Louis Bader, *Osheroff v. Chestnut Lodge*, 26 nov. 1986.
42. Transcrito de Staff Conference, Chestnut Lodge, 12 mar. 1979, p. 14. As citações nesse parágrafo são de uma reunião de equipe entre doze profissionais de saúde do quadro do Lodge. A transcrição da reunião, que foi gravada, tem 22 páginas em espaço simples.
43. A. H. Stanton e M. S. Schwartz, *The Mental Hospital*, p. 200.
44. Morton M. Hunt, "A Report on the Private Mental Hospital: Survival Through Evolution". *Trends in Psychiatry*, 1964, p. 15.
45. Roland Kuhn, "The First Patient Treated with Imipramine". In: Thomas A. Ban e Oakley S. Ray (Orgs.), *A History of the CINP*. Brentwood, TN: J. M. Productions, 1996, p. 436. No livro a nota de Kuhn é identificada como "*Photocopy from medical history #21502 of the 'Kantonal Treatment and Care Clinic in Münsterlingen' concerning female patient Paula F. J., born April 30, 1907*". Em março de 2000, um relatório de historiadores da Universidade de Zurique revelou que Kuhn (que fez experimentos com muitos compostos além da imipramina) não cumprira os requisitos metodológicos vigentes na época. Por

exemplo, algumas substâncias experimentais foram administradas a pacientes sem terem passado por todas as fases dos testes preliminares. Além disso, Kuhn não respeitou o período inicial e final dos testes clínicos. Ver Marietta Meier, Mario König e Magaly Tornay, *Testfall Münsterlingen: Klinische Versuche in der Psychiatrie, 1940-1980*. Zurique: Chronos, 2019. Ver também Marietta Meier, press release, 23 set. 2019. In: "Pierre Baumann and François Ferrero: An Official Inquiry on the Clinical Research Activities (1946-1972) of Roland Kuhn (1912-2005). Site da International Network for the History of Neuropsychopharmacology, disponível em: <inhn.org/inhn-projects/controversies/pierre-baumann-and-francois-ferrero-an-official-inqury-of-the-clinical-research-activities-1946-1972-of-roland-kuhn-1912-2005/pierre-baumann-and-francois-ferrero-the-report-of-the-official-inquiry>.

46. David Healy, *The Antidepressant Era*. Cambridge, MA: Harvard University Press, 1997, pp. 49-62. Ver também P. D. Kramer, *Ordinarily Well*, pp. 3-6.
47. Roland Kuhn, "The Treatment of Depressive States with G-22355 (Imipramine Hydrochloride)". *The American Journal of Psychiatry*, n. 155, p. 459, 1958.
48. Citado em ibid., p. 460.
49. "The Imipramine Story". In: Frank J. Ayd e Barry Blackwell (Orgs.), *Discoveries in Biological Psychiatry*. Philadelphia: J. B. Lippincott, 1970, p. 216.
50. Roland Kuhn, "On Existential Analysis" (artigo apresentado no Philadelphia Psychiatric Society's Symposium on Psychiatric Therapies in Europe, 23 mar. 1959). Ver também Louis A. Sass, "Phenomenology as Description and as Explanation: The Case of Schizophrenia". *Handbook of Phenomenology and Cognitive Science*, pp. 635-54, dez. 2009.
51. Citado em Nicholas Weiss, "No One Listened to Imipramine". In: Sarah W. Tracy e Caroline J. Acker (Orgs.), *Altering American Consciousness: The History of Alcohol and Drug Use in the United States, 1800-2000*. Amherst: University of Massachusetts Press, 2004, pp. 329-52.
52. Roland Kuhn, "Artistic Imagination and the Discovery of Antidepressants". *Journal of Psychopharmacology*, v. 4, n. 3, p. 129, 1990.

53. Jane Kenyon, "Having It Out with Melancholy". In: *Constance: Poems*. Minneapolis, MN: Graywolf Press, 1993.
54. Percy Knauth, *A Season in Hell*. Nova York: Pocket Books, 1977, p. 118.
55. Ibid., p. 83.
56. Ibid., p. 120.
57. Joseph Schildkraut, "The Catecholamine Hypothesis of Affective Disorders: A Review of Supporting Evidence". *The Journal of Neuropsychiatry and Clinical Neurosciences*, v. 7, n. 4, p. 530, nov. 1995. Artigo publicado originalmente no *The American Journal of Psychiatry*, v. 122, n. 5, pp. 509-22, 1965.
58. Nikolas Rose, *The Politics of Life Itself: Biomedicine, Power, and Subjectivity in the Twenty-First Century*. Princeton, NJ: Princeton University Press, 2007, p. 192.
59. Memorandum Opinion, Robert Greenspan, M.D., et al. v. Raphael J. Osheroff, M.D. et al. (doravante citado como *Greenspan v. Osheroff*), 232 Va. 388. Circuit Court for the City of Alexandria, Virgina, 8 fev. 1983.
60. Testemunho de Margaret Hess, *Greenspan v. Osheroff*, p. 11.
61. *Diagnostic and Statistical Manual of Mental Disorders, Second Edition (DSM-III)*. Washington, DC.: American Psychiatric Association, 1968, p. 300.
62. Citado em Rick Maynes e Alan V. Horwitz, "*DSM-III* and the Revolution in the Classification of Mental Illness". *Journal of the History of the Behavioral Sciences*, v. 41, n. 3, p. 250, verão 2005.
63. Raphael Osheroff, e-mail para Henry Kellerman, 2 fev. 2009.
64. Citado em D. Healy, *The Antidepressant Era*, p. 227.
65. Gerald L. Klerman, "Drugs and Social Values", *International Journal of the Addictions*, v. 5, n. 2, p. 316, 1970.
66. Citado em Emily Martin. "Pharmaceutical Virtue". *Culture, Medicine and Psychiatry*, v. 30, n. 2, p. 157, jun. 2006.
67. Citado em Robert Whitaker, *Anatomy of an Epidemic: Magic Bulletts, Psychiatric Drugs, and the Astonishing Rise of Mental Illness in America*. Nova York: Broadway Paperbacks, 2010, p. 64.
68. Citado em Aaron T. Beck, *Depression: Causes and Treatment*. Philadelphia: University of Pennsylvania Press, 1967, p. 313. A farmacêutica Merck, que produz o Elavil, comprou 50 mil exemplares do livro de Ayd para fornecer a médicos. A empresa também

contratou um musicólogo para compilar um álbum de músicas de blues — o nome "Elavil" vinha impresso na capa — que seria "uma bela expressão de como a vida e seus problemas geram depressão".

69. Testemunho de Frank Ayd para a Câmara de Arbitragem de Litígio do Estado de Maryland, 7 dez. 1983.
70. Ray assistiu à convenção de 1989 da American Psychiatric Association em San Francisco, e essa citação provém de suas anotações. Ele reflete sobre a experiência no capítulo 27 de um dos rascunhos posteriores de sua autobiografia.
71. Thomas G. Gutheil, M.D., "Preliminary report on *Osheroff v. Chestnut Lodge et al.*", s.d., pp. 1-2.
72. Ibid., p. 4.
73. Testemunho de Raphael Osheroff, *Osheroff v. Chestnut Lodge.*
74. Ibid.
75. Joel Paris, *The Fall of an Icon: Psychoanalysis and Academic Psychiatry.* Toronto: University of Toronto Press, 2005, p. 96.
76. Miriam Schuman e Michael S. Wilkes, "Dramatic Progress Against Depression". *The New York Times*, 7 out. 1990. Disponível em: <www.nytimes.com/1990/10/07/archives/dramatic-progress-against-depression.html>.
77. Sifford D, "An Improper Diagnosis Case That Changed Psychiatry". *Philadelphia Inquirer*, 24 mar. 1988, 4E.
78. Gerald L. Klerman, "The Psychiatric Patient's Right to Effective Treatment: Implications of *Osheroff v. Chestnut Lodge*". *The American Journal of Psychiatry*, v. 147, n. 4, p. 409, abr. 1990. O artigo original referenciado é Sifford D, "An Improper Diagnosis Case That Changed Psychiatry".
79. Michael Robertson e Garry Walter, *Ethics and Mental Health: The Patient, Profession and Community.* Boca Raton, FL: CRC Press, 2014, p. 180.
80. Citado em Abigail Zuger, "New Way of Doctoring: By the Book". *The New York Times*, 16 dez. 1997. Disponível em: <www.nytimes.com/1997/12/16/science/new-way-of-doctoring-by-the-book.html>.
81. Thomas H. McGlashan, "The Chestnut Lodge Follow-Up Study I. Follow-Up Methodology and Study Sample". *Archives of General Psychiatry*, v. 41, n. 6, pp. 573-85, jun. 1984. Ver também Thomas H. McGlashan, "The Chestnut Lodge Follow-Up Study II. Long-Term Outcome of Schizophrenia And the Affective Disorders". *Archives of General Psychiatry*, v. 41, n. 6, pp. 586-601, jun. 1984.

82. J. D. Hegarty et al., "One Hundred Years of Schizophrenia: A Meta-Analysis of the Outcome Literature". *The American Journal of Psychiatry*, v. 151, n. 10, pp. 1409-16, out. 1994.
83. Citado em Ann-Louise S. Silver, "Chestnut Lodge, Then and Now: Work With a Patient with Schizophrenia And Obsessive Compulsive Disorder". *Contemporary Psychoanalysis*, v. 33, n. 2, p. 230, abr. 1997.
84. A. Donald, "The Wal-Marting of American Psychiatry: An Ethnography of Psychiatric Practice in the Late Twentieth Century". *Culture, Medicine, and Psychiatry*, n. 25, p. 435, 2001.
85. Ibid., p. 433.
86. Citado em "Money Woes May End Mission of Historic Hospital". *Psychiatric News*, v. 36, n. 8, p. 9, 20 abr. 2001.
87. A. S. Silver, "A Personal Response to Gail Hornstein", p. 2.
88. Nesa Nourmohammadi, "A Year Later, Historic Chestnut Lodge Still Mourned". *The Washington Post*, 17 jun. 2010. Disponível em: <www.washingtonpost.com/wp-dyn/content/article/2010/06/16/AR2010061603175.html>.
89. Sharon Packer, "A Belated Obituary: Raphael J. Osheroff, MD". *Psychiatric Times,* 28 jun. 2013. Disponível em: <www.psychiatric-times.com/view/belated-obituary-raphael-j-osheroff-md>.
90. Plaintiff Complaint, Government Employees Insurance Co. et al. v. Prescott et al., Case N. 1:14-cv-00057-BMC. U.S. District Court for the Eastern District of New York, 6 jan. 2014.
91. Samuel Osherson, *Finding Our Fathers: How a Man's Life is Shaped by His Relationship with His Father.* Chicago: Contemporary Books, 2001, p. 1. (Osherson não é parente de Osheroff, apesar da curiosa semelhança dos sobrenomes.)
92. "Dr. Raphael J. Osheroff", *The Star-Ledger,* 20 mar. 2012. Disponível em: <obits.nj.com/us/obituaries/starledger/name/raphael-osheroff-obituary?id=22024016>.
93. Sigmund Freud, *Writings on Art And Literature.* Stanford, CA: Stanford University Press, 1997, p. 247.

Bapu [pp. 80-133]

1. Este capítulo se baseia em mais de oitocentas páginas de diários manuscritos de Bapu, a maioria deles redigida em tâmil (com al-

gumas partes em sânscrito), que a nora encontrou em um armário após sua morte. Também li cerca de noventa páginas de cartas (além de comunicados bancários, um relatório policial e textos diversos) que Bhargavi encontrou na pasta do pai. Os diários e as cartas foram traduzidos por Vidya Mohan, professora de língua tâmil na Universidade de Michigan, e Tyler Richard, professor de sânscrito e língua tâmil em Columbia. Sruthi Durai, estudante de Berkeley, também ajudou nas traduções. Além disso, Vidya, que cresceu em uma família brâmane em Chennai, mais ou menos na mesma época que Braghavi, forneceu um contexto extraordinariamente útil.

2. Vijaya Ramaswamy, *Walking Naked: Women, Society, Spirituality in South India*. Shimla, Índia: Indian Institute of Advanced Study, 1997, p. 3.
3. Kumkum Sangari, "Mirabai and the Spiritual Economy of Bhakti". *Economical and Political Weekly*, v. 25, n. 27, pp. 1464-75, jul. 1990.
4. Citado em V. Ramaswamy, *Walking Naked*, p. 33.
5. Do prefácio de Sri Nambudiri para o livro de Bapu intitulado *Red--Eyed One, Open Your Red Eyes* (Chennai: Mardas Two, 1970), p. 1. Vidya Mohan traduziu o livro para mim.
6. Carta de Rajamani à polícia de Madra, 9 jun. 1970.
7. Citado em V. K. Subramanian, *101 Mystics of India*. Nova Delhi: Abhinav Publications, 2001, p. 221.
8. The Mental Healthcare Act, Act N. 10, Ministry of Law and Justice, Nova Delhi, 2017.
9. Louis A. Sass, *Madness and Modernism: Insanity in the Light of Modern Art, Literature, and Thought*. Nova York: Basic Books, 1992, p. 16.
10. Citado em Angela Woods, *The Sublime Object of Psychiatry: Schizophrenia in Clinical and Cultural Theory*. Oxford: Oxford University Press, 2011, p. 51.
11. Zeno Van Duppen e Rob Sips, "Understanding the Blind Spots of Psychosis: A Wittgensteinian and First-Person Approach". *Psychopathology*, v. 51, n. 4, p. 4, 2018.
12. L. A. Sass, *Madness and Modernism*, p. 44.
13. Waltraud Ernst, *Colonialism and Transnational Psychiatry: The Development of an Indian Mental Hospital in British India, c. 1925-1940*. Londres: Anthem Press, 2013, pp. xvii-xx.
14. Citado em ibid., p. 539.

15. George Devereux, "A Sociological Theory of Schizophrenia", *The Psychoanalytical Review*, n. 26, p. 317, jan. 1939.
16. W. Ernst, *Colonialism and Transnational Psychiatry*, p. 14. Ver também T. M. Luhrman, *The Good Parsi: The Fate of a Colonial Elite in a Postcolonial Society*. Cambridge, MA: Harvard University Press, 1996.
17. Citado em W. Ernst, *Colonialism and Transnational Psychiatry*, p. 12.
18. Citado em Amit Ranjan Basu, "Emergence of a Marginal Science in a Colonial City: Reading Psychiatry in Bengali Periodicals". *The Indian Economic and Social History Review*, v. 41, n. 2, p. 131, 2004.
19. Citado em Christiane Hartnack, *Psychoanalysis in Colonial India*. Nova Delhi: Oxford University Press, 2001, p. 1.
20. Citado em William B. Parsons, "The Oceanic Feeling Revisited". *The Journal of Religion*, v. 78, n. 4, p. 503, out. 1998.
21. Citado em Sudhir Kakar, *The Analyst and the Mystic: Psychoanalytic Reflections on Religion and Mysticism*. Nova Delhi: Viking, 1991, p. 6.
22. Ibid., p. ix.
23. Ibid., p. x.
24. Citado em ibid., p. 25. Originalmente em Paul C. Horton, "The Mystical Experience: Substance of an Illusion". *Journal of the American Psychoanalytic Association*, n. 22, pp. 364-80, 1974.
25. N. C. Surya e S. S. Jayaram, "Some Basic Considerations in the Practice of Psychotherapy in the Indian Setting". *Indian Journal of Psychiatry*, n. 38, p. 10, 1996.
26. Citado em N. N. Wig, "Dr. N. C. Surya — The Lone Rider". *Indian Journal of Psychiatry*, n. 38, p. 7, 1996.
27. Citado em ibid., p. 7.
28. Citado em ibid., p. 4.
29. Ibid., p. 2.
30. Citado em Sudhir Kakar, "Reflections on Psychoanalysis, Indian Culture and Mysticism". *Jornal of Indian Philosophy*, n. 10, p. 293, 1982.
31. Edward Shorter, *A Historical Dictionary of Psychiatry*. Nova York: Oxford University Press, 2005, p. 256.
32. W. K., "Indian Drugs for Mental Diseases". *The New York Times*, 31 maio 1953.
33. Nathan S. Kline, "Use of *Rauwolfia serpentina* Benth. in Neuropsychiatric Conditions". *Annals of the New York Academy of Sciences*, v. 59, n. 1, pp. 107-27, abr. 1954.
34. N. S. Kline, *From Sad to Glad*, p. 66.

35. David Healy, *The Creation of Psychopharmacology*. Cambridge, MA: Harvard University Press, 2002, p. 105.
36. Elliot S. Valenstein, *Blaming the Brain: The Truth About Drugs and Mental Health*. Nova York: Free Press, 1988, p. 70.
37. N. S. Kline, *From Sad to Glad*, p. 59.
38. Ibid., p. 62.
39. Ibid., p. 117.
40. "Chlorpromazine for Treating Schizophrenia", site da Lasker Foundation, disponível em: <laskerfoundation.org/winners/chlorpromazine-for-treating-schizophrenia/>.
41. Citado em Alain Ehrenberg, *Weariness of the Self: Diagnosing the History of Depression in the Contemporary Age*. Montreal: McGill-Queen's University Press, 2009, p. 176.
42. Jonathan M. Metzl, *The Protest Psychosis: How Schizophrenia Became a Black Disease*. Boston: Beacon Press, 2009, p. 103.
43. Citado em Mat Savelli e Melissa Ricci, "Disappearing Acts: Anguish, Isolation, and the Reimagining of the Mentally Ill in Global Psychopharmaceutical Advertising (1953-2005)". *Canadian Bulletin of Medical History*, v. 35, n. 2, p. 259, outono 2018.
44. Rajesh Govindarajulu, "The Chellammal Effect". *The Hindu*, 1 ago. 2014. Disponível em: <www.thehindu.com/features/metroplus/the-chellammal-effect/article6272190.ece>.
45. Lakshimi Narayan, "The Kesavardhini 'Mami'". *Femina*, p. 15, 23 maio 1975.
46. Citado em Andrew O. Fort, *Jīvanmukti in Transformation: Embodied Liberation in Advaita and Neo-Vedanta*. Albany: State University of New York Press, 1998, p. 162.
47. Citado em Josef Parnas e Mads Gram Hendriksen, "Mysticism and Schizophrenia: A Phenomenological Exploration of the Structure of Consciousness in the Schizophrenia Spectrum Disorders". *Consciousness and Cognition*, n. 43, p. 79, maio 2016.
48. Citado em David R. Kinsley, *The Divine Player: A Study* of *Kṛṣṇa Līlā*. Delhi: Motilal Banardidass, 1979, p. 226.
49. Citado em id., "'Through the Looking Glass': Divine Madness in the Hindu Religious Tradition", *History of Religions*, v. 13, n. 4, p. 293, maio 1974.
50. Citado em Vijaya Ramaswamy, "Rebels — Conformists? Women Saints in Medieval South India". *Anthropos*, v. 87, n. 1/3, p. 143, 1992.

51. Robert Bly e Jane Hirshfield, *Mirabai: Ecstatic Poems*. Boston: Beacon Press, 2004, p. 25.
52. Miranda Fricker, *Epistemic Injustice: Power and the Ethics of Knowing*. Nova York: Oxford University Press, 2007, p. 1.
53. Chittaranjan Andrade, "The Practice of Electroconvulsive Therapy in India: Considerable Room for Improvement". *Indian Journal of Psychological Medicine*, v. 15, n. 2, pp. 1-4, jul. 1992. Ver também Chittaranjan Andrade, "ECT in India: Historical Snippets". *Convulsive Therapy*, v. 11, n. 3, pp. 225-7, 1995.
54. Citado em Sisir Kumar Das, *A History of Indian Literature, 500-1399: From the Courtly to the Popular*. Nova Delhi: Sahitya Akademy, 2005, p. 50.
55. Bhargavi V. Davar, *The Fugitive*. A peça não foi publicada. Bhargavi mostrou um calhamaço de velhos impressos com seus textos, incluindo histórias e poemas, compostos principalmente na adolescência ou na casa dos vinte anos, quando a visitei em seu apartamento, em Pune.
56. Bhargavi V. Davar e Parameshwar R. Bhat, *Psychoanalysis as a Human Science: Beyond Foundationalism*. Nova Delhi: Sage, 1995, p. 20.
57. Recentemente vimos um modesto renascimento da perspectiva fenomenológica da esquizofrenia. Ver Louis Sass, Josef Parnas e Dan Zahavi, "Phenomenological Psychopathology and Schizophrenia: Contemporary Approaches and Misunderstandings". *Philosophy, Psychiatry, and Psychology*, v. 18, n. 1, pp. 1-23, mar. 2011.
58. Bhargavi V. Davar, "Writing Phenomenology of Mental Illness, Extending the Universe of Ordinary Discourse". In: A. Raghuramaraju (Org.), *Existence, Experience, and Ethics*. Nova Delhi: DK Printworld, 2000, pp. 61-2.
59. Ibid., p. 75.
60. Bhargavi V. Davar, "From Mental Illness to Disability: Choices for Women Users/Survivors of Psychiatry in Seld and Identity Constructions". *Indian Journal of Gender Studies*, v. 15, n. 2, p. 270, maio 2008.
61. J. Moussaief Masson, *The Oceanic Feeling: The Origins of Religious Sentiment in Ancient India*. Dordrecht, Holanda: D. Reidel Publishing Company, 1980, p. 6.
62. Gananath Obeyesekere, "Depression, Buddhism, and the Work of Culture in Sri Lanka". In: Arthur Kleinman e Byron Good (Orgs.),

Culture and Depression: Studies in the Anthropology and Cross-Cultural Psychiatry of Affect and Disorder. Berkeley: University of California Press, 1985, pp. 144-5.

63. Barry Bearak, "25 Inmates Die, Tied to Poles, in Fire in India in Mental Home". *The New York Times*, 7 ago. 2001. Disponível em: <www.nytimes.com/2001/08/07/world/25-inmates-die-tied-to-poles-in-fire-in-india-in-mental-home.html>.
64. "SC Orders Inspection of Mental Asylums". *Times of India*, 6 fev. 2002. Disponível em: <timesofindia.indiatimes.com/india/sc-orders-inspection-of-mental-asylums/articleshow/12409583.cms>.
65. Asha Krishnakumar, "Beyond Erwadi". *Frontline*, 20 jul. 2002. Disponível em: <frontline.thehindu.com/other/article30245597.ece>.
66. Ramanathan Raguram et al., "Traditional Community Resources for Mental Health: A Report of Temple Healing from India". *British Medical Journal*, v. 325, n. 7354, p. 38, jul. 2002.
67. Ramanathan Raguram et al., "Rapid Response: Author's Response". Site do *British Medical Journal*, 12 ago. 2002. Disponível em: <www.bmj.com/rapid-response/2011/10/29/authors-response-0>.
68. Santosh Rajagopal, "Rapid Response: Misleading Study". Site do *British Medical Journal*, 19 jul. 2002. Disponível em: <www.bmj.com/rapid-response/2011/10/29/misleading-study>.
69. B. V. Davar, "Writing Phenomenology", p. 62.
70. Patel também escreve extensivamente sobre esse dilema em "Rethinking Mental Health Care: Bridging the Credibility Gap" (*Intervention*, v. 12, n. 1, pp. 15-20, 2014).
71. Bhargavi V. Davar e Madhura Lohokare, "Recovering from Psychosocial Traumas: The Place of Dargahs in Maharashtra". *Economic and Political Weekly*, v. 44, n. 16, p. 63, abr. 2009.
72. Bhargavi Davar, relatório não publicado sobre a cura pela fé (do qual fiz uma cópia em minha visita à biblioteca do Bapu Trust em Pune), p. 120.
73. T. V. Padma, "Developing Countries: The Outcomes Paradox". *Nature*, n. 508, pp. 14-5, abr. 2014. Ver também G. Harrison et al., "Recovery from Psychotic Illness: A 15- and 25-Year International Follow-Up Study". *The British Journal of Psychiatry*, n. 178, pp. 506-17, jun. 2001.
74. Citado em Kim Hopper, "Outcomes Elsewhere: Course of Psychosis in 'Other Cultures'". In: Craig Morgan, Kwame McKenzie

e Paul Fearon (Orgs.), *Society and Psychosis*. Cambridge: Cambridge University Press, 2008. Para refletir sobre os estudos da OMS e suas implicações, ver Ethan Watters, *Crazy Like Us: The Globalization of the American Psyche* (Nova York: Free Press, 2010).

75. Outra teoria sobre as descobertas da OMS diz que em culturas ocidentais o sentimento de individualidade desorganizado ou disperso pode ser mais aflitivo e patológico do que em culturas cuja autonomia individual é menos valorizada. Tanya Luhrmann, antropóloga e médica em Stanford, estudou pessoas em três cidades — Chennai, na Índia; Acra, em Gana; e San Mateo, nos Estados Unidos — que ouvem vozes. Os estadunidenses interpretavam as vozes como uma invasão e se sentiam violados. Os ganeses e os indianos tinham menos dificuldade de imaginar que "mente e self são interligados com os outros", Luhrmann constatou. Tinham maior probabilidade de descrever as vozes como uma força positiva, que traz orientação útil. "Interpretavam-nas, efetivamente, como pessoas — que não podem ser controladas", escreveu. Ver T. M. Luhrmann et al., "Differences in Voice-Hearing Experiences of People with Psychosis in the U.S.A., India and Ghana: Interview-Based Study". *The British Journal of Psychiatry*, v. 206, n. 1, pp. 41-4, jan. 2015.
76. Citado em Fort, *Jīvanmukti in Transformation*, p. 145.
77. Paul Brunton, *A Search in Secret India*. Londres: Rider, 1934, p. 141.
78. Citado em V. Ramaswamy, *Walking Naked*, p. 8.
79. R. Bly e J. Hirshfield, *Mirabai*, p. 38.

Naomi [pp. 134-99]

1. Milton William Cooper, *Behold a Pale Horse*. Flagstaff, AZ: Light Technology Publishing, 1991, p. 168.
2. Ibid., p. 167.
3. Saul Williams, "Amethyst Rocks". In: *The Dead Emcee Scrolls: The Lost Teachings of Hip-Hop*. Nova York: Pocket Books, 2006, p. 54.
4. Relatório do incidente, Saint Paul Police Department, 4 jul. 2003.
5. Transcrição da entrevista de Naomi Gaines pela policial Sheila Lambie, 4 jul. 2003. Também tomei por base mais de cem páginas de registros policiais e prontuários para descrever os acontecimentos que levaram até a entrevista a Lambie.

6. Audrey Petty, *High Rise Stories: Voices from Chicago Public Housing*. San Francisco: McSweeney's Books, 2013, p. 19.
7. D. Bradford Hunt, "What Went Wrong With Public Housing in Chicago? A History of the Robert Taylor Homes". *Journal of the Illinois State Historical Society* (1998-), v. 94, n. 1, p. 96, 2001.
8. William Julius Wilson, "The Urban Underclass". In: Paul E. Peterson (Org.), *The Urban Reality*. Washington, DC: Brookings Institution, 1985, p. 137.
9. Ibid., p. 138.
10. Citado em Devereux Bowly Jr., *The Poorhouse: Subsidized Housing in Chicago*. Carbondale: Southern Illinois University Press, 1978, p. 109.
11. Prentiss Taylor, "Research for Liberation: Shaping a New Black Identity in America". *Black World*, p. 13, maio 1973.
12. Frances E. Kuo, "Coping With Poverty: Impacts of Environment and Attention in the Inner City". *Environment and Behavior*, v. 33, n. 1, p. 28, jan. 2001.
13. "Taylor Homes: The Demo of the 'Hole'". *South Street Journal*, v. 5, n. 3, p. 1, verão 1998.
14. Linnet Myers, "Hell in the Hole". *Chicago Tribune*, 12 abr. 1998.
15. Pam Belluck, "End of a Ghetto: A Special Report; Razing the Slum to Rescue the Residents". *The New York Times*, 6 set. 1998.
16. Citado em ibid., p. 26.
17. George Papajohn e William Recktenwald, "Living in a War Zone Called Taylor Homes". *Chicago Tribune*, 10 mar. 1993.
18. Arthur Horton, "Disproportionality in Illinois Child Welfare: The Need for Improved Substance Abuse Services". *Journal of Alcoholism and Drug Dependence*, v. 2, n. 1, p. 145, 2013.
19. Naomi Gaines, "Victory: A Memoir", p. 49. O manuscrito de Naomi tem 264 páginas e é dedicado a seus gêmeos. A maior parte do texto foi escrita na prisão.
20. bell hooks, *Rock My soul: Black People and Self-Esteem*. Nova York: Atria Books, 2002, p. 205. A autora também escreveu: "Me pego dizendo repetidas vezes que a saúde mental é a fronteira antirracista revolucionária que os afro-americanos precisam explorar coletivamente".
21. John Head, Standing in the Shadows: *Understanding and Overcoming Depression in Black Men*. Nova York: Broadway Books, 2004, p. 3.
22. bell hooks, *Rock My Soul*, p. 23.

23. Kelly M. Hoffman et al., "Racial Bias in Pain Assessment and Treatment Recommendations, and False Beliefs About Biological Differences Between Blacks and Whites". *Proceedings of the National Academy of Sciences*, v. 113, n. 16, p. 4296, abr. 2016.
24. Christopher D. E. Willoughby, "Running Away from Drapetomania: Samuel A. Cartwright, Medicine, and Race in the Antebellum South". *Journal of Southern History*, v. 84, n. 3, p. 579, ago. 2018.
25. Citado em Cathy McDaniels-Wilson, "The Psychological Aftereffects of Racialized Sexual Violence". In: Mary E. Frederickson e Delores M. Walters (Orgs.), *Gendered Resistance: Women, Slavery, and the Legacy of Margaret Garner*. Urbana: University of Illinois Press, 2013, p. 195. Cartwright também cunhou outro transtorno mental chamado "Drapetomania, ou as doenças que levam escravizados a fugir". Para saber mais sobre Cartwright, ver *The Protest Psychosis*, de Jonathan Metzl, que traz uma discussão pioneira sobre racismo na psiquiatria da era dos direitos civis.
26. Citado em Bob Myers, "'Drapetomania': Rebelion, Defiance and Free Black Insanity in the Antebellum United States". Tese de ph.D., UCLA Electronic Theses and Dissertations, 2014, p. 7. Ver também Samuel A. Cartwright, "Report on the Diseases and Physical Peculiarities of the Negro Race". *New Orleans Medical and Surgical Journal*, 1851.
27. John Biewen, "Moving Up: Part Two", transmitido pela Minnesota Public Radio, 7 ago. 1997.
28. Simone Schwarz-Bart e André Schwarz-Bart, *In Praise of Black Women: Ancient African Queens*. Houston: Modus Vivendi Publications, 2001, p. vii.
29. James Allen et al., *Without Sanctuary: Lynching Photography in America*. Santa Fé, NM: Twin Palms Publishers, 1999.
30. "Death by Lynching". *The New York Times*, 16 mar. 2000. Disponível em: < www.nytimes.com/2000/03/16/opinion/death-by-lynching.html>.
31. Joseph R. Winters, *Hope Draped in Black: Race, Melancholy, and the Agony of Progress*. Durham, NC: Duke University Press, 2016, p. 18.
32. Citado em ibid., pp. 19-20. Winters parafraseia um argumento de Anne A. Cheng em *The Melancholy of Race: Psychoanalysis, Assimilation and Hidden Grief*. Nova York: Oxford University Press, 2000.

33. Para saber mais sobre melancolia racial, ver José Esteban Muñoz, *Disidentifications: Queers of Color and the Performance of Politics*. (Minneapolis: University of Minnesota Press, 1999), p. 74; David L. Eng e Shinhee Han, "A Dialogue on Racial Melancholia" (*Psychoanalythic Dialogues*, v. 10, n. 4, pp. 667-700, 2000); Cheng, *The Melancholy of Race*.
34. Citado em Louise Bernard, "National Maladies: Narratives of Race and Madness in Modern America". Dissertação de phD, Yale University, 2005, p. 8.
35. Este capítulo se baseia em milhares de páginas de registros sobre Naomi: de prontos-socorros e hospitais, da penitenciária do condado de Ramsey, do reformatório de Shakopee e do Hospital de Segurança de Minnesota. Muitos desses documentos me foram enviados em resposta a solicitações ao Escritório da Procuradoria do Condado de Ramsey fundamentadas no Freedom Information Act. Com permissão de Naomi, Dennis Gerhardstein, o relações-públicas desse departamento, trabalhou durante metade de um ano para ajudar a coletar e depois compartilhar comigo essas páginas.
36. Martin Summers, "'Suitable Care of the African When Afflicted with Insanity': Race, Madness, and Social Order in Comparative Perspective". *Bulletin of the History of Medicine*, v. 84, n. 1, p. 68, 2010. O estudo que serviu de referência é "Exemption of the Cherokee Indians and Africans from Insantity" (*The American Journal of Insanity*, n. 1, p. 288, 1845).
37. George M. Beard, *American Nervousness: Its Causes and Consequences*. Nova York: G. P. Putnam's Sons, 1881, p. 164.
38. Citado em John S. Hughes, "Labeling and Treating Black Mental Illness in Alabama, 1861-1910". *The Journal of Southern History*, v. 58, n. 3, p. 437, ago. 1993.
39. Citado em Albert Deutsch, "The First U.S. Census of the Insane (1840) and Its Uses as Pro-Slavery Propaganda". *Bulletin of the History of Medicine*, v. 15, n. 5, p. 471, maio 1944. Ver também Calvin Warren, "Black Interiority, Freedom, and the Impossibility of Living". *Nineteenth-Century Contexts*, v. 38, n. 2, p. 113, 2016.
40. Citado em C. Warren, "Black Interiority", p. 113.
41. Reflections on the Census of 1840". *Southern Literary Messenger*, v. 9, n. 6, p. 250, jun. 1843.
42. Ibid., p. 350.

43. C. Warren, "Black Interiority", p. 114.
44. A. Deutsch, "The First U.S. Census", p. 475.
45. Arrah B. Evarts, "Dementia Precox in the Colored Race". *The Psychoanalytic Review*, n. 1, p. 393, jan. 1913.
46. Id., "The Ontogenetic Against the Phylogenetic Elements in the Psychoses of the Colored Race". *The Psychoanalytic Review*, n. 3, p. 287, jan. 1916.
47. A. B. Evarts, "Dementia Precox", p. 394.
48. W. Ernst, *Colonialism and Transnational Psychiatry*.
49. Mary O'Malley, "Psychoses in the Colored Race". *The American Journal of Psychiatry*, n. 71, p. 314, out. 1914.
50. Ibid., p. 327.
51. Warren Breed, "The Negro and Fatalistic Suicide". *Pacific Sociological Review*, v. 13, n. 3, pp. 156-62, set. 1970. Ver também James A. Weed, "Suicide in the United States: 1958-1982". In: Carl A. Taube e Sally A. Barrett (Orgs.), *Mental Health, United States, 1985*. Washington, DC: National Institute of Mental Health, 1985, pp. 135-45; Judith M. Stillion e Eugene E. McDowell, *Suicide Across the Life Span: Premature Exits*. Nova York: Taylor & Francis, 1996, pp. 18-20; "Racial and Ethnic Disparities", site do Suicide Prevention Resource Center, disponível em: <sprc.org/scope/racial-ethnic-disparities>; Ronald W. Maris, Alan L. Berman e Morton M. Silverman, *Comprehensive Textbook of Suicidology*. Nova York: Guilford Press, 2000, p. 75; Centers for Disease Control and Prevention, National Center for Health Statistics, National Vital Statistics System, *National Vital Statistics Report*, v. 52, n. 3, p. 10, set. 2003; Deborah M. Stone, Christopher M. Jones e Karin A, Mack, "Changes in Suicide Rates — United States, 2018-2019". *Morbidity and Mortality Weekly Report*, n. 70, pp. 261-8, 2021.
52. J. Head, *Standing in the Shadows*, p. 30.
53. Keven E. Early e Ronald L. Akers, "'It's a White Thing': An Exploration of Beliefs About Suicide in the African-American Community". *Deviant Behaviour*, v. 14, n. 4, p. 277, 1993.
54. Arthur J. Prange e M. M. Vitols, "Cultural Aspects of the Relatively Low Incidence of Depression in Southern Negroes". *International Journal of Social Psychiatry*, v. 8, n. 2, p. 105, 1962.
55. Citado em Kevin E. Early, *Religion and Suicide in the African-American Community*. Westport, CT: Greenwood Press, 1992, p. 42.

56. Ibid., p. 81.
57. Citado em ibid., p. 43.
58. Abram Kardiner e Lionel Ovesey, *The Mark of Oppression: Explorations in the Personality of American Negro*. Nova York: W. W. Norton, 1951, p. 387.
59. Ibid., p. 387.
60. Richard Wright, "Psychiatry Comes to Harlem". *Free World*, v. 12, p. 2, 51, set. 1946.
61. Ibid., p. 49.
62. Dennis A. Doyle, *Psychiatry and Racial Liberalism in Harlem, 1936--1968*. Rochester, NY: University of Rochester Press, 2016, p. 108.
63. R. Wright, "Psychiatry Comes to Harlem", p. 49.
64. Ibid., p. 51.
65. Gabriel N. Mendes, *Under the Strain of Color: Harlem's Lafargue Clinic and the Promise of an Antiracist Psychiatry*. Ithaca, NY: Cornell University Press, 2015, p. 160.
66. Citado em George Ritzer e Jeffrey Stepnisky, *Sociological Theory: Tenth Edition*. Thousand Oaks, CA: Sage, 2018, p. 562.
67. Frantz Fanon, *Black Skin, White Masks*. Londres: Pluto Press, 1986, p. 138.
68. Citado em Rey Chow, "The Politics of Admittance: Female Sexual Agency, Miscegenation, and the Formation of Community in Frants Fanon". In: Anthony C. Alessandrini (Org.), *Frantz Fanon: Critical Perspectives*. Londres: Routledge, 1999, p. 39.
69. Felicia M. Miyakawa, *Five Percenter Rap: God Hop's Music, Message, and Black Muslim Mission*. Bloomington: Indiana University Press, 2005, p. 68.
70. Iris Marion Young, *On Female Body Experience: "Throwing Like a Girl" and Other Essays*. Nova York: Oxford University Press, 2005, p. 49.
71. Ibid., p. 48.
72. Sudhir Venkatesh, "Midst the Handguns' Red Glare". *Whole Earth*, n. 97, p. 41, verão 1999.
73. Dirk Johnson, "6 Children Found Strangled After Mother Confessed to 911". *The New York Times*, 5 set. 1998. Disponível em: <www.nytimes.com/1998/09/05/us/6-children-found-strangled-after-mother-confesses-to-911.html>.

74. Citado em Lourdes Medrano Leslie, Curt Brown e jornalistas da casa, "A Young Mother Accused of Murder", *Star Tribune*, 15 nov. 1998.
75. "Choice, Place and Opportunity: An Equity Assessment of the Twin Cities Region". Site do Twin Cities Metropolitan Council, disponível em: <metrocouncil.org/Planning/Projects/Thrive-2040/Choice-Place-and-Opportunity/FHEA/CPO-Sect-5.aspx>.
76. Bruce T. Downing et al., "The Hmong Resettlement Study: Site Report, Minneapolis-St. Paul, Minnesota". Washington, DC.: U.S. Department of Health and Human Services, Office of Refugee Resettlement, out. 1983, p. 3.
77. "Most to Least Segregated Cities", site do Othering & Belonging Institute, disponível em: <belonging.berkeley.edu/most-least-segregated-cities>.
78. Sophie J. Baker et al., "The Ethnic Density Effect in Psychosis: A Systematic Review and Multilevel Meta-Analysis". *The British Journal of Psychiatry*, pp. 1-12, 2021.
79. T. M. Luhrmann, "Social Defeat and the Culture of Chronicity: Or, Why Schizophrenia Does So Well Over There and so Badly Here". *Culture, Medicine, and Psychiatry*, n. 31, pp. 135-72, maio 2007.
80. Sophie Mbugua, "Wangari Maathai: The Outspoken Conservationist". Site do Deutsche Welle, 6 mar. 2020. Disponível em: <www.dw.com/en/wangari-maathai-the-outspoken-consevationist/a-52448394>.
81. Lorna A. Rhodes, *Emptying Beds: The Work of an Emergency Psychiatric Unity*. Berkeley: University of California Press, 1995, p. 40.
82. Ibid., p. 14.
83. Ibid., p. 31.
84. Criticando uma abordagem rígida, D. W. Winnicott escreve: "O analista não ajuda o paciente se disser 'Sua mãe não foi boa o bastante... seu pai realmente a seduziu... sua tia o abandonou'. Na análise, mudanças acontecem quando os fatores traumáticos entram no material psicanalítico no tempo do próprio paciente e dentro da sua onipotência". Ver D. W. Winnicott, "The Theory of the Parent--Infant Relationship". *The International Journal of Psychoanalysis*, n. 41, p. 585, 1960.
85. Citado em "Insanity Defense". Site do Legal Information Institute, disponível em: <www.law.cornell.edu/wex/insanity_defense>.

86. Citado em Benjamin F. Hall, *The Trial of William Freeman for the Murder of John G. Van Nest, Including the Evidence and the Arguments of Counsel, with the Decision of the Supreme Court Granting a New Trial, and an Account of the Death of the Prisoner, and of the Post-Mortem Examination of His Body by Amariah Brigham, M. D., and Others*. Auburn, NY: Derby, Miller & Co., 1848, p. 502.
87. Kenneth J. Weiss e Neha Gupta, "America's First M'Naghten Defense and the Origin of the Black Rage Syndrome". *The Journal of the American Academy of Psychiatry and the Law*, v. 46, n. 4, p. 509, dez. 2018.
88. William H. Seward, *Argument of William H. Seward, in Defense of William Freeman, on His Trial for Murder, at Auburn, July 21st and 22nd, 1846*. Auburn, NY: H. Oliphant, printer, 1846, p. 4.
89. Ibid., p. 8
90. Citado em B. F. Hall, *The Trial of William Freeman*, p. 501.
91. Rule 20 Evaluation, redigida por Gregory A. Hanson, diretor assistente de serviços psicológicos, e Jennifer Service, diretora clínica do Minnesota Security Hospital, 7 out. 2003, pp. 1-29.
92. Este capítulo se baseia em mais de seiscentas páginas de anotações e avaliações de profissionais de saúde mental em Shakopee, obtidas mediante solicitação de prontuário (com a permissão de Naomi) do Minnesota Department of Corrections e do Minnesota Department of Human Services.
93. Susan Bartlett Foote, *The Crusade for Forgotten Souls: Reforming Minnesota's Mental Institutions, 1946-1954*. Minneapolis: University of Minnesota Press, 2018, p. xiii.
94. Albert Q. Maisel, "Scandal Results in Real Reforms". *Life*, p. 152, 12 nov. 1951.
95. Luther W. Youngdahl, "The New Frontier in Mental Health", discurso na convenção da American Psychiatric Association, Detroit, Michigan, 4 maio 1950. Disponível em: <mn.gov/mnddc/past/pdf/50s/50/50-NFM-LWY.pdf>.
96. Id., "Statement by Governor Luther W. Youngdahl at the Burning of Restraints" (discurso), Anoka, Minnesota, 31 out. 1949. Disponível em: <mn.gov/mnddc/past/pdf/40s/49/49-SGL-Youngdahl.pdf>.
97. Id., "The New Frontier", p. 6.
98. John F. Kennedy, *Message from the President of the United States Relative to Mental Illness and Mental Retardation*, 88th Cong., 1963, H. Doc, serial 12565, p. 3.

99. "The Community Mental Health Center: Does It Treat Patients?". *Hospital and Community Psychiatry*, n. 12, p. 815, dez. 1980.
100. E. Fuller Torrey, *American Psychosis: How the Federal Government Destroyed the Mental Illness Treatment System*. Nova York: Oxford University Press, 2014, p. 78.
101. Ibid., p, 93.
102. Jennifer Bronson e Marcus Berzofsky, "Indicators of Mental Health Problems Reported by Prisoners and Jail Inmates, 2011-12", U.S. Department of Justice special report. Relatório de acesso livre disponível em: <www.themarshallproject.org/documents/3872819-Indicators-of-Mental-Health-Problems-Reported-by>. Para acessar um excelente apanhado sobre a intersecção entre assistência médica em saúde mental e justiça criminal, ver Alisa Roth, *Insane: America's Criminal Treatment of Mental Illness* (Nova York: Basic Books, 2018).
103. "Incarceration Trends in Minnesota". Site do Vera Institute of Justice, disponível em: <www.vera.org/downloads/pdfdownloads/state-incarceration-trends-minnesota.pdf>.
104. Citado em Thomas M. Daly, *For the Good of the Women: A Short Story of the Minnesota Correctional Facility Shakopee*. Daly Pub, 2004, p. 7.
105. Ibid., p. 7.
106. "Minnesota Correctional Facility: Shakopee Inmate Profile". Site do Minnesota Department of Corrections, disponível em: <coms.doc.state.mn.us/tourreport/04FacilityInmateProfile.pdf>.
107. Essa frase foi extraída de um caderno de 120 páginas que Naomi intitulou "Meu diário". Ela limpava periodicamente sua cela em Shakopee e remetia cartas, cadernos, desenhos e livros à irmã Toma, que os guardava em casa, em Chicago. Quando Naomi foi libertada, Toma transferira todas as cartas e outros escritos da irmã para três enormes sacos de lixo. Este capítulo usa o conteúdo de dois desses sacos — o terceiro estava escondido embaixo de outros e Toma não conseguiu pegá-lo — que Naomi me convidou a ler durante nosso encontro em Chicago, em fevereiro de 2021.
108. Khoua Her, "Khoua Her's Story: Part IV". *Hmong Times*, p. 13, 1 jan. 2001.
109. Ibid., p. 9.

110. Khoua Her, "Khoua Her's Story: Part 1". *Hmong Times*, p. 1, 16 nov. 2000.
111. Christopher Thao Vang, *Hmong Refugees in the New World Culture, Community and Opportunity*. Jefferson, NC: McFarland, 2016, p. 168. Ver também Youhung Her-Xiong e Tracy Schroepfer, "Walking in Two Worlds: Hmong End-of-Life Beliefs and Rituals". *Journal of Social Work in End-of-Life and Palliative Care*, v. 14, n. 4, pp. 291-314, 2018.
112. Mara H. Gottfried, "'This Can Never Happen Again': 1998 Slaying of Six Children in St. Paul by Their Mother Led to Changes in Mental Health Assistance". *Bemidji Pioneer*, 1 set. 2018.
113. Toni Morrison, *Beloved*. Nova York: Vintage Books, 1987, p. 6.
114. D. Bowly Jr., *The Poorhouse*, p. 24.
115. Arthur Blank, "Apocalypse Terminable and Interminable: An Interview with Arthur S. Blank Jr. In: Cathy Caruth (Org.), *Conversations With Leaders in the Theory and Treatment of Catastrophic Experience*. Baltimore, MD: Johns Hopkins University Press, p. 288.
116. William H. Grier e Price M. Cobbs, *Black Rage: Two Black Psychiatrists Reveal the Full Dimensions of the Inner Conflicts and the Desperation of Black Life in the United States*. Nova York: Basic Books, 1968, p. 156.
117. Citado em Rollo May, *The Discovery of Being*. Nova York: W. W. Norton, 1983, p. 158.
118. Elizabeth Hawes, "Incarcerated Women Are Punished for Their Trauma with Solitary Confinement". Site da Solitary Watch, 24 dez. 2020. Disponível em: <solitarywatch.org/2020/12/24/incarcerated-women-are-punished-for-their-trauma-with-solitary-confinement/>.
119. Citado em ibid., p. 7.
120. Citado em Elizabeth Hawes, "Womens's Segragation: 51 Interviews in 2019" (não publicado), Solitary Confinement Report Project, p. 9.
121. Citado em ibid., p. 9.
122. Carta de Carl a Naomi, 29 abr. 2004. Encontrei-a (além de mais correspondência com Carl e outros) nos grandes sacos de lixo onde Toma guardou os pertences de Naomi vindos da prisão. Ver sua anotação "Querido Diário" para saber mais.
123. Transcrição de audiência, "In the Matter of Naomi Gaines: Findings of Fact and Recommendation", Department of Human Services, Special Review Board, Saint Paul, Minnesota, 17 set. 2015.

124. Citado em Andy Steiner, "Her Sentence Complete, Naomi Gaines-Young Wants to Talk About Mental Illness". *MinnPost*, 3 set. 2019. Disponível em: <www.minnpost.com/mental-health-addiction/2019/09/her-sentence-complete-naomi-gaines-young-wants-to-talk-about-mental-illness/>.

125. Os detalhes sobre o Minnesota Security Hospital se baseiam em mais de duas mil páginas de registros que me foram enviados pelo Minnesota Department of Human Services atendendo à solicitação (permissão concedida por Naomi).

126. Falk W. Lohoff, "Overview of the Genetics of Major Depressive Disorder". *Current Psychiatry Reports*, v. 12, n. 6, pp. 539-46, dez. 2010. Ver também Elsevier, "Largest Twin Study Pins Nearly 80% of Schizophrenia Risk on Heritability". *Science Daily*, disponível em: <www.sciencedaily.com/releases/2017/10/171005103313.htm>.

Laura [pp. 200-46]

1. Este capítulo se baseia em cerca de trezentas páginas de prontuários, do período de 1996 a 2010, que Laura me permitiu consultar. Uma versão diferente desta história foi publicada originalmente em *The New Yorker* em 1 abr. 2019 com o título "The Challenge of Going Off Psychiatric Drugs".
2. Joseph Biederman, "The Evolving Face of Pediatric Mania". *Biological Psychiatry*, v. 60, n. 9, pp. 901-2, nov. 2006.
3. Carmen Moreno et al., "National Trends in the Outpatient Diagnosis and Treatment of Bipolar Disorder in Youth". *Archives of General Psychiatry*, v. 64, n. 9, p. 1032, set. 2007.
4. Laura Delano entrevistada por Charles Eisenstein, "Laura Delano: Sanity in an Insane World". A New and Ancient Story, podcast, disponível em: <charleseisenstein.org/podcasts/new-and-ancient-story-podcast/laura-delano-sanity-in-an-insane-world-e28/>.
5. Este capítulo se baseia também no diário que Laura escreveu durante sua viagem em 2004 organizada pela Outward Bound. Além disso, cita dezenas de e-mails e cartas que Laura me mostrou.
6. "Eleanor Roosevelt Facts", site da Franklin D. Roosevelt Presidential Library and Museum, disponível em: <www.fdrlibrary.org/er-facts>.

7. Citado em Alex Beam, *Gracefully Insane: The Rise and Fall of America's Premier Hospital*. Nova York: PublicAffairs, 2001, p. 152.
8. Citado em Ernest Samuels, *Henry Adams*. Cambridge, MA: Harvard University Press, 1989, p. 200.
9. A. John Rush et al., "Acute and Longer-Term Outcomes in Depressed Outpatients Requiring One or Several Treatment Steps: A STAR*D Report". *The American Journal of Psychiatry*, v. 63, n. 11, pp. 1905-17, nov. 2006.
10. Elizabeth Jing e Kristyn Straw-Wilson, "Sexual Dysfunction in Selective Serotonine Reuptake Inhibitors (SSRIs) and Potential Solutions: A Narrative Literature Review". *Mental Health Clinician*, v. 6, n. 4, pp. 191-6, jul. 2016. Ver também Tierney Lorenz, Jordan Rullo e Stephanie Faubion, "Antidepressant-Induced Female Sexual Dysfunction". *Mayo Clinic Proceedings*, v. 91, n. 9, pp. 1280-6, set. 2016.
11. Miranda Fricker, *Epistemic Injustice: Power and the Ethics of Knowing*. Nova York: Oxford University Press, 2007, p. 1.
12. Citado em Carl Elliott, "On Psychiatry and Souls: Walker Percy and the Ontological Lampsometer". *Perspectives in Biology and Medicine*, v. 35, n. 2, p. 238, inverno 1992.
13. Sylvia Plath, *The Journals of Sylvia Plath*, 1982; reed. Nova York: Anchor Books, 1998, p. 35.
14. Ibid., p. 61.
15. Harold F. Searles, *My Work with Borderline Patients*. Laham, MD: Rowman & Littlefield, 1986, p. 59.
16. *Diagnostical and Statistical Manual of Mental Disorders, Third Edition* (*DSM-III*). Washington, DC: American Psychiatric Association, 1980, p. 322.
17. Janet Wirth-Cauchon, *Women and Borderline Personality Disorder: Symptoms and Stories*. New Brunswick, NJ: Rutgers University Press, 2000, p. 2.
18. Robert Whitaker, *The Anatomy of an Epidemic: Magic Bullets, Psychiatric Drugs, and the Astonishing Rise of Mental Illness in America*. Nova York: Brodway Paperbacks, 2010.
19 Helena Hansen, Philippe Bourgois e Ernest Drucker, "Pathologizing Poverty: New Forms of Diagnosis, Disability, and Structural Stigma Under Welfare Reform". *Social Science & Medicine*, pp. 76-83, fev. 2014. Ver também Sandra Steingard, "A Conversation with Nev Jones". *Mad in America: Science, Psychiatry, and Social Justice*, 22 set. 2020.

Disponível em: <www.madinamerica.com/2020/09/a-conversation-with-nev-jones/>.
20. Joseph Schildkraut, "The Catecholamine Hypothesis of Affective Disorders: A Review of Supporting Evidence". *The Journal of Neuropsychiatry and Clinical Neurosciences*, v. 7, n. 4, p. 530, nov. 1995. Artigo publicado originalmente em *The American Journal of Psychiatry*, v. 122, n. 5, pp. 509-22, 1965.
21. N. S. Kline, *From Sad to Glad*, p. 37.
22. Brett J. Deacon, "The Biomedical Model of Mental Disorder: A Critical Analysis of Its Validity, Utility, and Effects on Psychotherapy Research". *Clinical Psychology Review*, n. 33, 2013. Ver também Falk W. Lohoff, "Overview of the Genetics of Major Depressive Disorder". *Current Psychiatry Reports*, v. 12, n. 6, dez. 2010.
23. Thomas Insel, *Healing: Our Path From Mental Illness to Mental Health*. Nova York: Penguin Press, 2022, p. xvi.
24. Laura Delano, e-mail para Robert Whitaker, 28 set. 2010.
25. Comentário anônimo, "Narcissus: just another Effexor story". Site Surviving Antidepressants, 28 set. 2012. Disponível em: <www.survivingantidepressants.org/topic/3027-narcissus-just-another-effexor-story/?tab=comments#comment-33092>.
26. Comentário anônimo no fórum em resposta a "Identity crisis". Site Surviving Antidepressants, disponível em: <www.surviving-antidepressants.org/topic/7497-identity-crisis/>.
27. Amir Raz, "Perspectives on the Efficacy of Antidepressants for Child and Adolescent Depression". *PLOS Medicine*, v. 3, n. 1, p. e9, 2006.
28. Nathan S. Kline, "The Practical Management of Depression". *The Journal of the American Medical Association*, v. 190, n. 8, p. 738, 1964.
29. Citado em Jonathan Metzl, *Prozac on the Couch: Prescribing Gender in the Era of Wonder Drugs*. Durham, NC: Duke University Press, 2003, p. 147. Metzl escreveu sobre o modo como "medicamentos psicotrópicos frequentemente realocam toda a bagagem cultural e social dos paradigmas psicanalíticos", em especial, normas de gênero, sexo e raça. Ver também Jonathan Metzl, "Selling Sanity Through Gender: Psychiatry and the Dynamics of Pharmaceutical Advertising". *Journal of Medical Humanities*, v. 24, n. 1, pp. 79-103, 2003; Jonatahn Metzl, "Prozac and the Pharmacokinetics of Narrative Form". *Signs: Journal of Women in Culture and Society*, v. 27,

n. 2, pp. 347-80, inverno 2002; Jonathan M. Metzl, Sara I. McClelland e Erin Bergner, "Conflations of Marital Status and Sanity: Implicit Heterosexist Bias in Psychiatric Diagnosis in Physician-Dicteted Charts at Midwestern Medical Center". *Yale Journal of Biology and Medicine*, v. 89, n. 2, pp. 247-54, jun. 2016.

30. Lara Magro, Marco Faccini e Roberto Leone, "Lormetazepam Addiction". In: Victor R. Preedy (Org.), *Neuropathology of Drug Addictions and Substance Misuse Volume 3: General Processes and Mechanisms, Prescription Medications, Caffeine and Areca, Polydrug Misuse, Emerging Addictions and Non-Drug Addictions*. Londres: Academic Press, 2016, p. 273.
31. Citado em Alain Ehrenberg, *Weariness of the Self: Diagnosing the History of Depression in the Contemporary Age*. Montreal: McGill--Quenn's University Press, 2009, p. 199.
32. Todd M. Hillhouse e Joseph H. Porter, "A Brief History of the Development of Antidepressant Drugs: From Monoamines to Glutamate". *Experimental and Clinical Psychopharmacology*, v. 23, n. 1, pp. 1-21, fev. 2015.
33. Debra J. Brody e Qiuping Gu, "Antidepressant Use Among Adults: United States, 2015-2018". *Centers for Disease Control and Prevention: National Center for Health Statistics Data Brief*, n. 277, p. 2, set. 2020.
34. Citado em J. Metzl, *Prozac on the Couch*, p. 61.
35. Citado em ibid., p. 154.
36. O blog de Laura se chamava Recovering from Psychiatry. A URL era <recoveringfrompsychiatry.com>, mas o site não existe mais.
37. Giovanni A. Fava, professor de psiquiatria da Universidade de Buffalo, é um dos poucos psiquiatras que estudaram minuciosamente as complicações da abstinência de ISRS. Publicou recentemente um livro sobre o assunto, *Discontinuing Antidepressant Medications* (Nova York: Oxford University Press, 2021).
38. L. Pacheco et al., "More Cases of Paroxetine Withdrawal Syndrome". *The British Journal of Psychiatry*, v. 169, n. 3, p. 384, 1996.
39. Andrea L. Lazowick e Gary M. Levin, "Potential Withdrawal Syndrome Associated with SSRI Discontinuation". *Annals of Pharmacotherapy*. n. 29, p. 1285, dez. 1995.
40. E. Szabadi, "Fluvoxamine Withdrawal Syndrome". *The British Journal of Psychiatry*, v. 160, n. 2, p. 284, fev. 1992.

41. John Keats a George e Tom Keats, carta, 21-7 dez. 1817, site da British Library, disponível em: <www.bl.uk/romantics-and-victorians/articles/john-keats-and-negative-capability>.
42. Peter Kramer, *Listening to Prozac: A Psychiatrist Explores Antidepressant Drugs and the Remaking of Self*. Nova York: Penguin Books, 1993, pp. 270-1.
43. Nathan S. Kline, "Clinical Experience with Prozac (Marsilid)". *Journal of Clinical and Experimental Psychopathology & Quarterly Review of Psychiatry and Neurology*, n. 19, p. 79, 1958.
44. Carl Elliott, "Pursued by Happiness and Beaten Senseless: Prozac and the American Dream". *Hastings Center Report*, v. 30, n. 2, p. 9, 2000.
45. Ibid., p. 11.
46. A. Ehrenberg, *Weariness of the Self*, p. 200.
47. Carl Elliott, introdução de *Prozac as a Way of Life*. Org. de Carl Elliott e Tod Chambers. Chapel Hill: University of North Carolina Press, 2004, p. 3.
48. Kramer, *Listening to Prozac*, p. xv.
49. Adam Phillips, "The Art of Nonfiction N. 7". Entrevista por Paul Holdengräber, *The Paris Review*, n. 208, primavera 2014. Disponível em: <www.theparisreview.org/interviews/6286/the-art-of-nonfiction-no-7-adam-phillips>.
50. Em *Listening to Prozac*, Peter Kramer escreve que o Prozac "catalisa a condição prévia para a tragédia: a participação" (p. 258).
51. Roland Kuhn, "The Imipramine Story". In: Frank J. Ayd e Barry Blackwell (Orgs.), *Discoveries in Biological Psychiatry*. Filadélfia: J. B. Lippincott, 1970, p. 215.
52. Adrienne Einarson, Peter Selby e Gideon Koren, "Abrupt Discontinuation of Psychotropic Drugs During Pregnancy: Fear of Teratogenic Risk and Impact of Counselling". *Journal of Psychiatry & Neuroscience*, v. 26, n. 1, p. 46, 2001.
53. P. Kramer, *Listening to Prozac*. Ver também Peter Kramer, "Incidental Enhancement", *Human Nature and Self Design*, pp. 155-63, jan. 2011.
54. A. S. Silver, "A Personal Response to Gail Hornstein's", p. 2.
55. F. Fromm-Reichmann, "Loneliness", p. 306.
56. Sigmund Freud, "Fragment of an Analysis of a Case of Hysteria (1905 [1901])". In: *The Standard Edition of the Complete Psychological Works of Sigmund Freud, Volume VII (1901-1905): A Case of Hysteria,*

Three Essays on Sexuality and Other Works (1905). Londres: Hogarth, 1975, p. 122.

57. Citado em Susan Katz, "Speaking Out Against the 'Talking Cure': Unmarried Women in Freud's Early Case Studies". *Women's Studies: An Interdisciplinary Journal*, v. 13, n. 4, p. 298, 1987. Originalmente em Sigmund Freud e Josef Breuer, *Studies on Hysteria*. Trad. James Stratchey. Nova York: Basic Books, 2000, p. 160. Publicado originalmente em 1895.

Epílogo: Hava [pp. 247-68]

1. Arthur L. Robin e Patricia T. Siegel, "Family Therapy with Eating-Disordered Adolescence". In: Sandra W. Russ e Thomas H. Ollendick (Orgs.), *Handbook of Psychotherapies with Children and Families*. Nova York: Kluwer Academic/Plenum Publishers, 1999, p. 301.
2. Agradeço a Nev Jones por formular essa ideia depois de ler o manuscrito. Sua obra sobre a natureza da psicose e identidade tem sido uma fonte de inspiração. Ver Awais Aftab, "Phenomenology, Power, Polarization, and the Discourse of Psychosis: Nev Jones, phD". *Psychiatric Times*, 8 out. 2000. Disponível em: <www.psychiatric-times.com/view/phenomenology-power-polarization-psychosis>. Ver também Nev Jones et al., "'Did I Push Myself Over the Edge?': complications of Agency in Psychosis Onset and Development". *Psychosis: Psychological, Social and Integrative Approaches*, v. 8, n. 4, pp. 324-35, jan. 2016.
3. David Milne, "Michigan Continues to Cut Public Psychiatry Beds". *Psychiatric News*, 7 fev. 2003. Disponível em: <psychnews.psychiatryonline.org/doi/full/10.1176/pn.38.3.0008>.
4. Jon Arcelus et al., "Mortality Rates in Patients with Anorexia Nervosa and Other Eating Disorders: A Meta-Analysis of 36 Studies". *Archives of General Psychiatry*, v. 68, n. 7, p. 729, 2011.
5. Rebecca J. Lester, *Famished: Eating Disorders and Failed Care in America*. Oakland: University of California Press, 2019, p. 16.
6. "Facts About Eating Disorders: What the Research Shows". Site da Eating Disorders Coalition for Research, Policy & Action (EDC), disponível em: <eatingdisorderscoalition.org.s208556.gridserver.com/couch/uploads/file/Eating%20Disorders%20Fact%20Sheet.pdf>.

7. Ibid.
8. R. J. Lester, *Famished*, p. 16.
9. Ancel Keys, Josef Brozek e Austin Henschel, *The Biology of Human Starvation*. Minneapolis: University of Minnesota Press, 1950, p. 908.
10 N. Peters, "The Ascetic Anorexic", p. 49. Ver também A. Keys, J. Brozek e A. Henschel, *The Biology of Human Starvation*.
11. Citado em Liza Mundy, "Open (Secret)". *The Washington Post*, 6 maio 2007, p. W18. Além disso, Liza Mundy generosamente se correspondeu comigo sobre os encontros com Hava e sua família.
12. Louise Glück, *Proofs and Theories: Essays on Poetry*. Hopewell, NJ: Ecco Press, 1994, p. 10.
13. William James, *Essays in Psychology*. Cambridge, MA: Harvard University Press, 1984, pp. 247-68.
14. Rachel Aviv, "Which Way Madness Lies: Can Psychosis Be Prevented?". *Harper's Magazine*, p. 41, dez. 2010.
15. Citado em Patricia E. Deegan, "Recovery as a Self-Directed Process of Healing and Transformation". *Occupational Therapy in Mental Health*, n. 17, p. 18, 2002.
16. Ibid., p.19.
17. Patricia E. Deegan, "Recovery: The Lived Experience of Rehabilitation". *Psychological Rehabilitation Journal*, v. 11, n. 4, p. 14, 1988.
18. Id., "Recovery as a Self-Directed Process", p. 18.
19. Id., "Recovery: The Lived Experience of Rehabilitation", p. 14.
20. John Steinbeck, *The Grapes of Wrath*. Nova York: Viking Press, 1939, p. 15.
21. Frieda Fromm-Reichmann, "Remarks on the Philosophy of Mental Disorder". *Psychiatry: Interpersonal and Biological Processes*, n. 9, p. 294, 1946.

1ª EDIÇÃO [2023] 4 reimpressões

ESTA OBRA FOI COMPOSTA POR MARI TABOADA EM DANTE PRO
E IMPRESSA EM OFSETE PELA GRÁFICA SANTA MARTA SOBRE PAPEL PÓLEN
DA SUZANO S.A. PARA A EDITORA SCHWARCZ EM JUNHO DE 2024